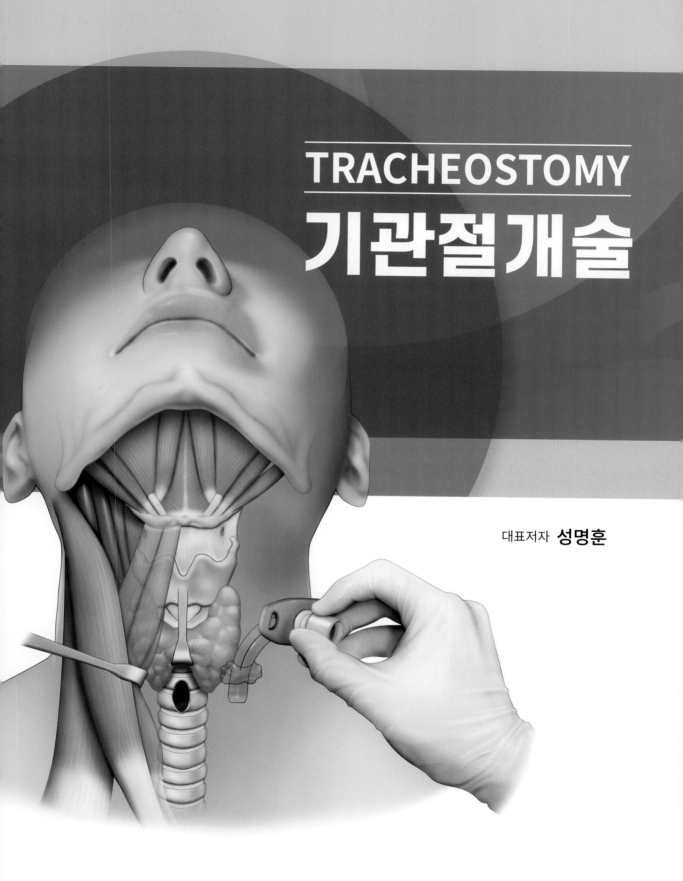

TRACHEOSTOMY
기관절개술

대표저자 **성명훈**

THACHEOSTOMY
기관절개술

첫째판 1쇄 인쇄 | 2022년 6월 7일
첫째판 1쇄 발행 | 2022년 6월 28일

대 표 저 자   성명훈
발 행 인   장주연
출 판 기 획   이성재
책 임 편 집   김수진
표지디자인   김재욱
편집디자인   주은미
일 러 스 트   김경렬, 유학영
제 작 담 당   이순호
발 행 처   군자출판사(주)
　　　　　 등록 제4-139호(1991.6.24)
　　　　　 (10881) **파주출판단지** 경기도 파주시 회동길 338(서패동 474-1)
　　　　　 Tel. (031)943-1888   Fax. (031)955-9545
　　　　　 홈페이지 | www.koonja.co.kr

ISBN 979-11-5955-331-8
정가 120,000원

THACHEOSTOMY

기관절개술

집필진

(* 가나다 순 배열입니다.)

강민구 | 동아대학교 의과대학
동아대학교병원 재활의학과

권성근 | 서울대학교 의과대학
서울대학교병원 이비인후과

권택균 | 서울대학교 의과대학
서울대학교병원운영 보라매병원 이비인후과

김광현 | 서울대학교 의과대학
분당제생병원 이비인후과

김민선 | 서울대학교 의과대학
서울대학교병원 소아청소년과/공공진료센터

김영태 | 서울대학교 의과대학
서울대학교병원 흉부외과

김준성 | 서울대학교 의과대학
분당서울대학교병원 흉부외과

김희수 | 서울대학교 의과대학
서울대학교병원 마취통증의학과

김희정 | 성균관대학교 의과대학
삼성서울병원 이비인후과

박성준 | 중앙대학교 의과대학
중앙대학교광명병원 이비인후과

박인규 | 서울대학교 의과대학
서울대학교병원 흉부외과

서동인 | 서울대학교 의과대학
서울대학교병원 소아청소년과

성명훈 | 서울대학교 의과대학
서울대학교병원 이비인후과

손영익 | 성균관대학교 의과대학
삼성서울병원 이비인후과

안순현 | 서울대학교 의과대학
서울대학교병원 이비인후과

오병모 | 서울대학교 의과대학
서울대학교병원/국립교통재활병원 재활의학과

오현미 | 서울대학교 의과대학
국립교통재활병원 재활의학과

이도영 | 서울대학교 의과대학
서울대학교병원운영 보라매병원 이비인후과

이상준 | 단국대학교 의과대학
단국대학교병원 이비인후과

이윤세 | 울산대학교 의과대학
서울아산병원 이비인후과

이휘재 | 서울대학교 의과대학
서울대학교병원운영 보라매병원 응급의학과

장재연 | 서울대학교 의과대학
서울대학교병원 소아중환자실

정영호 | 울산대학교 의과대학
서울아산병원 이비인후과

정우진 | 서울대학교 의과대학
분당서울대학교병원 이비인후과

정은재 | 서울대학교 의과대학
서울대학교병원 이비인후과

정필상 | 단국대학교 의과대학
단국대학교병원 이비인후과

조영재 | 서울대학교 의과대학
분당서울대학교병원 호흡기내과

지정연 | 서울대학교 의과대학
서울대학교병원운영 보라매병원 이비인후과

차원재 | 서울대학교 의과대학
분당서울대학교병원 이비인후과

최승호 | 울산대학교 의과대학
서울아산병원 이비인후과

발간사

기도 관리는 의료에서 가장 중요한 영역 중의 하나입니다. 거의 모든 의료 상황에서 기도의 확보가 첫 번째로 확인되어야 합니다. 기민하고 냉철한 판단이 필요한 응급 상황뿐만 아니라, 지금은 장기적으로 기도 보조 장치에 의존해야 하는 환자들도 많습니다. 모든 의료인이 안전하고 효과적인 기도 관리에 대한 지식과 기술을 잘 체득하고 있어야 합니다.

2007년 김광현 교수님을 편저자로 <기관절개술>을 발간하였습니다. 그 후 십여 년 동안 기도 관리에 관한 많은 지식이 쌓이고, 새로운 접근도 제시되었습니다. 최근에는 COVID-19 팬데믹으로 기도 관리에 각별한 주의가 요구되기도 합니다. 이번 <기관절개술> 개정판이 기도 관리에 필요한 실제적인 지식을 공유하는 기회가 되기를 기대합니다.

이 책은 기도 관리의 매우 중요한 축 중의 하나인 기관절개술을 키워드로 하지만, 기도 관리의 기본적 개념부터 진료 현장에서 필요한 상세한 지침까지 종합적이고도 실제적인 지식을 정리하고자 하였습니다. 직접 시술을 주로 담당하는 이비인후과 외에도 다양한 분야가 기관절개술을 시행하는 환자의 치료와 관련되어 있지만, 이에 대한 종합적인 지식을 포괄하는 교과서는 찾기가 어렵습니다. 이 책은 기도 수술에 전념하는 이비인후과 의사들 만을 위한 자료가 아니라 기도 관리에 관여하는 모든 의사, 간호사 등 직접적인 의료 종사자와 학생들을 위해서 기도 관리 전반의 철학과 원칙으로부터 필수적이고 실제적인 현장 지식과 정보를 얻을 수 있는 자료를 포함합니다. 의료진뿐만 아니라 가족을 포함한 환자를 돌보는 모든 사람에게도 좋은 참고가 될 것입니다.

이 책을 위해 각 분야의 최고의 전문가들께서 참여하셨습니다. 집필 해주신 저자들과 함께 애써주신 출판사의 관심에 깊은 감사의 인사를 드립니다. 실제 의료 현장에서 필요한 기도 관리에 대해 많은 지식을 담아낸 이 책이 기도 관리의 일선에서 일하는 모든 의료진에게 좋은 나침반이 되어 주기를 고대합니다.

2022년 6월

성 명 훈

추천사

호흡곤란이 초래된 경우 목에 숨구멍을 뚫어 생명을 구하려는 시도는 이미 수천 년 전부터 시도되었다. 그러나 이 술식은 매우 위험한 것으로 여겨져서 절대적으로 필요한 경우가 아니면 시행되어서는 안 되는 수술이었다. 18세기에 이르러서 디프테리아로 인한 호흡곤란이 온 수백 명의 환자에서 기관절개술을 시도하였을 때 사망률이 70%를 넘었다는 보고가 있지만 이러한 조건에서는 매우 훌륭한 결과라고 할 수 있다.

19세기에 이르러 기관절개술에 대한 술식이 체계적으로 보완되었으며 특히 수술 후 발생하는 여러 가지 합병증을 피하기 위해서는 술후 관리의 중요성이 강조되었다. 따라서 기관절개술에 관한 지식은 이비인후과의사뿐만 아니라 기도와 관련이 있는 모든 분야의 의료인에게 필수적이라고 할 수 있으나 이에 대한 교육이 제대로 행해지지 않고 있는 실정이다.

그리하여 2007년에 우리나라에서는 서울대학교 이비인후과 교수들이 주관이 되어서 관련분야의 전문가들과 함께 기관절개술에 관하여 처음으로 우리말로 쓰여진 책을 출판하게 되었다. 이 책의 목적은 누구나 쉽게 이 술식을 이해하고 올바르게 관리할 수 있는 지식을 습득하여 문제가 될 수 있는 심각한 합병증을 예방하고자 하는 것이다.

이제 초판이 출판된 지 15년이 지나 그동안 새롭게 발전한 내용을 추가할 필요성이 있어서 개정판을 내게 되었으며 새로운 저자를 추가하여 최신지견을 보충하고자 하였다.

성명훈 교수는 이 책의 초반부터 본인을 도와서 기관절개술에 대한 좋은 참고서적을 만들기 위해서 심혈을 기울였고 이제 개정판을 내는 데에도 많은 노력을 하였기에 깊은 감사를 드리는 바이다. 또한 개정판에 참여한 많은 저자들과 출판을 맡아서 수고한 한국의학원의 노고에도 감사드리며 이 책이 우리나라에서 기관절개술을 시행하는 의료진들과 수술을 받는 많은 환자들에게 큰 도움이 되기를 기대하는 바이다.

2022년 6월

김 광 현

Contents

PART I 기도 관리의 기본 개념

PART II 기도 관리의 원칙

PART
III
기관절개술

PART
IV
기도관리의 특수 상황

PART
V
기관절개술 후의 관리

기도 관리의
기본 개념

CHAPTER 01 기관절개술과 호흡곤란 중재의 역사

서울대학교 의과대학 이비인후과학교실 **성명훈**

"Tracheotomy stands out as one of the most helpful and resilient therapies in the history of medicine."

– Eavey RD, in ⟨The Evolution of Tracheotomy⟩, 1985

기도의 확보는 의료에서 가장 필요하고 중요한 개념이다. 이를 위한 "기관절개술"은 그 시도가 수천 년 전으로도 올라가고, 인류 역사 전체에 걸쳐 거의 유일한 기도 확보 방법이었다고 말할 수 있다. 그러나 기관절개술과 기관내삽관술이 기도 관리에 적극적으로 활용되기 시작한 것은 최근 100여 년 전부터이다. 수 백여 년간 좋을 평판을 받지 못하고 도리어 위험한 시술로 인식되어 오던 기관절개술이 19세기와 20세기 몇 차례의 호흡기질환의 대유행을 지나면서 상기도폐쇄를 우회하는 구멍의 수단일 뿐만 아니라 중환자 기도 관리에 기본적 수단으로 활용되게 되었다.

고대와 중세의 기록들

가장 오래된 기관절개술을 표현한 고대의 기록으로 흔히 이집트 제1왕조 시대(기원 전 3000년경)의 것으로 생각되는 King Aha와 King Djer의 무덤에서 발견된 돌판에 새겨진 두개의 그림이 많은 문헌에서 인용되고 있다.[1] 이 그림들은 서로 매우 비슷한데, 손이 뒤로 묶인 채 머리를 뒤로 젖히고 있는 것처럼 보이는 사람의 목과 가슴 부위를 향해서 다른 사람이 칼을 향하고 있는 모습이다. 이를 인간 희생을 포함하는 종교, 또는 제례 의식을 효현 한 것으로 보기도 하지만 칼의 각도와 칼을 들고 있는 사람의 위치를 볼 때 일부 고고학자들은 이를 기관절개술을 시행하고 있는 모습이라고 해석하기도 한다(Blomstedt, 2014).[2]

기관절개술에 대한 보다 구체적인 기술은 기원전 2000년경 쓰여진 힌두교 성서 리그베다(Rigveda)에서 발견된다. 여기서 저자는 "경부 연골들이 절단되었을 때 연골이 완전히 손상되지만 않았다면 봉합 없이도 기도를 재결합시킬 수 있는 용감한 사람"을 언급하고 있다(Zeitels et al, 2008). 아마도 기관절개 상처의 자연 치유를 기술한 것으로 생각된다. 인도에서는 기원 후 5세기경에 이미 기관절개술이 상당히 정립된 치료 방법이었을지도 모른다(Spector, 1991). 〈황제내경〉을 비롯한 중국의 고대 의학 문헌에서 기관절개술에 대한 기록은 아직 확인되지 않는다(Pratt et al, 2008).

그리스-로마시대의 기록으로는 비잔티움의 호메루스(Homerus of Byzantium, 기원전 2세기경[3])가 알렉산더 대왕(356 BCE-323 BCE)이 목에 뼈가 걸려 질식한 병사에게 그의 검 끝으로 숨길을 열어 목숨을 구한 것을 칭송하는 내용이 발견된다. 이 무렵 히포크라테스(460 BCE?-370 BCE?)는 경동맥이 절단되거나 결찰되면 사망에 이른다는 것을 알고, 기관절개 시술이 경동맥을 손상시킬 위험이 있음을 들어 크게 반대하였다고 전한다(Kraft and Schindler, 2015).[4]

갈렌(Galen of Pergamon, 131-201 AD)[5]이 기원전 100년경 그리스 의사 아스클레피아

---

1 각각 1900년 대, 1930년 대에 발굴되었다.
2 이 두 석판의 그림은 제1 왕조에 있었던 당시의 역사 기록에 의거하여 사로잡힌 포로의 처형이나 파라오의 죽음에 따라 사람을 희생하던 종교적 관습을 표현한 것으로 추측하였었는데, 1950년 이집트 학자 Vikentiev와 Hussein이 각기 다른 논문에서, 이 장면을 보다 선한 행위를 기록한 것으로 해석하면서, 호흡과 기관절개술을 의미하는 것으로 풀이하였다. 그림의 주위에 그려진 앙크(Ankh) 심볼과 창은 고대 이집트에서 각각 생명과 호흡을 상징하고, 이 그림의 상형문자로 된 주석은 "생명의 호흡 the breath of life"을 뜻한다고 한다. 그러나 Blomstedt는 이 부분을 검토한 최근 논문에서 이 두 개의 석판에 있는 그림이 기관절개술을 표현한 것이라는 해석은 당시의 다른 부문의 의료 기술의 수준과 비교해 볼 때, 지나친 것이라는 의견을 제시하고 있다. 또한 기원전 1550 년경 이집트의 의학 관계 문서인 〈치병의 서(Eber's Papyrus)〉에도 역시 목에 가하는 절개선에 대한 언급이 있으나, 이것도 기관절개에 대한 기술이 아니라 목에 생긴 다른 종물의 처치에 관한 것이라고 본다(Bllomstedt, 2014).
3 〈일리아드〉와 〈오디세이〉를 저술한 호머와는 다른 사람이다.
4 경동맥을 뜻하는 "carotid"는 그리스어 "karotides"가 어원으로 생각된다.
5 그는 또한 후두, 기관, 식도에 대해 상세한 해부학적 관찰을 하였다. 그는 후두에서 음성이 발생하고, 후두의 신경지배와 내전근, 외전근을 처음으로 기술하였다. 그는 짝을 지닌 후두 내근, 3개의 연골, 기관의 연골, 막, 기관 뒷벽이 단단하지 않다는 것, 식도의 괄약근, 후두신경의 갈렌 문합(Galen's anastomosis) 등을 발견하였다.

데스(Asclepiades of Prusa, Asclepiades of Bithynia, 129 BCE–40 BCE)가 기관절개술을 시행하였다는 기술을 남겼다(Frost, 1976). 2세기 경 기관절개술의 초기 옹호자 중 한 명인 그리스의 안틸루스(Antyllus of Rome)는 기관의 제 3, 4번 연골 사이에 연골에 손상을 주지 않기 위해서 수평 절개선을 넣고 갈고리로 이를 벌려 환자가 숨을 쉴 수 있도록 하는 방법을 기술하면서, 기도에 진입하게 되면 공기가 뿜어져 나오고 목소리가 없어진다고 기술하였다(Frost, 1976). 그는 심한 기관기관지염에는 기관절개술을 추천하지 않았다고 한다. 병변이 기관절개 수술창보다 더 아래에 있기 때문에 효과가 없다는 것을 지적하고, 아데노이드/편도나 구강의 문제에 대해서는 기관절개를 권하였다고 한다. 그러나 비슷한 시기 아레타에우스(Aretaeus of Cappadocia)는 기관절개 후에 생기는 감염과 이에 따른 질식 때문에 기관절개를 옹호하지 않았다(Spector, 1991; Goldman et al, 1987). 4–5세기에 쓰여진 탈무드에도 기관을 절개할 때 수평절개가 수직절개보다 더 안전하다고 하는 내용이 발견된다. 또한 7세기 비잔틴의 의사 폴(Paul of Aeginas, 625–690 CE)도 의학서인 〈Epitome〉에 질식을 막기 위해서 제 3, 4 연골 사이에 수평 절개를 넣는 상세한 방법을 기술하였다(Spector, 1991).

이처럼 기관절개술이 고안되고 시행된 것은 매우 오래 전으로 보이지만 이러한 초기의 시도들은 전설 수준의 기록들이다. 1500년경이 될 때까지도 기관절개 시술은 "거의 도살적 행위이고 논란이 많은 수술(scandal of surgery)"로 간주되었고(Kraft and Schindler, 2015; Pratt et al, 2008), 아주 극단적인 상황 이외에는 거의 행해지지 않았다고 한다. 중세 암흑시대가 지나고 르네상스에 이르러 해부학자와 의사들이 기관절개술의 잠재적 효용을 다시 불러일으켰다.

기원 전부터 약 2000여 년 동안 기관절개술이 적용된 것은 주로 두경부의 염증성 상황인 것으로 생각된다. 중세에는 이러한 질환들을 "cyananche("개에서 생기는 병")"라고 불렀는데, 이것은 개가 헐떡이는 것처럼 힘들여 숨을 몰아 쉬는 것을 나타내는 것이라고 한다(Goldman et al, 1987).

아랍 의학의 기록들

기관절개술에 대한 역사적 연구의 대부분이 서구 자료에 대한 검토이지만, 이슬람의 황금시기(ca 750–1257 CE)에 만들어진 많은 의학 문서에도 기관절개술에 대한 기록이 발견된다. 아랍의학의 태두로 알려진 알–라지(Abubakr Muhammad Ibn Zakariyya Al-Razi, Al-Razi of Baghdad, 865–925 CE)는 질식을 피하기 위해서 기관절개술이 필요하고, 피부를 당기기 위해서 실을 사용한다는 기록을 남겼다. 알리 아바스(Ali Abbas Majusi, Hali Abbas, 930-994 CE), 알부카시스(Abul Qasim Al-Zahrawi, Albucasis, 936-1013)는 최초로 기관절개술의 기법의 도해를 남겼다(Pratt et al, 2008).[6] 서구에서 아비세나(Avicenna)로도 불리는 이븐시나(Abu Ali Ibn Sina, 980-1037 CE)는 이슬람의 아리스토텔레스로 일컬어 지기도 하는데, 그는 〈의학 정본(Al-Qanun fi al-Tibb, *The Canon of Medicine*)〉에서 기관절개술의 방법을 상세히 기술하며, 피부를 벌릴 수 있는 갈고리모양의 기구도 사용하고(그림 1-1), 그 창상에 여러가지 식물이 배합된 황색 가루를 처치할 것도 기술하였다. 또한 하킴 조르자니(Hakim Jorjani, 1042-1137 CE)도 그의 방대한 의학 저술 속에 기관절개술의 기록을 남겼다. 생체 해부는 종교적인 이유로 인정되지 않았지만, 많은 이슬람 의학자들은 해부를 통한 실제적인 해부학적 지식의 필요성을 강조하였으며, 아벤조르(Abu Marwan ibn Zuhr, Avenzoar, 1091-1162)는 최초로 염소에서 기관절개를 하는 것을 기술하였다(Pratt, 2008). 특히 알부카시스의 저술인 〈의학지식 정리(Kitab al-Tasrif, *The Arrangement of Medical Knowledge*)〉는 라틴어와 대부분 서구의 언어로 번역되어 아비세나의 〈의학 정본〉과 함께 12세기부터 17세기까지 유럽의 많은 대학에서 사용되었다. 브뤼셀의 한 대학에서는 1909년까지 아비세나의 내용을 교육하였다고 한다(Golzari et al, 2013).

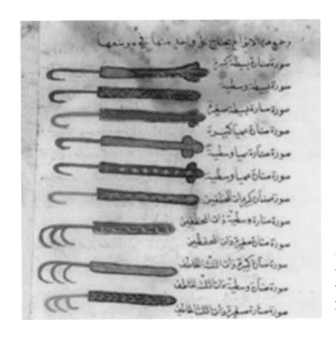

그림 1-1. **알부카시스가 사용한 것으로 생각되는 피부를 당기기 위한 갈고리모양의 기구**[Al-Zahrawi, 〈Kitab Al-Tasrif〉]

---

6 Al-Zahrawi의 하인이 자살을 하려고 목에 자상을 만들었으나, 이를 봉합하여 다시 회복시킨 사례를 기술하였다 (Pratt et, 2008, Lx).

르네상스부터 19세기 초반까지

역사적으로 서기 1500년경부터 1800년경 사이를 역사적으로 기관절개술이 공포의 대상이었던 기간이라고 구분하기도 한다(the period of fear)(McCelland, 1972).

르네상스 시대의 위대한 의사이고 해부학자라고 할 수 있는 안드레아스 베잘리우스(Andreas Vesalius, 1514–1564)가 1543년 〈De Humani Corporis Fabrica〉에서 돼지의 기도에 나무 대롱을 넣고 숨을 불어 넣는 폐호흡을 보여주었다. 최초로 성공적인 기관절개술이 보고된 것은 이탈리아의 안토니오 무사 브라소볼로(Antonio Muso Brasovolo, 1500–1570)가 1546년 편도주위농양으로 인한 호흡곤란을 겪는 환자의 생명을 구한 것이었다. 그는 신성로마제국의 샤를 5세를 포함한 많은 유럽의 군주들의 의학자문을 하였다고 한다.

파브리시우스(Hieronymus Fabricius, Girolamo Fabrici d'Acquapendente, 1533–1619)가 오래 전부터 혈관("arteria")으로 불리던 기도를 기관("trachea")로 부르기 시작하였다.[7] 그는 가로 절개선이 혈관을 손상시킬 염려가 있고 기관을 충분히 노출시키기 어려움을 들어 반대하였고, 처음으로 기관절개 튜브도 고안하였는데, 너무 많은 공기가 폐로 들어가지 않도록 구경이 작고 일직선으로 길이가 짧으면서 기관 안으로 말려들어가지 않도록 하는 두 개의 날개가 달린 튜브를 기술하였다. 그러나 그 자신은 명성이 나빠지는 것을 두려워하여 기관절개술을 시행하지 않았다고 한다. 그의 제자인 카세리우스(Julius Casserius, 1600)는 처음으로 여러 개의 구멍이 뚫려 있는 휘어진 튜브를 고안하였고, 지금 많은 의학 교과서에 실린 기관절개술을 설명하는 극적인 도해를 남겼다. 이 튜브는 은 또는 금이나 납으로 제작되었다. 1590년 상토리우스(Sanctorio Sanctorius, 1561–1636)는 기관절개술에 투관침(trocar)과 직선형의 짧은 삽입관(cannula)을 고안하여 사용하였다고 하고, 이를 기관절개 시술의 역사에서 최초의 경피적 접근이라고 보는 학자도 있다(Pratt et al, 2008).

브라소볼로 이후 거의 100년이 지나 1620년, 니콜라스 하비콧(Nicolas Habicot of Paris, 1550–1624)이 108페이지에 이르는 그의 저서에서 기관절개술을 전적으로 다루면서 기도 내의 이물제거 수술을 비롯한 4 예의 성공적인 기관절개술 사례를 기록하였다. 한 예는 기관절개술을 통해 성공적으로 이물을 제거한 첫 사례로 자살을 기도하여 목에 자상을 가한 환자의 후두에 걸린 혈괴를 제거한 수술이었다. 또 한 예는 도둑질한 금화 주머니를 삼킨 14세

---

7   그 때까지도 기관은 혈관과 구별하여 "거친 동맥 rough artery (tracheia arteria)" 으로 불리었고 공기는 물론 피도 지나가는 통로로 여겨졌다. 이 시기에는 목에 있는 혈관과 기관이 명백히 구분되지 않았고 기관이 경동맥과 함께 피와 공기가 함께 지나는 통로로 여겨졌으므로, 이런 생명력의 통로인 기관을 절개하여 힘을 빠져나가게 한다는 것은 상상하기도 어려운 일이었을 것이다.

남자에게 시행된 것으로, 그는 기관절개술을 시행한 후 식도에 걸려있는 금화주머니를 만져서 식도 아래로 내려가도록 하였고 며칠 뒤 금화주머니는 직장을 통해 배출되었다.

간헐적인 기관절개술의 시도 사례 기록이 있다. 1714년 드타아딩(Detharding)은 물에 빠진 환자들에게 기관절개술을 시행할 것을 제안하였고, 1783년 드보토(deBouteau)도 물에 빠진 환자들에게 기관절개술을 시행해 폐 속에 들어있는 물을 제거하고 따뜻한 공기를 불어넣어 주는 것을 제안하였다. 1732년 쇼벨(Chovell)이 교수형을 당하게 된 강도에게 형 집행 전날 집행관을 속이기 위해 사형수에게 기관절개술을 시행하고 목에 튜브를 삽입하여 살아남도록 시도하였다. 그러나 그 결과는 노상강도에게나 시술한 의사에게나 모두 실망스러운 것이었다.

기관절개 튜브가 흔히 혈전이나 농전으로 막히게 되면, 튜브를 빼고 세척하고 다시 삽입할 수밖에 없었고, 이 과정에서 많은 환자들에서 상태가 악화되었다. 조지 마르틴(George Martine, 1700-1741)은 "환자에게 전혀 괴로움을 주지 않는" 튜브, 즉 환자의 기관에 바깥 튜브는 그대로 넣어둔 채 안쪽 튜브를 교체하여 세척할 수 있는 이중 기관절개 튜브를 만들었다(Goldman et al, 1987).[8]

호흡기관에 대한 해부학과 생리학 지식이 쌓여갔지만, 아직도 기관절개술은 성공률이 극히 낮은 위험한 수술이었고, 의심스러운 주술과도 같은 것이었다. 높은 사망률과 위험성으로 많은 의사들이 자신의 명성이 나빠지는 것을 두려워하여 피하였고, 드물게 소심하게 행해지는 수술이었다고 한다(Maisel, 1989; Kost and Myers, 2008). 구달(Goodal)은 그의 상세한 역사적 검토에서 1500년경부터 1825년까지 약 300년 간 성공적으로 시행된 기관절개술이 고작 28예에 불과하다고 기술하면서 그 원인으로 해부학적 지식의 부족, 수술 경험의 부족, 명성의 추락을 걱정하는 의사들의 태도를 지적하였다(Goodal, 1943). 당시의 기록들은 기관절개술이 질식에 의해 사망 직전에 이른 환자들에게만 제한적으로 이루어 졌던 것을 보여준다. 한 예로, 1799년 미국 초대 대통령 조지 와싱턴이 심한 편도주위농양, 또는 후두개염으로 호흡이 곤란할 때 젊은 의사인 엘리샤 딕(Elisha Dick)이 기관절개술을 권고하였으나, 다른 고참 의사들의 동의를 얻지 못하였고, 당시 인정되던 치료법인 사혈(bloodletting)로 치료를 시도하다가 결국 사망에 이르게 되었다는 기록이 있다(Monteiro et al, 2018; Wallenborn, 1999).

---

8 그는 영국에서 처음으로 기관지 치료를 한 스코틀랜드의 의사로, 이중튜브가 간호사로부터 얻은 아이디어라고 말하였다고 한다.

19세기부터 20세기 초반

19세기 유럽에 디프테리아(diphtheria)가 유행하여 수많은 사망자가 생기게 되면서 기관절개술에 대한 인식이 크게 바뀌게 된다. 디프테리아는 인후통으로 시작하면서 인두가 심한 부종과 함께 인두를 덮는 가성막(pseudomembrane)이 마치 이물질처럼 기도를 막는다 (그림 1-2). 기관과 기관지까지도 염증과 가성막이 형성될 수 있다. 프랑스의 피에르 브레토노 (Pierre Bretonneau, 1778-1862)가 1826년 디프테리아로 기도폐쇄를 가져온 5살 여자 아이에서 생명을 구한 이후, 기관절개 수술은 상기도폐쇄를 극복할 수 있는 수술 방법으로 인정받기 시작하였다. 또한 그는 디프테리아가 별도의 임상 질환이라는 것도 밝혔다. 당시 디프테리아에 의한 인후두크룹은 매우 치명적인 질환이었다. 디프테리아 환자의 급성기도폐쇄의 문제를 기관절개술로 해결할 수 있었지만, 많은 환자들이 디프테리아 질환 자체의 독성으로 사망하였다. 겸자로 가성막을 꺼내기도 하고, 기관절개술 창을 통해 기관지 점막을 덮고 있던 가성막의 주형(cast)이 기침을 통해 나오거나 꺼내지는 경우도 있었다. 그와 아망드 트루소(Amand Trousseau, 1801-1867)가 기도관리에 기관절개술을 활용할 것을 적극적으로 주창하였는데, 트루소는 1833년 "디프테리아 환자 200여 명 이상에서 이 시술을 행했고, 그 중의 약 1/4이 성공하였다"는, 당시로서는 매우 만족스러운 결과를 발표하였다.

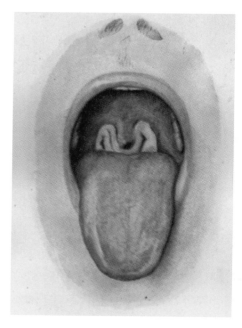

그림 1-2. **1913년에 발간된 의학교과서에 실린 디프테리아 환자에서 인두에 가성막이 형성된 것을 보여주는 그림.** (Klass, 2021)

1860년대에 들어서 기관절개술을 시행 받은 디프테리아 환자의 사망률이 68%로 감소되면서 기관절개술의 사용은 점차 빈번해지고, 19세기 후반에는 기관절개술이 상기도폐쇄를 우회해서 기도를 확보하게 해주는 시술로 활용이 넓어지기 시작했다. 1886년에 노튼(Norton)은 "bronchotomy"의 술식을 소개했다. 이때에는 전경정맥과 갑상선에서 흔히 발생하는 출혈을 피하기 위해서 설골에서 기관까지 어디든지 수직으로 절개를 가하는 방법이 보편적이어서 윤상연골을 손상시키는 결과를 가져왔다.

1888년 당시 프러시아의 황태자였던 프리드리히 3세(1831−1888)가 후두암으로 생각되는 상황에서 호흡 곤란으로 기관절개술을 받았다. 이때 이 수술을 시행한 베르그만(Ernst von Bergmann, 1836−1907)이 기관 절개를 실수하여 튜브를 잘못된 곳으로 넣어 황제가 거의 사망할 뻔하였으며, 손가락으로 절개 부위를 넓히고 나서야 튜브를 넣었다고 전해진다. 이런 결과로 수술 후 심한 감염이 있었지만[9], 약 한 달 뒤 황제 빌헬름 1세의 뒤를 이어 프러시아의 왕이 되었다. 그러나 그는 수개월 후 사망하였다.

이 당시 수술 기술, 합병증, 튜브의 모양, 기관절개공의 위치, 마취 방법 등에 대해서 의학계에서 격렬한 논의가 있었다. 이를 시술하는 외과 의사마다 서로 다른 견해를 가지고 있다고 할 정도였다. 프리드리히 3세의 치료에 관여하기도 하였던 맥켄지(Morell McKenzie, 1837−1892)는 1880년 "외과의사들은 기관절개술이 필요할 정도로 환자의 증상이 정말로 심각한 것인지 항상 의심해야 한다"라는 조심스러운 태도를 그의 저서에 언급하였다. 19세기 말 의사들이 가지고 있던 기관절개술에 대한 인식을 이해할 수 있다.

이렇듯 19세기 후반까지도 기관절개의 주 대상은 거의 전적으로 상기도폐쇄 환자였다. 1869년 트렌델렌버그(Friedrich Trendelenburg, 1844−1924)가 처음으로 풍선(cuff)이 달린 튜브를 사용하면서 기관절개술을 이용해서 전신마취를 하는 방법이 시도되었다. 20세기에 들어 슈발리에 잭슨(Chevalier Jackson, 1865−1958)의 체계적인 연구가 뒷받침되면서 하나의 수술기법으로 인정받기에 이르렀다(Pratt et al, 2008).

20세기 초반 − 중반: 기도절개술 적응증의 확대 변화

필라델피아의 잭슨이 1909년 기관절개술에 대한 표준적 수술 기법, 적응증, 환자 관리에 대해서 정립하면서 이 시술이 외과의사의 중요한 무기로 자리잡았다. 그는 기관절개공을 너

---

9 베르그만은 수술 기구의 열 소독 등을 도입한 무균수술 개념의 선구자이다.

무 높이 만드는 "high tracheotomy"와 이에 따르는 후두기관협착에 대한 위험을 크게 강조하였다.[10]

1921년 그는 기관의 첫 번째 연골을 절개하지 않도록 권고하였고, 이의 결과로 의인성 성문하협착의 합병증을 줄이게 되었다. 그는 피부를 길게 절개할 것을 권고하였고, 윤상연골을 손상하지 말 것, 갑상선 협부(isthmus)를 늘 분리하고, 기도의 2-3번째 연골에 수직 절개를 한 후 튜브를 삽입할 것, 천천히 안정되게 수술할 것 등을 강조하였다. 그는 기관절개술의 합병증을 유발하는 원인들로 높은 절개선과 윤상연골의 분리, 적절하지 못한 기관절개관의 사용 등을 지적하고, 해부학적으로 적절한 모양의 길이와 굴곡을 가지는 이중 금속 튜브를 고안하였다. 기관의 협착 부위를 통과하는 매우 긴 튜브도 고안하였다. 무엇보다 그가 강조한 것은 수술 후 관리였다. 그는 기관절개 튜브를 자주 청결하게 할 것, 수술 후 부종에 대한 주의 깊은 관찰, 병동의 청결 상태를 중요시했고, 당시 75%에 이르던 술 후 사망률을 2% 미만으로 낮추었다. 특히 소아에서 흔했던 후두 협착을 줄이는데 잭슨의 공헌이 매우 크다(Kost and Myers, 2008).

20세기 전반에 반복적으로 다발성척수염(poliomyelitis)이 유행하여 미국에서도 수많은 마비 환자가 발생하였다. 이 대유행은 기관절개술이 두 방향으로 진화하도록 하였다. 심한 환자들은 인두 근육의 기능이 저하되어 기도를 보호하거나 분비물을 처리하기가 어려워진다. 이런 환자들은 자세 배출(postural drainage)로 치료를 시도하지만, 적극적인 폐청결(pulmonary toilet)을 위해서 기관절개가 필요하였다. 많은 환자들이 인두 근육, 횡격막의 마비와 연수 호흡중추의 마비로 호흡부전에 빠지게 되는데, 대유행 시절 초기에는 "무쇠 폐(iron lung)"이라고 불리던 음압호흡기(negative-pressure ventilator)가 일차적인 치료 방법이었다.[11] 1950년 대에 제 2차 세계대전 시 비행사들을 위한 기술로부터 지금 쓰이는 양압호흡기가 개발되고, 이와 함께 기관절개를 이용하면서 연수폴리오(bulbar polio) 급성기의 사망률을 90%에서 25%까지도 낮추면서 수많은 환자들을 구할 수 있었다. 기관절개술의 적응증이 두부외상, 심한 흉부외상, 바비탈 중독, 수술 후의 기도 관리 등으로 확장되었다(Maisel, 1989).

이 시기를 기관절개술이 열정적으로 시행되던 시기라고 말하기도 한다(the period of

---

10 그는 기관절개공을 갑상윤상절개술(cricothyrotomy)에 만드는 "high tracheotomy" 보다 2번과 3번 기관연골 사이에 만드는 "low tracheotomy"를 제안하였다.

11 초창기의 인공호흡기로 1929 년경부터 사용되기 시작하였다. 철로 만든 용기에 머리 아래부터(기관절개를 한 경우는 그 아래부터) 발까지 온 몸을 통 속에 넣고 숨쉬는 속도에 맞추어 간헐적으로 음압을 걸어서 폐를 부풀려 호흡을 돕는 장치이다. 소아마비 환자들 중 폴리오바이러스가 호흡 중추를 침범하여 숨쉬기 어렵게 된 경우에 자주 사용되었다. 현재는 양압을 이용한 인공호흡기로 대체되었다.

enthusiasm(McCelland, 1972). 이 당시 기도 관리에서 기관절개술이 새로운 적응증과 효율적인 효과를 보이면서 "기관절개술이 필요하지 않을까라고 생각이 들 때에는 기관절개술을 행하라! (If you think about doing a tracheotomy, do it!)"라는 잘 알려진 경구가 만들어졌다. 지금도 이것은 급작스러운 진행을 보이는 호흡곤란에 대해서 제대로 준비되지 않은 기관절개수술(crisis tracheostomy)를 피하기 위해서도 자주 인용되는 금언이다.

20세기 후반부터 현재까지: 새로운 호흡 관리 기술의 등장

기관내삽관술의 등장

19세기 말부터 사용되기 시작한 기관내삽관은 기관절개술에 비해서 빠르고, 관을 제거하기도 쉬우며, 기관절개술이 가지는 합병증도 피할 수 있어서 보다 매력적인 치료 방법으로 등장하였다.

히포크라테스(460–375 BCE)는 경동맥의 손상으로 생명을 잃을 수 있는 우려 때문에 기관절개에 대해서 반대하였다고 하나, 그가 "목이 막혔을 때, 폐로 공기를 넣어주기 위해서 목에 파이프를 넣어" 이를 급히 중재해야 한다는 필요성을 알고 있었다고 한다(Pratt et al, 2008). 이 기록의 표현을 그대로 빌리면, 히포크라테스가 기도삽관 개념을 처음으로 언급한 것인지도 모른다. 보다 구체적인 기도삽관에 대한 기록으로 아랍 의사 아비세나가 금이나 은으로 만든 튜브를 구부려 호흡곤란을 겪는 환자의 후두와 기도에 집어넣었다는 기록이 있다.

미국 최초의 기도 외과 의사라고 할 수 있는 그린(Horace Green, 1802–1866)이 급성상기도 염증 치료에 국소 제제를 도포하는 치료를 도입하였으며, 구강이나 비강을 통한 기관으로의 접근을 시도하였다. 이 시술은 손가락의 감촉을 통한 맹목(blind), 또는 거울을 이용한 간접조명을 이용하여 이루어졌다. 삽관 튜브를 처음으로 시도한 것은 아니지만 오드와이어(Joseph O'Dwyer, 1841–1898)가 그가 일하였던 병원에서 기관절개술을 시술 받은 환자들이 모두 사망하였지만, 구강기관삽관(orotracheal intubation)을 이용하여 1,324명의 환자에서 40%가 완전히 회복하는 결과를 1894년 발표하면서 기관삽관 기술의 발전에 큰 기여를 하였다.

19세기 말부터 백신, 해독제, 항생제 등의 발전과 함께 과거에는 기관절개를 피할 수 없었던 디프테리아를 비롯한 상기도폐쇄에 대한 내과적 치료가 향상되었다. 1921년 로우보담(Rowbotham)과 매길(Magill)이 세계1차대전에서 얼굴에 큰 외상을 입은 환자에서 얻은 경험을 바탕으로 기관내삽관술을 제시하였다. 이후 수술 시에 전신마취를 위해서 클로로폼을 마스크로 주입하던 방법보다 삽관술이 선호되는 방법으로 빠르게 대체되기 시작하였고, 기관절개술은 구강이나 비강으로 삽관을 할 수 없는 환자들에게 적용되는 방법이 되었다(Kraft and Schindler, 2015).

이즈음 선구적 신경외과 의사 엘스버그(Charles Elsberg, 1871-1948)가 잭슨의 제자인 양카우어(Sidney Yankauer, 1872-1932)와 함께 현대적인 구강기관삽관술을 이용한 전신마취 방법을 활용하기 시작하였고, 이 방법은 양압환기(positive pressure ventilation)의 등장과 함께 빠르게 발전하였다. 초기 1970년대 이전의 튜브들은 부피가 작고 압력이 많이 가해지는 형태의 기낭을 가진 것이었다. 이러한 튜브는 수술실에서 단기간 사용하기 위해 고안된 것이었고, 1960년대 말에 이르러 압력이 높은 기낭에 의한 점막손상으로 여러 합병증들이 기술되기 시작하였다. 이후 두 개의 기낭을 가진 튜브, 원통형으로 고안된 튜브, 기관과의 접촉을 방지하기 위한 스페이서가 달린 튜브 등이 고안되었고 주기적으로 기낭 감압 등의 방법이 시행되었다(Monteiro et al, 2008).

1960년 대 초반부터 상기도폐쇄를 해소하고 기도 분비물과 호흡부전을 해결하는 기관절개술의 지위가 기도삽관으로 대체되기 시작하였다. 후두경으로 후두를 직접 관찰하는 기술이 개발되고, 기도 흡인, 공기 가습이 적극적으로 사용되었다. 간호기술의 발전과 함께, 기관 튜브의 재질의 개선으로 농전(crust)이 덜 생기는 플라스틱 튜브를 사용하면서 환자 치료 결과가 좋아지게 되었다. 현재는 기관과의 접촉면이 넓은 기낭("large-volume, low-pressure cuff)로 기관점막의 손상을 최소화하는 형태의 기관절개 튜브가 널리 사용되고 있다.

경피적 확장 기관절개술(Percutaneous Dilatational Tracheotomy, PDT)

흥미롭게도 기관절개를 할 때 기도에 절개를 하면서 튜브를 함께 집어 넣는다는 생각은 일찍이15세기의 상토리우스의 기록에도 발견된다. 1694년, 데커스(Dekkers, 1648-1720)도 투관침을 이용해서 피부절개 없이 기관으로 접근하는 개념을 제시하였다.

1955년 쉘든(C Hunter Shelden)이 현대적인 개념의 경피적 기관절개술을 보고하였는데, 이 절차는 바늘 위에 투관침을 사용하는 것으로 기도와 혈관 손상으로 인해 여러 명이 사망하게 되어 당시에는 확산되지 않았다. 1967년 토예(Toye)와 와인스타인(Weinstein)은 처음으로 셀딘저(Seldinger) 기술을 사용하여 기관절개관을 기관 내강에 안전하게 삽입하였다. 이 기술은 1985년 시아글리아(Pasquale Ciaglia)에 의해 더욱 개선되어 현재는 경피적 확장 기관절개술(PDT) 중에 가장 널리 사용되는 기술 중의 하나로 되었다(Pratt et al, 2008).

기관개창술

기관절개술의 적응증이 확대되면서 호흡부전이 심한 경우 기관절개술을 시행하여 환자의 생존기간을 늘릴 수 있었다. 이때 금속 튜브 등을 이용한 일반적인 기관절개술은 튜브의 잦은 움직임에 의해 육아조직이 자라게 된다. 이러한 육아조직은 통증과 잦은 출혈, 국소감염 등을 유발하고 튜브를 제거했을 때 너무 일찍 기관절개구가 막혀버리는 부작용들이 있었다. 따라서 일시적인 필요성이 아니라 장기적으로 호흡부전이 예상되는 경우에는 기관절개관을 삽입하고 있지 않아도 막히지 않는 기관개창술(tracheal fenestration)이 시도되었다.

기도를 연 절개선 근처에 봉합사를 이용하여 고정실(stay suture)을 이용하는 방식이 튜브를 교체할 때 기관을 피부면 쪽으로 가까이 하기 위해서 오랫동안 사용되었다. 기관개창술은 록키(Rockey) 등에 의해 처음 기술되었다(1956). 처음으로 그들이 제안한 방법은 두 개의 평행한 피판을 만들어서 기관개창술을 시행하는 것이었으나 피판의 생존율이 좋지 않아 여러 번의 개선작업을 필요로 했다. 이후 1957년 여러 번의 개선작업을 거친 뒤 폐기종환자에 대해 최초로 성공적인 기관개창술을 시행하였다. 그들은 1961년 64명의 폐부전 환자들에게 기관개창술을 시행한 결과 31%의 환자에서 일상생활이 가능한 정도의 재활효과와 59%의 치료결과를 얻을 수 있었다(Pratt et al, 2008).

1960년 비요르크(V Bjork)가 inferiorly-based tracheal flap을 피부에 봉합하여 튜브가 빠졌을 때 교체하기 쉽게 하고, 종격동으로 튜브가 잘못 삽입되는 것을 막는데 도움이 되는 방식을 제시하였다. 이후 글룩(Gluck) 등은 심한 만성 폐쇄성 폐질환 환자들에서 기관개창술을 시행하고 자가 흡인을 시행한 후 임상적으로 매우 훌륭한 치료효과를 발표하였다(1977). 1984년 엘리아샤(Eliachar)가 원형의 점막피부 봉합선을 만들기 위해서 superiorly-based tracheal flap을 사용할 것을 발표하였다. 1998년 콜타이(Koltai)는 기관절개창의 변형으로 "starplasty"를 제안하였다(Pratt et al, 2008).

기관절개술 적응증의 변화

기관절개술 개념은 수천 년간에 걸쳐 상기도폐쇄를 가져오는 염증성질환이나 이물 제거를 위해 적용되기 시작하였고, 최근 100여 년 사이에 적응증이 확대되고 변하고 있다.

디프테리아의 유행이 빈번했던 19세기와 20세기 초에 기관절개술이 상기도폐쇄를 우회할 수 있는 시술로 자리잡았다. 디프테리아의 발병이 줄어들고 기관삽관술의 발전과, 여러 감염성 질환에 항생제들을 사용하게 되면서 염증성 상기도폐쇄를 치료하기 위한 기관절개술은 점점 그 적용이 줄어들었다. 또한 이물을 제거하는데도 기관절개술보다는 내시경을 더 흔히 이용하게 되었다. 그러나 20세기 초중반 소아마비 바이러스의 대유행 시 호흡근육의 마비를 가진 환자의 기도 관리에 소아마비가 기계적 인공호흡에 의해서 치료될 수 있다는 사실이 확산되면서, 상부 기도의 질식 상태에만 적용되던 기관절개술이 환기 보조와 폐 분비물 제거를 주 목적으로도 적용되기 시작하였다.

후두개염도 기관절개술 없이 기관내삽관으로 치료될 수 있는 것처럼, 기관내삽관이 기관절개술을 대신하는 경우가 점점 늘고 있지만, 현재 기관절개술과 경피적 확장 기관절개술은 중환자실에서 장기간의 기계호흡을 필요로 하는 환자에서 가장 흔히 행해지는 수술 중의 하나이다. 수면무호흡, 만성폐질환, 중추성 폐포저환기증후군(primary alveolar hypoventilation syndrome, Ondine's curse), 또는 가정에서 기계 호흡이 필요한 경우 등으로 기관절개술의 적응증이 바뀌고 있다.

기관절개술의 명칭

기관절개술은 한 시대에서도 다양한 명칭으로 불리어 왔다. 유사한 시술 방법들이 laryngotomy, bronchotomy, pharyngotomy, section epiglottis, incision arsperae arteriae, incision cannae pulmonis, laryngobronchotomie 등의 다양한 명칭으로 불리기도 하였다(Pratt et al, 2008).

16세기부터 "arteria"(혈관)로 불리던 기관을 "trachea"로 부르기 시작하였다. "Tracheotomy"라는 표현은 아마도 프랑스의 피에누스(Thomas Fienus, Thomas Feyens, 1567-1631)가 1649년 〈Libri Chirurgiae XII〉에서 처음 사용한 것으로 여겨지고, 거의 100년 뒤 1739년 독일의 하이스터(Lorenz Heister, 1863-1758)가 이 단어를 다시 사용하면서, 이 시술을 적극적으로 사용할 것을 주장하였다(Pratt et al, 2008; Zeitels et al, 2008).

기도에 구멍을 뚫고 일시적 혹은 영구적으로 기관절개관을 삽입하는 수술인 기관절개술은 현대에도 영어 표현에서 "tracheotomy"와 "tracheostomy"가 혼동되어 혼용되고 있다. 이를 구별하는 것이 의미없는 논쟁이라는 의견도 있지만(Pierson, 2005), 정확하게 표현하자면, tracheotomy는 기도를 절개하여 기도 내부와 외부가 통하는 통로를 만드는 행위를 말하며, tracheostomy는 목에 형성되는 통로를 말하는 것으로 정의할 수 있다(ISO). 따라서 기관(trachea)에 stoma를 만들게 되므로 tracheostomy라고 하는 것이 보다 옳다고 보인다. Tracheotomy는 기관을 열고(tome) 들여다본다는 의미로서 stoma를 만들거나 기관절개관을 삽입하는 것은 아니어서 tracheostomy와는 차이가 있다.

기관절개술은 기도 확보의 수단으로 오랜 역사를 가지고 있다. 그러나 그 변천 과정 동안, 기관절개술이 상기도폐쇄 환자를 구명할 수 있는 결정적인 시술이었음에도 불구하고, 필요한 경우가 대부분 매우 빠른 판단을 요구하는 절박한 상황이었을 것이고, 더욱이 안전하게 확보된 기도가 유지되지 않는 상황에서 매우 위험성이 높은 수술이었을 것이다. 중세까지도 공포의 대상이었던 기관절개술이 르네상스 이후 특히 감염에 의한 상기도폐쇄를 해결하기 위해서 위험을 무릅쓰고 간간히 적용되기 시작하였다. 100여 년 전경부터 수 차례의 디프테리아, 다발성척수염 등의 호흡기 질환 대유행을 통해 기관절개술이 활발하게 적용되기 시작하였다. 20세기 후반에는 역사적으로 기관절개술이 필요했던 상기도폐쇄나 이물 제거 등에 대해서 기도삽관이나 내시경 수술 등의 다른 치료법도 적용되고 있지만, 기관절개술은 중증 폐질환의 관리를 위해서 가장 근간이 되는 시술이고, 그 적응도 확대되고 있다.

■ 참 고 문 헌 ■

1. 김광현. 기관절개술의 역사. 김광현 편저 〈기관절개술〉 군자출판사. 2007:1-9.
2. Blomstedt P. Tracheotomy in ancient Egypt. J Laryngol Otol 2014;128:665-8.
3. Eavey RD. The evolution of tracheotomy. In: Myers EN, Stool AE, Johnson JJ eds. Tracheotomy. Churchill Livingstone. 1985:1-11.
4. Frost EA: Tracing the tracheotomy. Ann Otol Rhinol Laryngol 1976;85:618-24.
5. Goldman JL, Blaugrund SM, and Friedman WH. Tracheostomy. In: English GM ed. Otolaryngology. Vol 4 Ch 34. Harper and Row. 1987.
6. Golzari SE et al. Contributions of medieval Islamic physicians to the history of tracheostomy. Anesth & Analgesia. 2013;116:1123-32.
7. Klass P. How science conquered diphtheria, the plaque among children. 2021. Available at https://www.smithsonianmag.com/science/science-diphtheria-plague-among-children-180978572/
8. Kost KM and Myers EN. Tracheostomy. In: Operative otolaryngology head and neck surgery. Sauders Elsvier. 2008:577-94.
9. Kraft SM and Schindler JS. Tracheotomy. In: Flint PW et al eds. Cummings Otolaryngology Head and Neck Surgery 2015:95-103.
10. Maisel RM. Tracheostomy. In: Adams GL, et al. In: Boies Fundamentals of Otolaryngology. 6th ed. 1989:490-501
11. McCelland RMA. Tracheostomy: its management and alternatives. Proc R Soc Med 1972;65:401-4.
12. Monteiro S, et al. The History of Tracheostomy. In: Terence Pires de Farias (ed). Tracheostomy: A Surgical Guide. Springer. 2008:1-9.

13. Pierson DJ. Tracheostomy from A to Z: historical context and current challenges. Resp Care 2005;50:473-5

14. Pratt LW, Ferlito A, and Rinaldo A. Tracheotomy: Historical Review. Laryngoscope 2008;118:1597-1606

15. Spector GJ. Respiratory insufficiency, tracheostenosis and airway control . In: Disease of the nose, throat , ear, head and neck. 14th ed. Lea and Febiger 1991:530-69

16. Wallenborn WM. George Washington's terminal illness: A modern medical analysis of the last illness and death of George Washington. Available at https://washingtonpapers.org/resources/articles/illness/

17. Zeitels S et al. The history of tracheotomy and intubation. In Myers EN and Johnson JJ eds. Tracheotomy. Plural Publishing. 2008:1-21

서울대학교 의과대학 이비인후과학교실 **차원재**

상기도의 해부
Anatomy of the Upper Airway

기관절개술(tracheostomy)과 윤상갑상연골절개술(cricothyroidotomy)은 상기도의 폐쇄로 인한 호흡곤란에 대응하는 수술로, 기도 확보를 위한 응급한 상황에서 시행되는 경우가 많기 때문에 수술을 위해서는 후두(larynx), 기관(trachea)을 비롯한 경부 해부에 대한 충분한 이해가 필요하다. 특히, 비만하거나 종양이 있는 사람은 기관 주변부 구조의 변이가 흔하기 때문에 안전하고 신속한 수술을 위해서는 상기도를 비롯한 주변의 해부학적 구조를 잘 이해하고 있어야 한다. 이 장에서는 기관절개술과 윤상갑상연골절개술을 안전하게 시행하기 위해 숙지해야 하는 상기도의 해부학을 다루어 보고자 한다.

기관절개술과 관련된 해부학적 구조물의 개괄

기관절개술을 시행하면서 접하게 되는 구조물들은 크게 외피구조물(enveloping structure), 연골구조물(cartilaginous structure), 혈관(vasculature), 신경(nerve) 및 갑상선(thyroid)으로 구분하여 이해할 수 있다(그림 2-1). 경부는 피부(skin)와 광경근(platysma), 경근막(cervical fascia) 및 여러 경부 근육으로 둘러싸여 있어서 기관에 접근하기 위해서는 경부의 각 외피층의 상관관계를 파악하고 순차적으로 절개하여 접근한다. 수술 시에 궁극적으로 접근해야 하는 기관과 후두는 위로부터 갑상연골(thyroid cartilage), 윤상연골(cricoid carti-

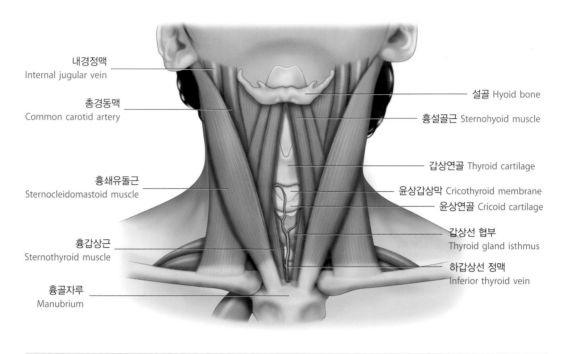

내경정맥
Internal jugular vein

총경동맥
Common carotid artery

흉쇄유돌근
Sternocleidomastoid muscle

흉갑상근
Sternothyroid muscle

흉골자루
Manubrium

설골 Hyoid bone

흉설골근 Sternohyoid muscle

갑상연골 Thyroid cartilage

윤상갑상막 Cricothyroid membrane
윤상연골 Cricoid cartilage

갑상선 협부
Thyroid gland isthmus

하갑상선 정맥
Inferior thyroid vein

그림 2-1. **전경부 해부도**

lage), 기관연골(tracheal cartilage)로 이루어져 있다. 이들은 단단한 구조물로 표면에서 육안으로도 어느 정도 확인이 가능하며, 수술 중에 반드시 촉지하면서 위치를 확인해야 한다. 기관 양 옆으로는 경동맥(carotid artery)과 내경정맥(internal jugular vein), 하부로는 무명동맥(innominate artery)와 완두정맥(brachiocephalic vein) 등의 큰 혈관이 분포하고 있기 때문에, 이를 손상시키지 않도록 각별히 주의해야 하며, 전경정맥(anterior jugular vein)도 절개 과정에서 다량의 출혈을 야기할 수 있어 주의를 요한다. 혈관의 구조는 변이가 흔하기 때문에 전반적인 구조에 대해 이해하고 있어야 하며, 혈관 손상 시의 대처에 대해서도 미리 숙지해야 한다. 기관절개술에서 흔히 접하게 되지는 않지만, 되돌이후두신경(recurrent laryngeal nerve)과 미주신경(vagus nerve)은 후두의 기능에 중요한 역할을 한다. 기관에 도달하기 위해서는 갑상선을 지나야 하는데, 갑상샘종(goiter) 등 갑상선의 병변이 있을 경우 수술에 지장을 줄 수 있기 때문에 수술 전에 갑상선의 상태에 대해 파악하는 것도 매우 중요하다.

상기도를 둘러싼 외피구조물들

경부는 그림 2-2와 같이 여러 외피 구조물로 겹겹이 둘러싸여 있다. 피부를 비롯한 피하지방층은 가장 외부를 둘러싸는 구조이고, 그 아래에 광경근이 넓게 분포하고 있다. 피하지방층과 광경근 사이에는 천층근막(superficial cervical fascia)이 경부를 덮고 있고, 이는 피부신경, 전경정맥 및 표층림프절을 포함하는 층이다(Kohan and Wirth, 2014). 이를 지나면 광경근 아래에서 심경부근막(deep cervical fascia)의 천층을 만나게 된다. 심경부근막의 천층은 하악 앞쪽 끝으로부터 쇄골(clavicle)과 흉골자루(manubrium sterni)에 이르는 범위에 분포하고 있으며, 흉쇄유돌근(sternocleidomastoid muscle)과 승모근(trapezius muscle)을 둘러싸고 있다. 심경부근막의 중간층은 설골(hyoid bone)에 부착하면서 후두 위로 뻗어 있고, 아래로는 흉골(sternum)의 후면, 외측으로는 쇄골과 견갑골(scapula)까지 연장되어 있으며, 설골상하 근육들과 갑상선을 둘러싸고 있다. 기관절개술을 시행할 때에는 심경부근막의 표층과 중간층은 실제로 구분하기 어렵고, 흉설골근(sternohyoid muscle)과 흉갑상근(sternothyroid muscle)을 지나 접근하면 갑상선과 식도(esophagus)를 감싸는 중간층의 경부내장근막(visceral fascia)과 만나게 된다. 심경부근막의 깊은층(prevertebral layer, deep layer of deep cervical fascia)은 척추, 경부사각근(scalene muscle), 교감신경줄기(sympathetic trunk) 및

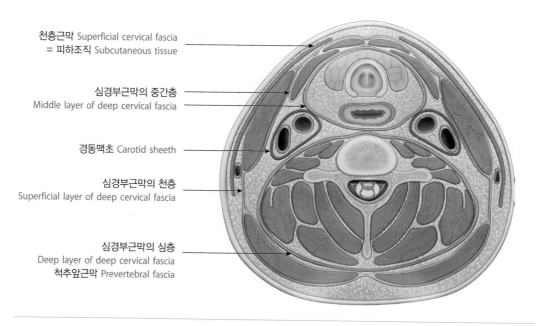

천층근막 Superficial cervical fascia
= 피하조직 Subcutaneous tissue

심경부근막의 중간층
Middle layer of deep cervical fascia

경동맥초 Carotid sheath

심경부근막의 천층
Superficial layer of deep cervical fascia

심경부근막의 심층
Deep layer of deep cervical fascia
척추앞근막 Prevertebral fascia

그림 2-2. **경부의 외피 구조**

횡격막신경(phrenic nerve)을 감싸면서 식도와 인두수축근(pharyngeal constrictor muscle) 아래에 위치한다(Sutcliffe and Lasrado, 2019).

경부의 근막층은 섬유질로 구성되어 있고, 경부구조물의 사이에 분포하여 후두와 기관이 매끄럽게 움직일 수 있도록 함으로써 연하와 발성의 기능을 원활하게 해주는데, 기관절개술에서는 이런 구조로 인해 고개의 방향에 따라 기관의 위치가 조정될 수 있음을 유의해야 한다. 기관절개술에서는 필연적으로 근막을 절개해야 하는데, 이는 기관절개술 후 연하장애와 같은 합병증이 나타나는 원인이 되기도 한다(Pabst and Haroske, 2020).

연골 구조물: 후두 및 기관

후두 및 기관은 경부의 중앙에 위치하고 있으며, 위에서부터 갑상연골과 윤상연골 및 기관연골로 구성되고 아래로 주기관지(main bronchi)와 이어진다(그림 2-3). 갑상연골은 후두를 외부로부터 보호하는 역할을 하는데, 갑상연골의 중앙부는 후두융기(laryngeal prominence)를 이루고 있어 전경부에서 쉽게 구분할 수 있고, 이를 기준으로 하여 윤상연골 및 기관의 위치를 가늠할 수 있다. 윤상연골은 앞부분에서 갑상연골과 윤상갑상막(cricothyroid membrane)으로 연결된 원통형 구조물이다. 윤상갑상막은 얇은 인대로 구성되어 있으며, 응급한 상황에서 윤상갑상연골절개술을 통해 기도를 확보하는 통로가 되기 때문에 임상적으로 매우 중요한 구조물이다. 윤상연골은 약 2 cm 가량의 직경을 가진 원통형 구조로 되어있고, 연골의 두께가 남성에서는 평균적으로 5.13 mm, 여성에서는 3.17 mm으로 기관연골에 비해 두껍게 형성되어 있다(Shin et al, 2009). 윤상연골은 기도를 구성하는 연골 중 유일한 원형구조물로서, 가장 단단하고 안정적인 구조물이다.

기관은 위쪽으로 결합조직을 통해 윤상연골과 이어져 있고, 아래쪽으로 기관분기부(carina)를 통해 주기관지와 연결되는데, 이는 6-7번 경추(cervical vertebrae)에서 4-5번 흉추(thoracic vertebrae)에 이르는 구간에 해당한다. 이 구간의 길이는 남성에서 평균적으로 약 10.5 cm, 여성에서 약 9.8 cm이며, 일반적으로 나이와 성별, 신장에 따라 10-13 cm 범위 내에서 변이가 있다(Kamel et al, 2009). 기관의 외부는 흡기(inspiration)시 기도의 형태를 유지하기 위해 약 3 mm 두께를 가진 18-22개의 말발굽 모양 유리연골(hyaline cartilage)로 둘러싸여 있으며, 각 연골은 콜라겐과 탄성섬유로 구성된 윤상인대(annular ligament of trachea)로 연결되어 있다. 기관의 내경은 타원형의 모양으로 형성되어 있는데, 남성에서는 좌우 직경은 약 2.3 cm, 전후 직경은 약 1.8 cm이고, 여성에서는 직경이 좌우로 약 2.0

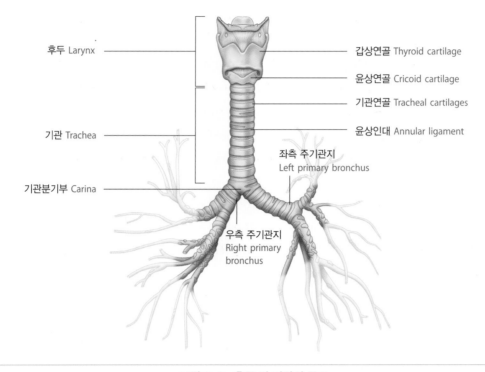

후두 Larynx

갑상연골 Thyroid cartilage

윤상연골 Cricoid cartilage

기관연골 Tracheal cartilages

윤상인대 Annular ligament

기관 Trachea

좌측 주기관지
Left primary bronchus

기관분기부 Carina

우측 주기관지
Right primary
bronchus

그림 2-3. 후두 및 기관의 구조

cm, 전후로 약 1.4 cm이다(Minnich and Mathisen, 2007). 기관의 내부는 거짓중층상피 (pseudostratified epithelium) 점막으로 구성되어 있는데, 술잔세포(goblet cell)와 섬모세포 (ciliated cell)를 포함하는 호흡기 점막을 통해 점액 분비물이 외부로 배출된다(Sanders et al, 2011). 기관은 점막의 비후(hypertrophy) 혹은 기관의 압박으로 인해 내경이 작아지면 공기 흐름의 저항이 커진다. 따라서 기관절개술 전에 반드시 내경의 감소 여부를 확인해야 하며, 기관절개관(tracheostomy cannula)의 크기를 결정하는 데에 있어 이를 고려해야 한다.

기관절개술은 일반적으로 두번째와 네번째 기관연골 사이에서 이루어지는데, 이보다 위쪽으로 절개가 이루어질 경우 절개창 상부에서 발생하는 염증반응과 골화(ossification)로 인해 윤상연골협착(cricoid cartilage stenosis)이 나타날 수 있으며, 더 아래쪽으로 절개창이 만들어질 경우 무명동맥의 출혈을 야기할 수 있는 위험이 증가한다(Schneider et al, 1997). 일반적으로 윤상연골은 표면에서 쉽게 촉지되기 때문에, 기관절개술을 위한 피부 절개는 윤상연골을 기준으로 하여 약 1-2 cm 아래에 시행하고, 이는 대개 2-4번째 기관연골의 범위에 해당한다(Walz and Eigler, 1996; Dost and Jahnke, 1997).

혈관

　기관 주변으로는 큰 혈관들이 둘러싸고 있으며 이들을 통해 분지된 작은 혈류들이 복잡하게 분포하고 있다(그림 2-4). 이들 중 기관으로의 혈류 공급은 대부분 외측의 혈관분지를 통해 이루어진다. 기관의 근위부는 하갑상선동맥(inferior thyroid artery)에서 분지된 기관식도분지(tracheoesophageal branch)를 통해 혈류공급이 일어나며, 원위부와 주기관지에 이르는 부위는 기관지동맥(bronchial artery)를 통해 혈류가 공급된다. 기관으로 분지된 동맥은 기관의 외측벽을 따라 종단으로 문합(lateral longitudinal anastomosis)을 형성하고 있기 때문에 기관절개술 시에 기관을 외측으로 지나치게 박리하면 출혈을 야기하거나 혈류의 결손을 야기할 수 있어 주의를 요한다(Miura and Grillo, 1966). 최하갑상선동맥(thyroid ima artery)은 1−15%가량의 환자에서 발견되는 변이로 대동맥활(aortic arch)이나 무명동맥으로부터 분지되어 갑상선과 기관에 혈류를 공급하는데, 이는 기관의 중앙을 따라 주행하기 때문에 기관

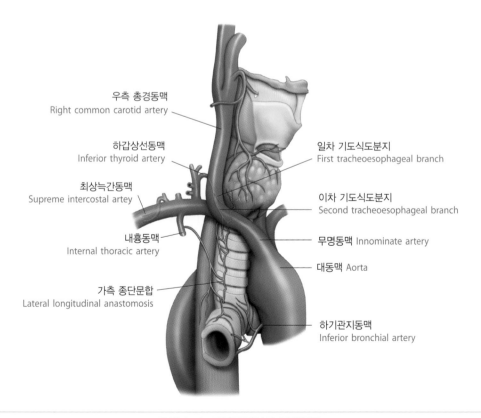

우측 총경동맥
Right common carotid artery

하갑상선동맥
Inferior thyroid artery

최상늑간동맥
Supreme intercostal artey

내흉동맥
Internal thoracic artery

가측 종단문합
Lateral longitudinal anastomosis

일차 기도식도분지
First tracheoesophageal branch

이차 기도식도분지
Second tracheoesophageal branch

무명동맥 Innominate artery

대동맥 Aorta

하기관지동맥
Inferior bronchial artery

그림 2-4. 기관주변부의 동맥혈류

절개술 시 다량의 출혈을 야기할 수 있다(Yurasakpong et al, 2021). 기관절개술에서 가장 주의해야 하는 혈관은 무명동맥으로, 대부분 기관과 흉골사이에 분포한다. 장기간 기관절개관을 유지하거나 기관절개창(tracheostoma)이 낮게 형성될 경우, 무명동맥과 기관 사이 누공(arterio-tracheal fistula)이 발생할 가능성이 있는데, 이로 인해 발생하는 다량의 출혈은 즉각적인 수술적 처치가 이루어지지 않을 경우 사망률이 매우 높은 치명적인 합병증이다(Kapural et al, 1999).

신경

기관의 신경분포는 주로 흉부 교감신경줄기와 미주신경의 하부신경절(inferior ganglion)로부터 기원하는 신경 줄기로 이루어진다. 교감신경줄기에서 기원한 신경은 기관 및 기관지에서 점액을 분비하거나, 기관지가 수축하거나 확장하게 하고, 미주신경은 주로 기침, 재채기 반사와 연관되어 있다. 되돌이후두신경은 미주신경에서 기원하여 우측에서는 쇄골하동맥을 감아 돌면서 위로 주행하고, 좌측에서는 대동맥활을 돌아서 위로 주행한다. 이후 양측에서 기관의 가쪽을 따라 주행하여 윤상갑상관절의 뒤를 지나 후두로 진입하고, 후두와 기관 근위부의 운동 및 분비 기능을 담당한다(Steinberg et al, 1986).

갑상선

갑상선은 기관 앞에서 기관을 둘러싸는 형태로 존재한다. 갑상선의 양측 엽(lobe)은 기관의 외측을 둘러싸면서 위로는 갑상연골과 인접하여 있고, 갑상선의 협부(thyroid isthmus)는 2-4번째 기관연골 높이에 형성되어 있다. 기관절개술을 위해서 갑상선의 협부를 절개하여 접근하는 것이 권장되는데, 이 과정에서 다량의 출혈을 예방하기 위해서는 반드시 적절한 지혈기구를 사용해야 한다.

갑상선 질환의 병력이 있는 환자에서는 갑상선이 비정상적으로 커진 경우가 있는데, 기관절개술은 이러한 갑상선의 상태에 영향을 받게 된다(그림 2-5). 갑상선의 비대화 및 종물로 인해 기관이 한쪽으로 밀리거나 기관벽이 압력을 받아 눌리는 상태에서는 적절한 기관절개창

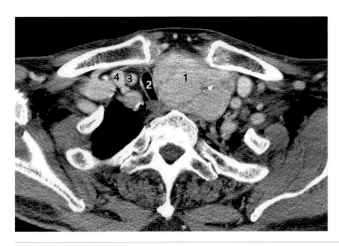

1 갑상선 결절 Thyroid nodule
2 기관 Trachea
3 총경동맥 Common carotid artery
4 내경정맥 Internal jugular vein

그림 2-5. 기관주변부의 동맥혈류

을 찾기 어려울 수 있으며, 기관절개술 후에도 기관 점막이 위축될 수 있다. 따라서, 이런 환자들에서는 추후 발생가능한 합병증을 고려해야할 뿐 아니라, 기관절개관을 안정적으로 유지할 수 있도록 적절한 위치에 기관절개창을 만들어 주어야 한다.

소아의 기도 해부학

소아에서 기관절개술이 필요한 경우, 기도의 해부가 성인과 많이 다르기 때문에 특별히 주의해야 한다. 소아는 성인에 비해 피부가 얇고 상대적으로 피하지방이 두껍다. 또한, 성인에서 후두의 위치가 6-7번 경추 높이에 있는 것에 비해, 소아에서는 3-4번 경추 높이에 형성되어 있으며, 갑상연골과 설골의 간격이 성인보다 더 가깝게 붙어있다. 이외에도 기관의 석회화가 진행된 성인에 비하여 소아의 기관은 탄성도가 높으며, 주변 장기와의 유착이 덜하기 때문에 이동성이 높다. 이런 특성들로 인해 소아에서는 기관의 위치를 찾기 어려워, 소아에서의 기관절개술에서는 피부절개 시 수직절개선(vertical incision)이 권장되며, 필요시 피하지방층을 제거(defatting)해주는 것이 도움될 수 있다(Monnier, 2010).

■ 참 고 문 헌

1. Dost P, Jahnke K. Endoscopically controlled dilatative puncture tracheostomy. *HNO 1997;45:724-31.*

2. Kamel KS, Lau G, Stringer MD. In vivo and *in vitro morphometry of the human trachea. Clin Anat 2009;22:571-9.*

3. Kapural L, Sprung J, Gluncic I et al. *Tracheo-innominate artery fistula after tracheostomy. Anesth Analg 1999;88:777-80.*

4. Kohan EJ, Wirth GA. *Anatomy of the neck. Clin Plast Surg 2014;41:1-6.*

5. Minnich DJ, Mathisen DJ. *Anatomy of the trachea, carina, and bronchi. Thorac Surg Clin 2007;17:571-85.*

6. Miura T, Grillo HC. *The contribution of the inferior thyroid artery to the blood supply of the human trachea. Surg Gynecol Obstet 1966;123:99-102.*

7. Monnier P. *Pediatric airway surgery: management of laryngotracheal stenosis in infants and children.* Springer Science & Business Media, 2010.

8. Pabst F, Haroske G. Anatomy and Topography in Relation to Tracheotomy *Tracheotomy and Airway:* Springer, 2020:9-19.

9. Sanders CJ, Doherty PC, Thomas PG. *Respiratory epithelial cells in innate immunity to influenza virus infection. Cell Tissue Res 2011;343:13-21.*

10. Schneider D, Eckel H, Arlt U, Koebke J. *Vertikale Fusionen von Ringknorpel und zervikalen Trachealspangen. HNO 1997;45:339.*

11. Shin HW, Ahn Y, Sung MW, Kim KH, Kwon TK. *Measurement of cross-sectional dimensions of the cricoid cartilage: a computed tomographic study. Ann Otol Rhinol Laryngol 2009;118:253-8.*

12. Steinberg JL, Khane GJ, Fernandes CM, Nel JP. *Anatomy of the recurrent laryngeal nerve: a redescription. J Laryngol Otol 1986;100:919-27.*

13. Sutcliffe P, Lasrado S. *Anatomy, head and neck, deep cervical neck fascia 2019.*

14. Walz MK, Eigler FW. *[Methodology in puncture tracheostomy. Technique, indications and contraindications]. Chirurg 1996;67:436-43; discussion 43.*

15. Yurasakpong L, Nantasenamat C, Janta S et al. *The decreasing prevalence of the thyroid ima artery: A systematic review and machine learning assisted meta-analysis. Ann Anat 2021;239:151803.*

서울대학교 의과대학 이비인후과학교실 **권택균, 지정연**

기관절개술의 생리적 변화
Physiologic Changes after Tracheostomy

기도는 외부와 기체교환 장소을 연결하는 통로로, 자율신경계를 통한 불수의적 조절에 의한 호흡으로 산소는 기체교환 장소로 들어오고 이산화탄소는 체외로 배출된다. 이때 공기가 드나드는 기도의 개방성은 인두의 근육, 점액 생성 및 점액섬모 운동, 기침 등에 의해 유지된다.

이러한 기류는 하겐-푸아죄유식(Hagen-Poiseuille's law)으로 기술되며, 안정적인 호흡 시 상기도를 통해 유입된 공기는 상기도를 거치며 적절하게 가온 가습되며 성문은 흡기 시에 가장 넓게 열려서 상기도를 저항을 감소시키고, 호기 시에는 기도의 동적인 압축과 폐쇄를 예방하기 위해 부분적으로 좁아져 대기압보다 높은 하기도 압력을 유지한다.

기관절개술을 시행하게 되면 흡입된 공기가 비강, 구강과 인후두의 상기도를 우회하게 되어 정상적인 상기도와 하기도의 작용이 많은 부분에서 변화를 초래한다. 발성과 후각의 소실을 유발하고, 가습과 여과작용의 교란, 기류 저항의 변화, 해부학적 사강 및 연하작용의 변화를 유발하게 되고, 방어 기전인 기침과 섬모의 작용과 기관의 점막 보존에도 변화를 유발하게 된다. 이는 환자에게는 아주 중요한 변화로서 폐기능과 가스교환에 영향을 미치게 된다. 이 장에서는 상기도와 하기도의 정상적인 생리를 검토하고, 기관 절개술에 의해 유발되는 기도 작용의 변화를 알아본다.

정상 호흡 생리

기도와 호흡의 역할

기도는 체외의 환경과 기체교환 장소를 연결하는 통로 역할을 하며, 불수의적 조절에 의해 발생하는 기류를 통하여 산소는 기체교환 장소로 들어오고 이산화탄소는 체외로 배출된다. 이러한 기류는 개방된 기도를 통한 호흡을 통해 이루어지며, 기도의 개방성은 인두의 근육, 점액 생성 및 점액섬모 운동, 기침 등에 의해 유지된다.

기류

기류는 하겐-푸아죄유식(Hagen-Poiseuille's law)으로 기술되는데, 가늘고 둥근 관에 흐르는 유체의 양은 관의 양 끝의 압력 차이와 관의 반지름의 네제곱에 비례하고 관의 길이와 유체의 점성에는 반비례한다는 법칙이다.

정상적인 저기류 호흡에서 기류 속도는 흡기 시가 호기 시보다 빠르지만, 최대 호기 속도(peak expiratory flow rate)는 280 L/min에 이르는 반면에 최대 흡기 속도(peak inspiratory flow rate)는 160 L/min 정도 수준이다(Viani et al. 1990). 이처럼 증가된 기류는 운동 중일 때 특히 유용하며, 근육에서 활동에 필요한 에너지를 생산하기 위해 필요한 매우 많은 양의 산소를 공급해준다.

넓은 상부 기도에서 하부 기도로 이동할수록 총단면적은 커지게 된다. 따라서 기도의 각 부위에서 기류(flow)는 일정하지만 면적당 기류 속도(linear flow velocity)는 하부 기도로 갈수록 감소한다. 넓은 상부 기도에서는 면적당 기류 속도가 빨라 와류가 발생하며, 좁은 하부 기도에서는 면적당 기류 속도가 감소하여 기류가 층류에 가까워진다.

호흡주기(신경)

기도를 통한 기류는 자율신경계에 의하여 불수의적으로 조절된다(Taylor et al. 1999). 연수 호흡중추에서의 신경자극이 횡격막 신경(phrenic nerve)과 늑간신경(intercostal nerve), 뇌신경을 통해 횡격막(diaphragm), 늑간근(intercostal muscle), 인두와 후두 근육의 협조된 수축을 유발시키고, 이러한 흡기근육의 수축이 흉곽과 폐의 탄성력을 능가하면 흉곽과 폐의 확장이 일어나게 되면서 흡기가 시작된다. 흡기 시의 근육의 움직임은 기관−기관지의 기계적 자극 수용기와 이를 지배하는 미주신경에 의해 조정되는 연수의 흡기 종료 기전에 의해 끝난다. 호기가 시작되면 초반에는 횡격막의 지속적인 수축이 흉곽과 폐의 탄성력에 반대로 작용하는 브레이크 역할을 하여 호기가 천천히 부드럽게 시작되도록 한다.

상기도의 역할

안정적인 호흡 시 코를 통해 유입된 공기는 지름이 4−5 μm인 미립자들은 비강에서 여과되고, 가온 가습되어 기관의 중간 부위에 이르러서는 그 온도가 체온과 같아진다. 성문은 흡기 시에 가장 넓게 열려서 상기도의 저항을 감소시키고, 호기 시에는 기도의 동적인 압축과 폐쇄를 예방하기 위해 부분적으로 좁아져 대기압보다 높은 하기도 압력을 유지한다.

비강 기도

비강은 공기가 폐로 가는 정상 호흡의 첫번째 관문으로, 유해물질을 제거하며 흡입된 공기의 물리적 성질을 조정하고 후각작용이라는 고유의 감각을 수행하는 능동적인 역할을 한다.

기립자세에서 비강 기류는 전비공에서 위뒤쪽 방향으로 시작하여 가장 좁은 부위인 비판을 통과하면서 수평적인 방향으로 변하게 되며, 대개 중비도를 통하여 후비공에 도착하게 된다. 비중격에 의해서 나누어진 흡입된 공기의 흐름은 비중격이 끝나는 비인두에서 하나로 합쳐지게 되고, 아래쪽을 향하여 구인두와 하인두에서는 수직적인 방향으로 흘러 후두와 기관에 도달한다. 안정적인 호흡 시 비강을 통한 저항은 전체 기도 저항의 약 65%에 해당하고, 전체 호흡계 저항의 50% 정도를 차지하며, 구호흡시 발생하는 저항의 두 배 이상이 된다. 이러한 높은 저항에도 불구하고 비강을 통하여 호흡하는 것이 중요한 까닭은 비강을 통하여 가온과 가습이라는 기류의 조건화 및 미세입자 여과가 일어나기 때문이다. 코는 기류를 조절하는 기능이 있어 흡입 기류가 1 L/sec를 초과하거나 안정기류의 3배 이상이 되면 비강 단면적을 감소시켜 기류의 조건화와 여과능력을 유지하고자 한다. 그러나 기류가 이보다 더 증가하게 되면 구호흡이 일어나게 된다. 호기 시에는 흡기 시와는 달리 공기가 심한 와류를 형성하며 비강 전체로 퍼지는데, 이를 통하여 후각 점막에서 후각 물질을 제거하고 비강을 가온 및 가습한다.

비갑개는 혈관 조직이 풍부하여 자율신경 자극에 따라 혈관이 수축 또는 팽창하여 코막힘 증상의 유발 없이 비저항을 2배 이상 조절할 수 있다. 비주기(nasal cycle)는 양측 비강에서 평균 4−12시간의 주기로 비강 점막의 수축과 팽창이 교대로 순환적으로 나타나는 것으로,

점막하 고유층에 분포하는 수용혈관 내의 혈액량 증감으로 인해 발생하며 시상하부의 자율신경중추에 의해 조절된다. 전체 성인의 80%에서 이러한 비주기가 나타나고, 소아는 성인보다 그 주기가 짧거나 불규칙하다. 비주기에 따라 각 비강의 비강 저항은 증감하지만, 양측 비강 저항의 합인 총 비강 저항은 일정한 수준을 유지한다. 비강 기류는 흡입 공기의 이산화탄소 분압과 분당 환기량이 증가함에 따라 점진적, 비례적으로 감소하게 되지만, 중등도의 저산소증과 과환기에 대해서는 비강저항의 변화가 없다.

점막 표면을 덮고 있는 점액은 흡기에 포함된 독성 물질과 감염원에 대한 일차적인 방어선의 역할을 하고, 점액층 아래에 있는 비강의 상피세포층은 점액섬모 수송, 기도의 방어, 생리화학적인 항상성의 유지에 매우 중요한 역할을 담당하는 이차 방어선의 역할을 한다. 비강 점막에 여과된 미세 입자들은 점액섬모 운동으로 후비공과 비인강으로 운반되어 최종적으로는 삼켜지게 된다.

구강 기도

구강은 앞쪽으로는 입술과 치아, 뒤쪽으로는 구인두에 의해 경계 지어지며, 치아와 혀를 통한 저작기능과 음식물 및 타액을 인두 쪽으로 이동시키는 연하운동을 담당한다. 또한 모음을 발성하기 위한 공명강이 되고 음색을 주며, 혀, 연구개, 입술, 볼 등의 운동으로 구강 속에서 각종의 협착부가 형성되어 자음을 발음하는 구음이라는 중요한 음성기능을 한다.

구호흡은 발성과 운동 중에 정상적으로도 발생하는데 비교적 안정적인 구호흡 중에는 혀가 흡기 시에 경구개에 가깝게 위치하여 흡입공기의 가습과 가온을 유지한다. 노래를 부르거나 심한 운동 중에는 구강이 넓게 열리면서 구호흡에 의한 가온 가습의 효용은 사라지게 된다.

인두

인두의 입구부에는 많은 림프절이 존재하는데, 아데노이드는 비인두의 비강 점액섬모운동의 경로에, 편도는 음식물 섭취에 경로에 자리하며 특히 소아에서 면역계의 발생에 중요한 역할을 하는 것으로 알려져 있다. 아데노이드의 비대는 부분적 혹은 완전한 비인두의 폐쇄를 유발하여 구호흡을 유발할 수 있다. 편도의 비대는 구인두의 입구에서 구강기류의 폐쇄를 유발하여, 소아에서는 수면 중에 심한 폐쇄성 수면 무호흡과 저산소증을 유발시키기도 한다. 이러한 만성 저산소증은 폐성 고혈압을 유발시켜, 우심부전이나 폐성심을 유발할 수도 있다.

후두

후두는 경부에서 인대와 근육의 탄성 구조물들에 의해 위 아래로 지지되는데, 두개저 측두골에서부터 설골의 소각까지 연결되어 있는 경돌설골 인대(stylohyoid ligament)가 가장 중요한 역할을 하고 있다. 갑상연골은 내측과 외측 갑상설골막에 의해 설골에 부착되며 아래로는 윤상갑상막과 그 관절에 의해 윤상연골과 연결되며, 윤상연골은 아래쪽으로 제1기관륜과 인대에 의해 연결된다. 후두는 피대근과 인두수축근에 의해서도 지지되며, 흡입 시에 호흡 보조근이 수축하면 후두를 아래쪽으로 당기고, 후두외근은 연하운동 시에 후두의 위치를 잡아주는 데에도 관여한다.

후두는 비강을 제외하면 전체 기도 중에서 가장 좁은 부위이다. 윤상연골은 완전한 고리의 형태를 가지고 있어 상기도를 외부 압박으로부터 보호할 수 있으나 감염에 의한 점막 부종이 발생하는 경우 내측으로만 팽창하게 되어 협착이 쉽게 발생하고 내강이 좁아지게 된다. 소아에서는 윤상연골 부위가 성문 입구보다 좁아 내경이 큰 기관삽관 튜브를 사용하여 삽관하는 경우 윤상연골 부위 점막과 튜브 사이에서 압박이 일어나 쉽게 외상을 입게 되고, 이러한 허혈성 점막 부종은 상기도 폐쇄 증상을 초래할 수 있으며 심한 경우 섬유화나 성문하 협착을 유발할 수 있다.

후두의 기능은 기도 보호, 호흡, 발성과 연하 기능으로 나눌 수 있다. 초기 후두의 주된 역할은 호흡기관의 관문으로, 하기도를 보호하고 호흡을 원활하게 하는 것이었으나 진화에 따라 부수적으로 발성 기능을 가지게 되었다. 이 가운데 가장 중요한 것은 연하작용 중에 발생할 수 있는 음식물의 흡인으로부터 기도를 보호하는 것으로, 기계적 또는 암모니아 등의 화학적 자극에 의해 호흡기능이 갑자기 정지되는 반사현상으로 하기도로 이물질이 흡인되는 것을 방지한다. 연하 중에는 후두개가 상기도를 닫아 음식물이나 음료가 기도로 들어가는 것을 막는다.

성문은 흡기시에는 열리고 호기 시에는 좁아져 후두를 통한 기류의 저항을 증가시킨다. 과호흡 시 성대는 더 크게 열려 기류저항을 감소시킨다. 즉, 후두는 호흡작용기로서 호흡기류를 미세하게 조정하는데 특히 호기 시에 주요한 역할을 한다.

후두반사(laryngeal reflex)는 다양한 감각자극에 반응하여 해로운 자극으로부터 하기도를 보호하는 원시적인 반응으로, 가장 대표적인 것이 성문폐쇄반사이다. 성문폐쇄반사는 직접적으로 상후두신경 자극에 의해 유발될 수 있지만, 다른 감각자극도 기본적인 반사반응을 일으킬 수 있으며, 이를 통하여 음식을 삼키거나, 기침 또는 배변할 때, 무거운 물건을 들 때 등의 상황에서 성문의 강한 폐쇄를 유발하여 하기도를 보호하거나 흉강 내압과 복강 내압을 만들 수 있게 된다. 하지만 이러한 성문폐쇄반사가 심해져서 성문상부의 해로운 자극이 없어진 후에도 성문폐쇄반사가 과도하게 유발되는 현상이 지속되는 경우를 후두경련(laryngospasm)이라고 하며, 이는 성대나 성문상부에 심한 자극이 있을 때 유발되어 장시간 동안의 강한 성문폐쇄를 일으킨다. 후두경련은 상후두신경을 통해서만 구심성 자극이 전도되며 잠복기 없이 바로 발생하는 것이 특징이다. 과호흡과 저이산화탄소혈증(hypocapnia)

이 발생할 때에는 성문폐쇄반사의 역치가 감소하게 되며, 반대로 저호흡과 고이산화탄소혈증(hypercapnia)은 후두경련을 유발하는 후두반사의 역치를 증가시킨다. 동맥혈 산소분압이 50 mmHg 이하의 저산소증에서도 후두경련을 유발하는 역치가 증가하게 되는데, 이는 흡인으로 인한 저산소증과 고이산화탄소혈증에서 지속적인 후두경련이 일어나는 것을 예방하는, 임상적으로 유용한 기전이다. 의식이 있는 건강한 성인에서 후두경련은 자연적으로 소실되는 경우가 많고, barbiturate 등의 약물로 진정시키거나 저산소증이 되면 저절로 없어지기 때문에 환자가 두려워하는 것에 비해 질식의 위험은 낮다. 하지만 심혈관 장애가 있는 환자나 영아에서는 후두경련이 발생하면 생명을 위협할 수도 있으며, 신생아에서는 상기도 자극에 의한 호흡억제 반사와 함께 영아돌연사 증후군과 연관성이 있을 것으로 추정되고 있다.

기관과 하기도

기관과 주기관지는 C 모양의 기관연골륜에 의해 그 개방성이 유지된다. 기관이 식도와 접하는 곳에는 두 층의 평활근인 기관근이 존재하며 이들은 수축하여 기관의 순응도와 내경을 감소시키기도 하고, 동적인 압박에 대항하여 기관 내경을 유지시키기도 한다. 소기관지의 연골은 보다 불규칙적이어서 이들의 개방성은 폐 실질의 탄성과 폐조직에 의해 유지되고, 말단 기도의 개방성은 폐포와 소기관지의 표면 장력을 감소시키는 폐의 표면활성물질에 의해서 유지된다. 기관과 기관지 내벽은 위중층섬모원주상피와 기저막 직하의 점막하조직으로 구성되어 있고, 상피세포 사이에는 배상세포들이 포함되어 있다. 점막하조직에는 많은 장액선과 점액선이 존재하는데, 이들이 기도의 대부분의 점액을 분비한다. 점막 표면은 장액층으로 덮여 있으며 이 층에서 섬모운동이 일어난다. 점액은 섬모주위액층(periciliary fluid layer) 위에 존재하며, 섬모의 운동에 의해 두측(cephalic) 방향으로 움직이게 된다.

기관에서의 기류는 성문부의 개방 정도와 흡기 및 호기에 따라 달라지는데, 흡기 때에는 기관 상부에 와류가 생기고 하부에는 층류가 생긴다. 이러한 기류의 변화는 기관 내 압력의 영향을 받는데 가장 높은 압력은 기침 직전에 발생하며 200 cmH_2O까지 증가한다. 기침을 할 때에는 기류의 속도가 250 km/h에 이른다.

기도의 각 단계별 총단면적은 폐의 변연부로 갈수록 증가하게 되어 지름이 1 mm 이하인 기도에서는 전체 기도 저항의 10% 미만의 저항을 형성하게 된다. 전체 기도 저항의 50% 이상은 흉곽외 기도에서 형성하게 되고, 그 외 나머지도 대부분은 기관과 주 기관지에서 형성된다. 이러한 사실은 중요한 임상적 의미를 가지는데, 말단 기도가 전체 기도 저항의 적은 부분만을 차지하므로 말단 기도에서는 병변이 진행된 상태에서도 전체 기도 저항을 측정하여서는 병변을 쉽게 발견하기가 어려운 반면, 상기도나 흉곽 내 큰 기도의 병변에서는 작은 폐쇄성 병변일지라도 기도 저항에 큰 영향을 주어 쉽게 발견할 수 있다.

안정적인 호흡 시에는 하부 기관 및 기관지에서는 늑막의 음압에 의해서 그 개방성이 유지되는데, 과도한 호기 시에는 늑막의 압력이 기압보다 훨씬 더 많이 증가하고 폐포의 압력도 증가하게 되어, 구호흡시 구강이 열리게 되면 폐포와 구강 내 압력의 차이에 의해서 호기 류가 형성된다. 폐의 말단부에서는 폐포의 탄성력으로 인해 기도 내 압력이 늑막의 압력보다 크게 되는데 말단부에서 중심부의 주 기도까지 기류가 이동할 때는 기도압이 서서히 줄어들어 어느 시점에서는 기도 주변의 늑막과 조직압이 같아지는 시점에 도달한다. 이 시점을 압력 평형점(equal pressure point)이라고 하는데, 압력평형점에서 하부 기관으로 기류가 이동할 때 기류 압력이 서서히 낮아져서 결국은 주위 늑막압보다 낮아지게 된다. 결과적으로는 이 기도는 동적인 압박을 받게 되어 기관의 막성 부분과 주 기관지는 기도 내강으로 함입되고 단면적은 초승달 모양으로 변하거나 거의 대부분이 막힌다.

노력성 흡기 시에는 하부 기관과 기관지는 늑막 주변의 음압으로 인하여 부풀어 오르는데 반해, 상부 기관은 동적인 압박을 받게 되고 그 정도는 후두의 개방성과 기관의 순응도에 의해 좌우된다. 평활근의 긴장은 기관의 순응도와 단면적을 감소시키지만 한편으로는 동적인 압박에 대하여 상부와 하부의 기관을 안정성을 유지하는 역할을 한다. 후두기관 연화증에서는 노력성 흡기 시에 흡입 기류가 심하게 제한된다.

기관분기점 이하의 중심성 기도에서의 기류 형태는 - 특히 기류량이 증가할 때는 - 와류가 되지만, 말단부에서는 동적인 전체 단면적의 증가와 기류 속도의 감소로 인해 층류의 형태를 띠게 된다. 폐포관과 폐포에 이르러서는 기류의 속도가 아주 낮아서 가스 교환이 분자 확산에 의하여 이루어진다.

하부기도와 폐 수용기

하부기도와 폐에는 기계적, 화학적 자극에 대해 민감한 수용기들이 많이 분포하고 있어 교감신경과 미주신경을 통한 구심성 자극을 중추신경계로 보내고 심폐반사반응을 유발하여 환기와 함께 순환기능에도 영향을 미친다. 이러한 수용기에는 세가지 형태가 있는데, 첫째는 서서히 순응하는 수용기(slowly adapting receptors, SARs), 둘째는 자극원과 기침에 빠르게 순응하는 수용기(rapidly adapting receptors, RARs), 그리고 셋째는 무수화 C-섬유 수용기(nonmyelinated C-fiber receptors)가 있다. SARs와 RARs는 기계적 자극에 반응하는 수용기로 수초화된 신경섬유로 이루어져 있고, C-섬유 수용기는 폐확장에 반응하기는 하지만 그 역치가 매우 높으며 대개는 많은 체내 및 체외 화학적 자극에 반응하는 화학 수용기이다. 이러한 수용기들은 기관에서 말단 폐포기관지까지 분포하고 있지만 중심성 기도에 보다 많이 집중되어 있으며, 해부학적 구조는 수용기들의 위치(근육층, 점막하층, 점막층)에 따라 서로 다른 형태로 존재하고 있다. 이들은 주로 기도벽의 긴장도에 반응하는데, RAR은 동적인 변화를 감지하고 SAR은 정적인 변화를 감지한다. 이에 RAR 반사는 호흡을 자극하며 기도 수축을 유발하고, SAR 반사는 호흡과 기도의 긴장도를 조절한다. 이들 반사는 평활근의 종적인 변화보다는 주로 횡적인 변화에 대하여 반응하며, 이들 기계적 신장 수용기들에서 발생하는 전기적 신호는 수초화된 미주신경을 따라 결절신경절(nodose ganglion)을 거쳐 연수의 고립로핵(tractus solitarius nucleus)으로 전달된다.

가장 특징적인 반사로, 폐가 부풀어오를 때 기도가 늘어나는 것에 의해 자극이 되어 흡기 신경 활동을 억제하는 Hering−Breuer 팽창 반사(inflation reflex)는 SAR에 의해 시작되는 것으로 흡기를 억제시키고, 호기를 자극한다. 이는 또한 교감신경의 활성을 억제하여 전신적인 혈관 확장을 유발하며, 심방부정맥(sinus arrhythmia)을 야기하는 등 심혈관계에도 관여하고 있는데, 그 반대의 경우로 심장의 압력수용기에 의한 자극에 의해서도 호흡과 기도 평활근의 긴장도가 감소되므로 심혈관계와 호흡계는 조직 내 산소 공급이라는 공통의 목적을 위해 상호작용하고 있다. 이러한 반사를 통하여 환기량이 늘어나게 되면 흡기 시간이 감소하는 역함수의 관계를 형성하는데, 정상 성인에서는 폐포 확장에 의한 반사는 환기량이 정상의 2배가 될 때 나타나므로 환기량이 2배가 될 때까지는 흡기 시간과의 관련성이 없게 된다. 기관내 삽관 튜브의 기낭이 부풀어 있는 상태에서 전신마취나 수술의 끝 무렵에 간헐적인 무호흡이 관찰되는데, 이는 기관에 존재하는 많은 수의 신장 수용기를 통한 반사와 관련이 있는 것으로 여겨지며, 이 경우 기낭의 공기를 제거하면 규칙적인 환기가 지속된다.

폐기관지의 C−섬유 수용기는 기도와 폐순환에서의 화학적 자극에 반응하고 느린 전도 속도의 무수화 미주신경에 의해 구심성 자극이 전달된다. 이들은 폐 울혈이나 부종, 미세혈전, 자극성 가스에 반응하여 일회 호흡량을 감소시키고 빈 호흡, 기도 수축, 기도 내 점액 분비를 자극하고 기침을 유발하게 한다. 심혈관계에 대한 작용으로는 저혈압, 서맥을 유발하여 심박출량을 감소시키고, 기관지 혈관 확장을 유발하여 전신적인 저혈압 상태에서도 기도 내 혈액량을 유지하게 한다. 자극성 가스나 미세입자가 흡입되면 흉부 답답함과 함께 통증을 느끼게 되는데 이는 이들 수용기는 활성화에 의한 것으로, 수소이온, 아데노신, 활성화 산소 및 고삼투압 용액 등에 의해서도 이러한 반사가 유발된다는 사실이 알려져 있다. 최근에는 이들 수용기의 활성도가 기도 내 염증반응 시에 나타나는 히스타민이나 프로스타글란딘 E2 (prostaglandin E2) 등과 같은 국소호르몬에 의해서 더욱 증강된다는 사실이 알려져 C−섬유 수용기의 역할이 정상적 또는 비정상적 생리적 상태에서 심폐기능을 조절하는 데에 중요한 역할을 한다는 사실이 밝혀지고 있다.

기관절개술 후 변화

기관절개술을 시행하게 되면 흡입된 공기가 비강, 구강과 인후두의 상기도를 우회하게 되어 정상적인 상기도와 하기도의 작용이 많은 부분에서 변화를 초래한다. 발성과 후각의 소실을 유발하고, 가습과 여과작용의 교란, 기류 저항의 변화, 해부학적 사강 및 연하작용의 변화를 유발하게 되고, 방어 기전인 기침과 섬모의 작용과 기관의 점막 보존에도 그 변화를 유발하게 된다. 초기에는 이러한 변화가 현저하지 않지만, 환자에게는 아주 중요한 변화로 폐기능과 가스교환에 영향을 미치게 된다.

발성의 변화

기관절개술 후에 많은 환자들이 발성의 감소 또는 상실을 경험한다. 기관절개술 후에도 기계 환기를 이탈하고 자발 호흡이 가능한 환자에서는 기관절개관 기낭의 공기를 빼고 발성 밸브(speaking valve)를 사용하여 발성이 가능하다. 최근 연구 결과에 따르면, 기계 환기를 하는 환자에서 기계환기 이탈 이전에 조기 개입하여 기관절개관 기낭의 공기를 빼고 기계환기 회로와 직렬 연결된 발성 밸브를 사용함으로써 발성까지 걸리는 기간을 단축한 바 있으나, 환자를 대상으로 기계환기 회로 직렬 연결 발성 밸브가 표준적으로 쓰이기 위해서는 추가 연구가 필요하다(Freeman-Sanderson et al. 2016).

가습과 여과작용의 변화

안정적인 호흡 시 비강을 통해 흡입된 약 23 ℃의 공기는 비인두에 도달하면 약 33 ℃까지 가온되고 충분히 가습되며, 기관분기부에서는 온도는 37 ℃, 상대습도는 100%에 이르게 된다. 그러나 기관은 흡입된 공기를 가온가습 하는 데에는 적절하지 못하기 때문에 상기도를 우회하여 기관절개관을 통하여 흡입된 공기는 차갑고 마른 상태로 기관 분기부를 통과하여 기관-기관지 점막을 마르게 하고 일시적이나 기관지의 온도를 떨어뜨린다. 기관절개관을 통한 차고 마른 공기의 흡입은 기관-기관지 분지계의 점막섬모운동을 마비시키고 가피를 만들며 가래의 배출을 어렵게 하고, 흡입 공기의 온도가 실온 이하일 경우에는 기관지 수축을 유발하여 흡기량과 산소 공급량을 줄이고 혈색소의 산소 포화도를 낮추기도 한다. 결과적으로 점막의 손상이 초래되어 감염이 발생하게 되고, 배출되지 않은 분비물에 의해 기도폐색이 발생할 수 있다. 이와 반대로 과도하게 가습된 공기도 분비물의 양을 증가시키고, 공기의 온도가 너무 높은 경우에는 화상을 초래하고 이에 따라 감염이 발생할 수 있게 된다. 따라서, 기관절개관을 통하여 호흡 시 흡입되는 공기를 적절하게 가습하는 것이 중요하다(Lewarski 2005).

1958년에 개발된 가열/가습 장치는 기관절개 튜브나 기관내관에 직접 부착하여 사용하였는데, 미용문제와 가격, 그리고 점액이 포화되었을 때 청소할 수 없는 단점과 이동성이 없는 단점으로 실제로는 거의 이용되지 않고 있다. 이후에 개발된 열수분교환기(heat and moisture exchanger) 사용하기가 간편하고 이동성이 좋아 현재까지 널리 사용되고 있다. 열수분교환기 흡습성 막을 이용하여 호기에서의 열과 수분을 잡아두어 흡기 시에 흡입 공기를 통해 다시 기도로 돌아가도록 한다. 일부 환자에서는 턱받이처럼 생긴 천으로 된 단순한 기관절개구 막이를 사용하기도 하는데, 기관절개관을 통한 이물질 유입을 막으면서 열과 수분을 교환하여 공급하는 데에 충분하다(Wright and VanDahm 2003).

기류 저항의 변화

상기도 저항은 비강 호흡에서는 전체 기도 저항의 80%를 차지하고, 구강 호흡에서는 50%를 차지한다. 따라서 기관절개술을 시행하게 되면 기류가 상기도를 우회하게 되어 이론적으로는 상당한 정도의 기류 저항의 감소가 있어야 한다. 그러나 대개는 성인에서 사용되는 기관절개관의 내경이 7-8 mm 정도로 작기 때문에 정상적인 기도 저항과 비슷하거나 더 높은 기류 저항을 보이게 된다.

하겐-푸아죄유식에 의하면 기관절개관을 통한 기류 저항은 튜브의 길이에 비례하고 튜브의 직경에 대해서는 기류가 층류인 경우에는 직경의 네제곱에 반비례하지만, 와류를 형성할 경우에는 직경의 다섯제곱에 반비례한다. 실제로 기류 속도가 0.25 L/sec 일 때 튜브 직경이 10 mm 이하일 경우에는 기류는 층류에서 와류로 변하게 되므로 튜브 직경이 조금만 줄어들어도 기도 저항은 상당히 증가하며, 튜브 내 분비물로 인해 튜브 직경이 줄어든 경우에도 기류 속도가 빨라지면서 와류가 발생한다. 기관절개관을 이용할 경우 기관내관과 비교할 때 호흡운동량(work of breathing)은 감소하는데, 이는 기관내관과 비교하여 기관절개관은 더 짧고, 더 단단하고, 기도 내에서 변형이 덜 되기 때문이며, 튜브 내 분비물을 보다 쉽게 제거할 수 있으므로 깨끗하게 유지하기가 더 쉽기 때문이다. 기도 저항은 줄어들면 호기류가 증가하여 폐의 동적인 과팽창이나 내인성 호기말 양압의 발생이 줄어들게 되어 동적인 호흡운동량도 줄일 수 있게 된다 (Diehl et al. 1999).

해부학적 사강의 변화

폐포는 공기전도 기도계로부터 멀리 떨어진 말단 부위에 위치하고 있으며 이 공기전도 기도계 내에서는 가스 교환이 일어나지 않는다. 이를 '해부학적 사강(anatomical dead space)' 라고 하는데, 인두와 공기전도 기도계(기도, 기관지, 세기관지 및 종말세기관지까지) 내에 함유된 공기량을 말한다. 해부학적 사강의 약 50%정도를 인두가 차지하고 있으며, 흉곽외 해부학적 사강의 용적은 70-75 mL 정도이고, 흉곽 내 해부학적 사강의 용적은 평균 65 mL 정도이기 때문에 흉곽내외의 해부학적 사강의 용적을 합친 총 사강량은 대략 정상 성인에서 2 mL/kg으로 약 150 mL 정도이다.

기관절개를 시행하면 해부학적 사강이 상당히 감소하게 되는데, 내경이 7.0 mm인 기관절개 튜브는 5 mL정도, 내경이 8.5 mm인 기관절개 튜브의 경우에는 6 mL의 사강이 발생하여 기관절개 튜브를 가지지 않은 경우와 비교하여 15배 정도의 차이를 보인다(그림 3-1).

이러한 해부학적 사강의 차이가 임상적으로 어떤 영향을 미치는지에 대한 연구는 많지 않은데, Davis 등은 자발호흡을 할 때와 비교하여 평균 일회 환기량이 51 mL 정도 감소하고, 호흡수 및 분당 환기량의 변화가 있다고 하였고, Chadda 등은 기관절개 튜브를 이용할 때와 튜브를 막고 구강 호흡을 한 경우를 비교하여 생리적 사강은 156±67 mL에서 230±82 mL

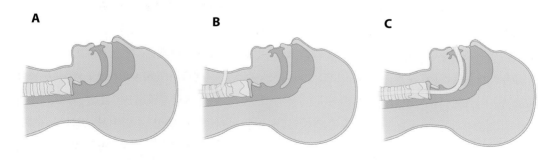

그림 3-1. **상기도의 해부학적 사강(dead space)의 비교.** (A) 정상적인 상기도, (B) 기관절개 튜브, (C) 기관내 삽관 튜브.

로 증가하였으며, 동맥혈 이산화탄소 분압과 호흡수에서는 차이가 없었으며, 일회 환기량은 70 mL 정도 증가하였고, 분당 환기량은 1.6 L/min으로 각각 증가하였다고 발표하였다(Davis et al. 1999, Chadda et al. 2002).

임상적으로는 기관내삽관이 되어 있을 때는 기계 환기를 지속해야 하는 환자들이 기관절개술 시행 후 쉽게 기계 환기를 이탈할 수 있는 현상을 자주 관찰할 수 있는데, 이에 그 기전을 밝히기 위해 기관내관을 가지고 있을 때와 기관절개 튜브를 가지고 있을 때를 비교한 연구들이 많이 진행되었다. Davis 등은 다양한 종류의 기관내관과 기관절개관 삽입 시의 사강을 비교하여 그 차이가 20 mL 미만의 아주 작은 차이라고 발표하였고, Mohr 등은 일회 환기량에 대한 해부학적 사강의 비를 산출하여 비교한 연구에서 기관내삽관과 기관절개술 사이에 차이가 없음을 밝혀 기관절개술을 시행한 환자에서 기계 환기를 쉽게 이탈할 수 있는 이유는 가스 교환이 아닌 다른 기전이 있을 것으로 제시하였다(Davis et al. 1999, Mohr et al. 2001).

연하작용의 변화

기관내삽관과 달리 기관절개술은 시행 후 경구식이가 가능하다는 장점이 있으나 쉬운 일은 아니다. 기관절개술 후 연하 장애의 유병률은 정확히 알려져 있지 않으나 연구에 따라 50-83%에 이르는 것으로 보고되어 있다(Goldsmith 2000). 기관절개관이 거치되어 있는 경우 후두 거상(laryngeal elevation)을 방해할 수 있고 후두의 감각을 떨어뜨려 기침 반사를 저해하며 성문하압의 형성이 부족해진다. 특히 신경근육계 질환 또는 만성폐쇄성폐질환에서는 호흡과 연하의 협조가 상실로 인해 정상적인 연하 과정이 이루어지지 않을 수 있다. 장기간 기관절개관을 유지할 경우, 호흡과 연하운동과 관련한 후두반사의 협조 상실로 성대 폐쇄를 포함한 후두반사의 장애와 감각 장애 및 연하운동에 관여하는 근육의 위축으로 인해 음식물의 흡인과 이로 인한 폐렴 합병증이 발생할 수 있다. 부가적으로 구역반사 장애와 효과적인 기침의 저하 및 과팽창된 튜브 기낭에 의한 식도 압박도 그 원인이다.

기관절개술을 시행한 환자를 대상으로 비디오투시삼킴검사(videofluoroscopic swallowing study)를 시행한 연구 결과 가장 흔히 관찰되는 문제는 후두개의 불완전한 후방 접힘, 인두에서의 저류, 침투(penetration) 및 흡인이었다. 기관절개술 후 연하 곤란의 원인으로 흔히 지목되는 후두 거상의 감소 및 성문하압의 소실은 기낭의 공기를 빼고 작은 사이즈의 기관절개관과 발성 밸브를 사용함으로써 어느 정도 극복할 수 있다(Ceriana et al. 2015).

기관절개술을 시행한 환자들을 대상으로 시행된 기도 흡인에 대한 연구들에서 약 30-

50%의 환자에서 기도 흡인이 확인되었고, 이 환자들 가운데 80%가량에서는 임상적인 증상이 없었다. 따라서 장기간 기관절개관을 유지하고 있는 환자에서는 정확한 연하장애와 기도 흡인에 대해 평가하기 위해 임상적 증상에 따르기보다는 변형바륨 연하검사(modified barium swallowing test) 또는 연하내시경검사(fiberoptic endoscopic evaluation of swallowing)를 시행하는 것이 필요하다는 주장이 있다(Epstein 2005).

한편 최근 기관절개술이 연하곤란 위험의 증가와 크게 연관이 없다는 연구 결과도 있는데, 기관절개술을 시행받은 환자에서 기관절개관 제거 전후로 비디오투시삼킴검사를 시행하였을 때 후두 거상, 인두 수축, 식도 개방에 대한 변수에는 유의한 변화가 없었으며(Kang et al. 2012), 연하내시경검사에서 후두 침투 또는 흡인의 유의한 차이가 없었다(Donzelli et al. 2005).

상술한 기관절개술 시행 또는 기관절개관 제거 전후의 연하곤란은 단순히 기관절개 튜브의 거치로 설명되는 것이 아닌 다면적인 문제인 것으로 생각된다. 따라서 기관절개술을 시행하였거나 기관절개관을 제거한 환자의 연하곤란을 평가하고 해결할 때 다분과의 협진을 통한 체계적인 접근이 필요하다.

후두 폐쇄 반사에 대한 영향

연하운동의 인두기에서는 성대가 닫히면서 후두개가 후두 입구를 닫고 이어서 식도가 열리면서 음식물이 상부 식도로 넘어가게 되는데, 이러한 과정은 1초 이내에 이루어지며, 이러한 반사는 발생과정에서 가장 원초적인 작용으로 생리적으로 안정적으로 수행된다. Sasaki 등은 개를 이용한 실험에서 장기간 기관절개를 시행한 경우에 방어적인 후두의 폐쇄 반사에 의미 있는 장애가 유발되며, 후두 경련과 같은 지속적인 성대 폐쇄가 발생하였고, 성대 외전근의 작용도 기류 저항과 기관 내 음압과 관련이 있어, 기관절개로 인하여 상기도 저항이 감소하게 되면 성대외전근의 작용이 감소하거나 일시적으로 소실되게 된다고 하였다(Sasaki et al. 1977). 상기도를 통한 기류와 기도 저항이 복구되면 이러한 외전근의 작용도 다시 나타나게 되는데, 4주 이상 기관 절개가 길어지면 기도 저항과 기류가 복구되어도 성대 외전근 반사를 관찰할 수 없으며, 이때 기관절개구를 갑자기 폐쇄하게 되면 후두 외전이 발생하지 않아 심각한 후두의 흡인성 천명과 함께 산소 결핍증이 발생하게 된다고 하였다(Kirchner and Sasaki 1973). 따라서, 기관절개관을 제거하기 전에 연수의 호흡 중추가 기관절개를 통한 호흡에서 후두와 상기도를 통한 호흡으로의 변화에 적응할 수 있도록, 반드시 기관절개관을 가지고 있는 상태에서도 성대를 통한 기류가 유지될 수 있도록 해야 하며, 특히 영아나 소아에서는 필요시 재활의학과와의 협진을 통하여 연하와 후두 폐쇄 반사를 재습득하도록 해야 한다(Wright and VanDahm 2003).

기침 기전에의 영향

기침은 보통의 점액섬모운동이나 대식세포에 의해 제거되지 않는 이물질 또는 과도한 분비물을 제거하기 위해 존재하는 매우 중요하고 강력한 기전으로, 세 단계로 이루어진다. 첫번째는 공기흡입기로, 정상적인 일회 환기량보다 약간 많은 양의 공기를 빠르게 흡입하는 단계이다. 두번째 단계는 압축기로, 성문이 닫히면서 흉곽근과 복근이 동적으로 수축하면서 복강과 흉강 및 폐포강의 압력을 50-100 mmHg 이상 상승시킨다. 마지막 단계는 배출기로, 성문이 갑자기 열리면서 시작되는데 호기류는 빠르게 가속되어 50 msec 내로 10 L/sec의 유량에 도달하게 되며, 이와 동시에 하부 기관과 기관지는 동적인 압박을 받으면서 기류 속도의 정점을 음속의 3/4정도인 250 m/sec까지 가속시킨다. 이때 기도 내 조직의 진동운동과 공기는 폭발적인 소리와 함께 점액이 기도로부터 분리되어 호기류와 함께 나가도록 한다.

하부기도와 주기관지의 동적인 압박이 기침의 가장 중요한 기전이므로, 기관절개술을 시행 받은 환자에서도 후두의 폐쇄 없이 유사한 술식으로 기도 청소가 가능은 하지만, 정상적으로 호흡하는 경우 같은 정도의 높은 기류 속도를 만들 수 없기 때문에 그 효과는 감소한다. 근육이 약해져 있는 경우나 통증 또는 기도 폐쇄가 있는 경우에는 기도 청소 효과의 감소가 더 심하게 나타나며, 이 경우에는 기도 분비물을 제거하기 위해 흡입기를 이용하여 기도 내 분비물을 흡입하는 등 다른 부가적인 방법이 필요하다(Oberwaldner and Eber 2006). 반면에 기관절개관을 제거한 후에는 최대기침유량(peak cough flow)가 증가되어 기관절개관의 존재가 기계적인 방해가 되어 기도 저항을 증가시키고 기침 기능을 저해시키는 것으로 생각된다(McKim et al. 2012).

상기도 폐쇄 해소 후 폐울혈 발생

자발호흡이 가능한데 상기도 폐쇄가 심하여 기관절개술을 시행하는 경우에는 기관절개술 후 기류 저항이 상당히 감소하여 호흡노력, 호흡 장애 및 질식 현상이 극적으로 해소된다. 그러나 이러한 갑작스러운 상기도 폐쇄의 완화는 특히 소아에서 갑작스런 폐울혈을 일으킬 수 있다. 이때 폐울혈의 원인은 명확하지는 않지만 폐쇄에 대한 노력성 흡기에 따른 기도의 음압에 의해 발생하는 모세혈관-폐포 사이의 압력차 증가와 catechol 관련 폐 혈액량과 폐 모세혈관의 투과성이 증가한 것이 그 원인으로 알려져 있다(Ringold et al. 2004). 건강한 성인을 대상으로 100% 산소를 17시간만 호흡하게 하여도 심한 모세혈관 유출과 폐포 대식 세포로부터 fibronection과 fibroblast-releasing factor의 증가가 관찰된다. 심한 상기도 폐쇄가 있는 환자는 대개 고농도의 산소를 투여하게 되는데, 이러한 조기의 가역적인 산소 독성이 폐쇄 후 폐울혈의 또 다른 원인이 된다(Davis et al. 1983).

■ 참고문헌

1. 김동수. 임상 호흡 생리학 입문. 서울:고려의학, 1997:17-60.
2. Ceriana, P.,A. Carlucci,A. Schreiber, et al. Changes of swallowing function after tracheostomy: a videofluoroscopy study. Minerva Anestesiol 2015; 81(4): 389-97.
3. Chadda, K.,B. Louis,L. Benaissa, et al. Physiological effects of decannulation in tracheostomized patients. Intensive Care Med 2002; 28(12): 1761-7.
4. Davis, K., Jr.,R. S. Campbell,J. A. Johannigman, et al. Changes in respiratory mechanics after tracheostomy. Arch Surg 1999; 134(1): 59-62.
5. Davis, W. B.,S. I. Rennard,P. B. Bitterman, et al. Pulmonary oxygen toxicity. Early reversible changes in human alveolar structures induced by hyperoxia. N Engl J Med 1983; 309(15): 878-83.
6. Diehl, J. L.,S. El Atrous,D. Touchard, et al. Changes in the work of breathing induced by tracheotomy in ventilator-dependent patients. Am J Respir Crit Care Med 1999; 159(2): 383-8.
7. Donzelli, J.,S. Brady,M. Wesling, et al. Effects of the removal of the tracheotomy tube on swallowing during the fiberoptic endoscopic exam of the swallow (FEES). Dysphagia 2005; 20(4): 283-9.
8. Epstein, S. K. Late complications of tracheostomy. Respir Care 2005; 50(4): 542-9.
9. Freeman-Sanderson, A. L.,L. Togher,M. R. Elkins, et al. Return of Voice for Ventilated Tracheostomy Patients in ICU: A Randomized Controlled Trial of Early-Targeted Intervention. Crit Care Med 2016; 44(6): 1075-81.
10. Goldsmith, T. Evaluation and treatment of swallowing disorders following endotracheal intubation and tracheostomy. Int Anesthesiol Clin 2000; 38(3): 219-42.
11. Kang, J. Y.,K. H. Choi,G. J. Yun, et al. Does removal of tracheostomy affect dysphagia? A kinematic analysis. Dysphagia 2012; 27(4): 498-503.

12. Kirchner, J. A.,C. T. Sasaki. Fusion of the vocal cords following intubation and tracheostomy. Trans Am Acad Ophthalmol Otolaryngol 1973; 77(2): ORL88-91.

13. Lewarski, J. S. Long-term care of the patient with a tracheostomy. Respir Care 2005; 50(4): 534-7.

14. McKim, D. A.,A. Hendin,C. LeBlanc, et al. Tracheostomy decannulation and cough peak flows in patients with neuromuscular weakness. Am J Phys Med Rehabil 2012; 91(8): 666-70.

15. Mohr, A. M.,E. J. Rutherford,B. A. Cairns, et al. The role of dead space ventilation in predicting outcome of successful weaning from mechanical ventilation. J Trauma 2001; 51(5): 843-48.

16. Oberwaldner, B.,,E. Eber. Tracheostomy care in the home. Paediatr Respir Rev 2006; 7(3): 185-90.

17. Ringold, S., E. J. Klein,,M. A. Del Beccaro. Postobstructive pulmonary edema in children. Pediatr Emerg Care 2004; 20(6): 391-5.

18. Sasaki, C. T.,M. Suzuki,M. Horiuchi, et al. The effect of tracheostomy on the laryngeal closure reflex. Laryngoscope 1977; 87(9 Pt 1): 1428-33.

19. Taylor, E. W., D. Jordan,,J. H. Coote. Central control of the cardiovascular and respiratory systems and their interactions in vertebrates. Physiol Rev 1999; 79(3): 855-916.

20. Viani, L., A. S. Jones,,R. Clarke. Nasal airflow in inspiration and expiration. J Laryngol Otol 1990; 104(6): 473-6.

21. Wright, S. E.,K. VanDahm. Long-term care of the tracheostomy patient. Clin Chest Med 2003; 24(3): 473-87.

서울대학교 의과대학 이비인후과학교실 **성명훈**

인간 상기도의 구조적 특성: 진화의 결과

기관절개술은 급성 또는 만성 상기도폐쇄를 우회하기 위한 기도 확보와 중환자 기도 관리에 있어서 중요한 수단이다. 애초에 기관절개술이 시도되고 수천 년에 걸쳐 발전하게 된 것은 상기도의 폐쇄를 쉽게 가져올 수 있는 특징적인 구조가 인간에 있기 때문이다. 인간의 상기도, 입과 코로부터 후두와 기관에 이르는 부위는 호흡 작용과 섭식 작용이 교차하는 구조이면서, 단단하지 않은 연부조직으로 둘러쌓여 있다. 이러한 구조는 인간과 가까운 영장류나 포유동물들에서 관찰되지 않는다. 이러한 독특한 구조는 최후의 공통조상(last common ancestor, LCA)로부터 *Homo* 속(屬, Genus)이 분리되고, *Homo sapiens*에 이르는 수백만 년에 걸친 진화 과정의 결과이다. 그렇지만 질식(asphyxia)과 상기도폐쇄라는 치명적일 수도 있는 위험하고 불리한 구조를 지닌 인간의 상기도는, 동시에 인간만이 구사할 수 있는 언어 능력을 가능하게 하여 지구를 지배하는 인류의 문명으로 이끈 배경이 되었다.

인간을 다른 동물과 다른 차원의 "만물의 영장"이 되도록 한 매우 중요한 특징 중의 하나는 말을 할 수 있는 능력이다. 진화 과정에서 LCA로부터 인류의 조상이 다른 영장류와 다른 길을 걷게 된 분기점으로 약 4백만 년 전 이들이 두 발로 걷기 시작한 것이 가장 근원적이고 중요한 사건으로 생각된다. 나무 위의 서식지에서 땅 위로 내려와, 바로 서서 두 발 보행(bipedalism)을 시작한 이래, 수백만 년에 걸쳐 인류는 손을 자유롭게 사용하고, 두뇌가 커지며, 말을 할 수 있게 되고, 의사 소통을 통한 지식의 축적이 이루어지면서 현대의 문명에 이

르게 된다.[1]

장구한 진화 과정에서 모든 동물들에서 외부 세계를 감지하는 감각기관과 섭생을 위한 기관들이 생존 환경에 따라 다양한 모양으로 진화하였다. 인류도 진화 과정에서 호흡, 섭취 기능과 함께 외부 세계를 감지하고 의사 소통을 가능하게 하는 기관이 모여 있는 머리와 귀, 코, 목 부위는 매우 극적인 변화 과정을 겪었다.

그 중에서도 후두의 위치가 다른 동물들과 달리 목의 아래 부분으로 이동하고 위치하면서, 긴 인두(pharynx)를 형성하는 것이 결정적으로 언어를 통한 의사 소통 능력이 가능하도록 하였다. 동시에 이러한 진화적 변화는 인간이 질식, 상기도폐쇄, 폐쇄성수면무호흡 등의 생존에 매우 불리할 수도 있는 의학적 상황에 노출되기 쉽도록 한다.

인간 상부기관식도의 특징

성장한 인간의 상기도 구조는 인접한 영장류나 다른 포유동물과 비교하여 매우 독특하고 다르다. 먼저 얼굴과 하악골, 구개, 사골, 상악골, 접형골로 이루어진 인두궁(pharyngeal arch)으로부터 유래한 안면부가 앞뒤로 짧고, 인두-상후두성도(supralaryngeal vocal tract, SVT)가 좁고 긴 형태를 가진다. 영장류들보다 대후두공(foramen magnum)이 두개기저부에서 상대적으로 앞쪽으로 위치하고 구강과 두개기저부가 이루는 각도가 작다. 다른 포유동물들과 달리 후두가 하강하고 연구개가 짧아 후두개-연구개가 서로 닿아 있지 않다. 따라서 다른 포유동물이나 영장류와 달리 혀의 일부분 – 설근부 – 가 구강뿐만 아니라 구인두의 앞벽을 이룬다(표 4-1).

---

1 자레드 다이아몬드(Jared Diamond)는 그의 저서 〈총, 균, 쇠(Guns, Germs and Steel)〉에서 이러한 진화적 변화를 "위대한 약진"(The Great Leap Forward)이라고 말한다(Diamond, 1997). 그는 언어를 통한 인류 문명사의 획기적인 전환이 약 4만 년 전에 발생했다고 가정한다. 그 이전에도 인간은 도구를 사용하고, 상당한 크기의 두뇌를 가지고 있었지만, 수십만 년 동안 거의 발전하지 않았다. 후두의 하강과 함께 일어난 상후두발성기도(supralaryngeal vocal tract, SVT)가 형성되며 이와 동반한 신경계의 발달로 인간이 말하고 언어를 만들 수 있게 되었다는 것이다. 이러한 변화 과정에 목소리, 말, 언어 발달로 강력한 진화 선택 압력(selection pressure)이 가해졌다고 생각하고, 또한 이것이 구조 변화에 따른 이차적인 발달이라고도 볼 수도 있다(확전적응 Exaptation).

표 4-1. Anatomic changes of humans facilitating speech, different from the other primates

Short maxilla/mandible

Short ethmoid and palate

Anterior foramen magnum

Acute cranial base angulation

Oropharyngeal tongue

Descended larynx

Shortened soft palate

Loss of epiglottis–soft palate lock-up (nonintranarial epiglottis)

Narrow, distensible supralaryngeal vocal tract (SVT)

1:1 ratio of the SVT_V to SVT_H

SVT, supralaryngeal vocal tract; SVT_V, vertical component of the SVT; SVT_H, horizontal component of the SVT; The supraglottic larynx, pharynx, oral cavity and nasal cavity can be included in the SVT.

후두의 하강으로 발성과 언어발달이 가능하게 되었지만, 이러한 변화가 인간의 생존에 이점만을 제공한 것은 아니다. 숨쉬는 공기와 음식물이 인두에서 교차하기 때문에, 성장한 인간은 숨쉬기와 삼키기를 동시에 할 수 없다. 음식을 삼키기 위해서는 숨을 참아야 하며, 그렇지 않으면 흡인되거나 질식의 위험을 안고 있다. 또한 설근부가 긴 인두의 전방에 위치하여 단단한 구조물로 기도가 유지되지 못하여, 염증으로 인해 연부조직이 팽창하면서 상부기도 폐쇄가 일어날 수 있고, 심지어 수면 시에도 기도가 좁아짐으로 폐쇄성수면무호흡 현상을 일으킬 수 있는 해부학적 원인을 제공한다(Barsh, 1999). 반면, 후두 하강에 의해 형성된 긴 인두와 상후두의 공간은 음식을 씹고 삼킨 후 내쉬는 공기가 이 공간에 떠있는 냄새 물질을 뒤쪽에서부터 이동시켜 코 속의 후각상피를 자극할 수 있도록 한다. 이 날숨 냄새(retronasal smell) 기능 역시 인간에만 나타나는 현상이라고 볼 수 있다. 날숨 냄새는 삼킴 동작과 동시에 미각과 후각이 통합된 풍미(flavor)를 만들어 주는 기능을 한다(Laitman et al, 1996).

후두 하강과 동반된 두경부 구조의 주요 변화

인간 신생아에서는 후두가 목의 윗부분, 제3, 제4경추 높이에 위치하여 연구개와 후두개가 맞닿아 있다. 생후 수개월 뒤부터 점차 후두가 하강하면서 2살경에 윤상연골이 제5경추 수준까지 내려온다. 이 과정에서 연구개와 후두개 사이가 벌어지고 인두강이 형성되며 설근부가 인두의 앞 벽을 차지하게 된다(그림 4-1, 4-2).

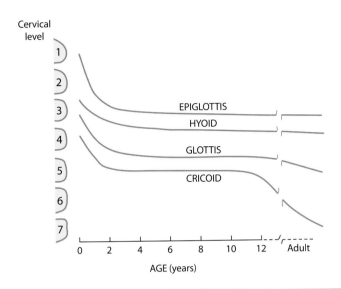

그림 4-1. 나이에 따른 후두 구조의 위치 변화. 인간에서는 후두 구조의 하강이 생후 수개월 2살경까지 뚜렷하게 나타난다.

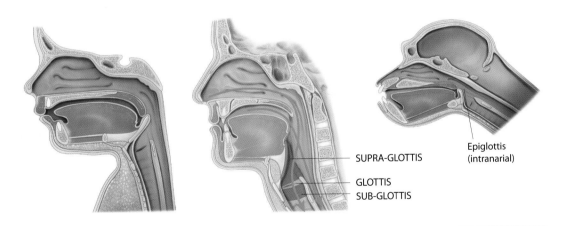

그림 4-2. 신생아(왼쪽), 성인(중간), 침팬지(오른쪽)에서 비강, 구강, 인두 및 성대의 상대적인 위치의 차이. 신생아와 유인원에서는 연구개와 후두개가 서로 닿아 있다(intranarial). 성인 사람에서는 후두가 하강하여 공기와 음식이 인두에서 교차할 수 있어 흡인과 질식의 위험이 있다. 사람은 체격에 비하여 구강은 작고, 혀는 크고 둥글다. 다른 포유동물의 혀는 평평하고 납작하다. 다른 동물에서는 상기도가 인두가 연골을 포함하는 보다 단단한 구조로 보호되지만, 사람에서는 혀의 뒷부분이 인두의 앞 벽을 이루면서, 후두 상부의 기도가 연부조직으로만 둘러싸인다.

　이 같은 출생 후 후두의 하강 현상은 지구 상의 동물 중 호모 사피엔스에서 특징적으로 나타나는 것으로 보인다. 동물들의 사체 비교 연구를 통해 인간과 가까운 사촌 유인원인 침팬지나 고릴라에서는 성장한 경우에도 후두는 출생 시와 마찬가지로 높은 위치를 유지하는 것이 일찍이 확인되었다(Chimpanzee Sequencing and Analysis Consortium, 2005; Flugel and Rohen, 1991; Larson and Herring, 1996; Nishimura et al, 2003).[2]

　인간은 출생 후 후두 하강과 함께 두부와 경부에 큰 구조적 변화를 보인다: 1) 두개골이 측면에서 보았을 때 앞뒤의 길이가 단축되고(klinorynchy), 그 결과 안면두개골(splanchno-cranium)이 뇌두개골(neurocranium) 아래쪽으로 이동한다. 2) 평평한 두개저가 각도를 형성하며(craniobase angulation), 3) 후두가 하강하고, 4) SVT의 수평부와 수직부의 비율이 변화한다(Lieberman, 2011).[3]

두개골이 측면에서 보았을 때 단축되는 양상(Klinorynchy)

　Klinorynchy는 얼굴의 중간 부위가 수평면 상에서 앞뒤로 짧아지고 안면두개골이 뇌두개골 밑으로 이동하는 현상을 말한다(Davidson, 2005). 대부분의 포유류들은 앞뒤로 길고 좁은 원통 형태의 두부를 지니고 있는 반면, 인간의 두부는 넓고 짧으며 둥근 형태를 지니고 있다. 다른 포유류들은 대부분 코, 입, 턱이 함께 구성된 주둥이(snout)가 있지만, 오스탈로피테쿠스 이후의 호미닌도 호모 사피엔스에 가까워질수록 얼굴 부분이 앞뒤로 짧아지고 안면두개골이 뇌두개골 아래쪽에 자리잡게 된다(Lieberman, 2011). 상악골을 위시한 다른 안면골들이 뒤쪽으로 점차 움직이면서 이를 따라 하악골이 후하방으로 이동한다. 이때 다른 구조적인 변화가 동반되지 않는다면 이로 인해 인두 공간이 작아지고 없어지게 될 것이다. 인간에서는 Klinorynchy와 동반하여 상악골, 하악골, 사골, 구개가 짧아지고 넓어지면서 호흡과 섭생을 위한 인두 공간이 유지될 수 있다(Davidson, 2003; Davidson et al, 2005). 인간의 뇌는 신체 크기로 예측한 포유류의 평균 뇌 크기와 비교하였을 때 5배나 크다(Lieberman, 2011). 사람은 특히 앞머리 부분이 커져서 이마를 가지고 있다. 또한 인간은 다른 동물과 달리 안면부에 돌출된 외비를 가지고 있으며, 콧구멍이 앞쪽이 아닌 아래 방향을 향하고 있는 아주 특이

2　최근 MRI를 이용한 관찰을 통해 살아있는 침팬지에서도 후두가 하강하고, 일부 동물들에서 후두가 소리를 낼 때 일시적으로 하강하는 것이 관찰되기도 하였다.

3　이러한 변화는 "개체발생은 계통발생을 되풀이 한다(Ontogeny recapitulates phylogeny)"는 에른스트 핵켈(Ernst Haeckel)의 계통발생설을 지지하는 사례 로 평가하는 학자도 있다.

적인 구조를 가지고 있다(Hahn et al, 1993; Churchill et al, 2004).

이러한 구조적 변화는 치아에서도 관찰된다. 사람의 치조골(alveolus)은 비좁다. 영장류 중에서 제3대구치(the 3rd molar) – 흔히 사랑니라고 부른다 – 가 함몰되어 있는 것은 인간이 유일하다. 이때 중요하게 관찰되는 점은 치조골이 전체적으로 짧아지지만, 옆쪽으로는 넓어진다(Woodside et al, 1991; Zucconi et al, 1993). 이러한 변화로 구강은 앞뒤로 짧아지면서 좁고 긴 인두 공간이 형성된다.

후두의 하강(The descent of the larynx)

빅터 네구스 경(Sir Victor Ewing Negus, 1887-1974)은 많은 포유류 동물의 비교해부학적 연구를 통해 후두가 섭식 통로로부터 나중에 호흡기로 발전하게 될 공기를 담은 공간을 보호하는 괄약 기능을 하는 것으로부터 진화하였다고 제안하면서, 후두의 진화를 인간 언어의 발달과 관련하여 기술하였다(Negus, 1949; Negus, 1957). 모든 동물에서 후두와 후두개는 두개골 바로 밑에 있다. 대부분의 동물은 목젖(uvula)이 없고, 연구개가 후하방으로 연장되어 기도와 식도 기능을 분리한다. 인간의 목젖은 길게 연장된 연구개라고 할 수 있다. 인간이 직립 보행을 하게 되면서 연구개와 후두가 서로 떨어지게 된 것이다.

구인두와 혀

혀의 일부, 즉 설근부가 인두에 존재하는 동물도 인간이 유일하다(Crelin, 1987). 모든 다른 동물들은 혀가 구강 안에만 존재한다. 대부분의 포유류에서 혀는 길고, 납작하며, 직사각형의 형태를 가진 것과 달리 인간에서는 앞뒤로 짧고, 위아래로 길며, 둥근 형태를 가지고 있다. 인간의 구강은 비슷한 크기의 다른 동물에 비해서 매우 작은 편이지만, 혀의 크기는 도리어 크고 모양도 둥글며, 혀의 뒷부분이 길게 인두의 전벽을 이룬다. 혀의 일차적인 역할은 음식을 씹기 위한 것이다. 설근부가 인두에 위치하게 된 것이 klinorynchy 때문일 수도 있고, 후두 하강의 결과일 수도 있다(Rhys-Evans, 2019). 그래서 상대적으로 큰 혀가 뒤로 밀려 내려간 것으로 보기도 하고, 후두가 하강하면서 후하방으로 당겨진 것으로 볼 수도 있는 것이다. 어째서 후두가 하강하게 된 것인가에 대해서 많은 설명과 가설이 존재한다(Rhys-Evans, 2019; Lieberman, 2013).

이처럼 구인두가 분명하게 존재하는 동물은 인간이 유일하다. 인간 이외의 다른 동물에서는 인두가 세부 구역으로 명확하게 나뉘어 있지 않다. 비강 입구, 식도 입구를 구별할 수는 있으나 구인두 부위는 구체적으로 형성되지 않거나 매우 짧다(Davidson et al, 2005; Dyce et al, 2002).

인두의 축소와 대후두공(Foramen magnum)의 전방 이동

인간은 두개골에서 구개와 대후두공(foramen magnum)사이의 공간이 다른 영장류에 비해서 짧다. 신생아에서 이 공간은 성장한 침팬지의 공간과 비율적으로 유사하다. 이 공간이 넓으면 냄새를 맡기에 유리하고, 좁으면 발성을 하기에 유리하다(Crelin, 1987). 원시 인류를 보면 현대인에 가까울수록 대후두공이 전방으로 위치하여 있는데, 이것은 인간이 직립을 하는데 유리한 구조였을 것이고, 또한 상대적으로 좁지만 확장 가능하여 발성하기에 유리하였을 것이다.

두개저의 각도

두개저의 각도란, 두개저의 바닥 면이 기저후두골(basioccipital bone)과 이루는 각도를 말하는데, 이것은 SVT의 수평부분(SVT$_H$)과 수직부분(SVT$_V$)이 이루는 각도와 같은 의미라고 볼 수 있다. 사람에서 두개저의 각도는 발달 초기에 감소하는데, 이러한 각도의 감소 역시 사람에서만 나타나고, 다른 영장류에서는 성장함에 따라서 오히려 각도가 늘어난다(Lieberman and McCarthy, 1999). 현대인간(anatomically modern human)에서는 이 각도가 출생 후 성장하면서 8−16°의 감소(flexion)가 되는 반면, 침팬지에서는 성장하면서 15−28° 정도 증가(extension) 한다고 보고되었다(Lieberman and McCarthy, 1999). SVT$_H$와 SVT$_V$가 이루는 각도가 사람에서 말하기 기능을 발전시키는 데 유리한 점을 제공한다고 제시된 바 있다(Lieberman et al, 1988). 예를 들면, 마치 관악기의 굴곡이 악기의 소리에 영향을 주는 것처럼, SVT가 굽어져 있어서 인간의 발성이 보다 명료할 수 있다는 것이다(Davidson et al, 2005).

이와 같은 인간의 SVT 구조는 인간에게 언어를 발성하는 능력을 주는 반면, 이 구조는 음식물이 기도로 들어가는 흡인이나 질식의 위험성을 동반한다. 이 점은 찰스 다윈도 1859년 그의 저서『종의 기원』에서 지적하였다.

". . . the strange fact that every particle of food and drink we swallow
has to pass over the orifice of the trachea with some risk
of falling into the lungs".

"우리가 삼키는 음식과 마시는 음료의 모든 입자가 폐로 떨어지는 어떤 위험을 가지고
기관 위의 구멍을 통과해야 한다는 이상한 사실. . ."

찰스 다아윈 〈종의 기원〉 1859

즉, 인간의 SVT가 거의 90도의 굴곡을 가지는 것은 호흡에도 매우 불리하고, 질식과 상기
도폐쇄의 위험도를 매우 높게 만들지만 말하기를 가능하게 한 것이다(Davidson, 2003).

SVT 수평부분과 수직부분의 1:1 비율

말하기에서 가장 중요한 요소 중의 하나가 모음을 말하는 것이다. 컴퓨터 모델링에 의하
면 발성기도의 구강부분(SVT_H)과 인두부분(SVT_V)의 길이가 같은 경우에 가장 명료한 발

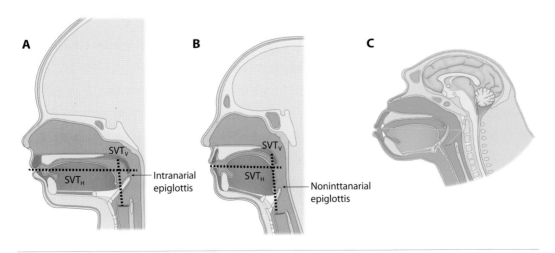

그림 4-3. 인간과 침팬지에서 SVT_H와 SVT_V. 인간에서 SVT_V와 SVT_H 비율은 1:1이지만 영아나 침팬지에서는 SVT_H가 훨씬 긴 구조를 보인다(Modified from Davidson, 2003; Lieberman, 2011).

성이 된다. 따라서 SVT_H와 SVT_V의 비율이 1:1을 이루지 못했을 것으로 보이는 네안데르탈인은 현대인처럼 분명하게 발음하지 못하였을 것으로 생각된다(그림 4-3)(Lieberman et al, 1988; Lieberman et al, 2001). 후두 하강과 동반된 klinorynchy가 이러한 구조를 만드는 데 중요한 역할을 하였을 것이다(Lieberman et al, 1988; Lieberman et al, 2001).

인간 상기도의 특징적 진화에 따른 임상 양상

연하와 무호흡 반사

공기와 음식물이 인두를 공통 통로로 사용하기 때문에 우리는 숨쉬기와 음식 삼키기를 동시에 할 수 없다. 음식을 씹은 후 삼키기 위해서 우리는 기도를 닫고 잠깐 숨을 멈춘다. 이때 음식물 덩어리가 혀의 운동으로 입안의 후방으로 이동하게 되면 인두 상부의 점막 자극에 의해 연하반사가 일어나면서 음식물이 인두강으로 전달되고, 인두의 근육이 확장되면서 전달된 음식물을 식도로 이동시킨다. 상부식도괄약근이 이완되어 내려오는 음식물을 식도로 내려보내고 다시 식도 입구를 막게 된다. 우리는 안전하게 음식을 삼킨 뒤 다시 숨을 쉬는데, 이 과정이 정교하고 원활하게 되지 않으면, 음식물이 기도로 들어가는 흡인이나, 상기도를 막게 되는 질식이 일어난다.

신생아는 젖을 빨면서 숨을 쉴 수 있다. 포유동물 모두가 연구개와 후두가 가까이 맞닿아 있기 때문에, 기도와 식도가 기능적으로 분리되어 있다. 생후 수개월이 지나면서부터 음식을 삼킬 때, 잠깐 동안 숨을 참고, 삼킴 동작 후에는 자연스럽게 숨을 내쉰다. 삼킴 동작 후 이어서 숨을 들이쉬면 음식물이 폐로 흡인되기 쉬운 것을 경험할 수 있다. 특히 소아에서 음식물을 입에 문 채로 웃거나 울게 되면 기도로 이물질이 흡인되거나 연하반사가 원활하게 일어나지 않은 상태에서 입안과 인두에 음식 저류물이 있을 때 숨을 들이 쉬게 되면 흡인성폐렴으로 진행되기 쉽다.

상기도 폐쇄

인두 부분과 후두 상부가 연부조직으로 되어 있어, 염증 등에 의한 부종, 이물, 종양, 또는 다양한 이유의 협착에 의해 상부기도가 폐쇄되어 호흡곤란이 생긴다. 이를 우회하고 해결하기 위해서 기관절개술이 시도되고 발전된 것이다. 상기도 폐쇄 시에는 흡기 때 인두의 연부조직이 안으로 끌려 들어와 호흡 곤란이 더 심해지는 경향이 있다. 흔히 보는 현상으로 수면 중에 상기도를 둘러싼 연조직이 이완되어 호흡 곤란을 일으키는 폐쇄성수면무호흡 현상이 나타난다. 보다 단단한 조직으로 이루어진 후두와 기관의 협착이나 폐쇄에는 이와 달리 흡기와 호기 모두에서 천명(喘鳴 stridor)이 들리거나(bi-phasic), 하기도에 문제가 있을 때에는 호기 시에 거친 숨소리(wheezing)가 나타나게 된다. 이 책의 다른 장에서 상세히 다룬다.

발성과 언어 기능

인간의 발성은 폐로부터 올라오는 공기가 후두 성대를 진동시키면서 상후두성도의 변화에 따라 다양한 모음과 자음을 만들어 내는 것이다. 상후두성도를 포함하는 상부기도의 연부조직이 이를 가능하게 한다. 그렇지만 이 부위에 종창이나 종양 등이 있으면, 목소리를 변화시키고, 연하 곤란, 호흡 곤란이 발생하게 된다.

수면무호흡

좁고 긴 인두 부위가 상후두성도를 형성하여 인류가 말과 언어를 사용할 수 있는 구조와 기능을 부여하였으나, 동시에 수면 시 폐쇄성수면무호흡의 현상도 나타나기 쉽게 된다. 폐쇄성수면무호흡은 머리의 앞뒤가 짧은 잉글리쉬 불독[4](English bulldog)과 같은 특수하게 인공적으로 선택교배한 경우 등을 제외하고, 인간에서만 보이는 현상이다. 이것은 주로 성인에서 나타나는데, 상기한 해부학적 구조의 변화에 따라 앞뒤가 짧은 구강과 좁고 긴 인두가 형성됨에 기인한다.

---

4 이 같은 단두견(brachycephalic dog) 품종들은 종종 단두기도협착증후군(brachycephalic airway obstructive syndrome)을 겪는다. 높은 기온에 취약하고 약간만 운동을 하여도 쉽게 탈진한다. 잉글리쉬 불독 종류가 가장 심하게 이런 증상을 겪는 경우이다. 불독은 비강이 매우 작아서 열 발산을 하기도 어렵고 더위에 매우 취약하다. 불독은 발한을 대부분 발바닥으로 하고, 그래서 차가운 바닥을 좋아한다. 물론 심하게 코를 고는 경향이 있다.

수면 시에 인두 폐쇄를 가져오는 것은 연부조직의 현상이다. 낮에는 나타나지 않던 폐쇄 현상이 수면 시에 상기도의 연부조직이 허탈(collapse)함으로 발생한다. 골격의 해부학적인 변화가 연부조직이 완화될 때 폐쇄 현상을 일으킬 수 있는 기본적인 전제를 만들고, 노화, 비만 등이 이러한 폐쇄를 더 심하게 할 수 있다. 데이비드슨 등은 cephalometry를 이용한 골격 상관관계의 측정을 통해 수면무호흡과 klinorynchy, 후두 하강, 두개저 각도의 예각화가 나이와 BMI에 관계없이 무호흡-저호흡 지수(apnea hypopnea index, AHI)와 유의한 상관관계를 보이는 것을 보고하였다(Davidson et al, 2005).

선택압력의 쟁점: 수면무호흡은 대부분 중장년 이후, 호모 사피엔스의 보통 수명 기한 이후에 발생하게 된다. 따라서 이러한 요소가 진화의 선택압력으로 작용하였을 가능성은 적고, 그대로 유지되며 진화되어 온 것이 늘어난 수명과 함께 발현되기 시작한 것으로 보는 것이 자연스럽다.

후비강후각(날숨 냄새, retronasal smell)의 발달

음식물을 삼키는 동작과 함께 곧 이어 숨을 내쉼으로 우리의 뇌는 미각 자극과 후각 자극을 이어서 느끼게 된다. 우리가 맛을 보는 것은 입 안의 미각세포로부터의 미각 자극과 음식물로부터 나오는 냄새, 음식물이 가지는 질감 등이 합해진 복합적인 풍미(flavor)를 느끼는 것이다. 이 풍미의 매우 중요한 요소가 삼킴 동작 후에 내쉬는 숨이 인두와 구강의 점막에 묻어 있거나 공기 중에 기화한 후각물질이 코의 뒤쪽으로부터 후각상피세포를 자극하는 후비강후각(retronasal smell)이다(Laitman et al, 1996).

인간의 코와 인두, 후두 및 호흡 기관은 후두의 하강으로 인해 후비강후각에 매우 유리하게 되어 있다. 다른 포유류들은 기본적으로 기도와 식도가 분리되어 있고, 비인강이 길고 좁아 후비강후각 자극이 발달되어 있지 못한 것으로 보인다. 냄새 물질의 유무를 탐지하는 측면에서는 다른 포유동물들이 사람 보다 우월한 기능을 가지고 있을 수도 있겠으나, 인간은 다른 포유동물에서 볼 수 없는 우월한 후비강후각의 기능을 가지고 있다. 인간은 이를 통해 다양한 음식의 다채로운 풍미를 느낄 수 있다(그림 4-4).

풍미를 주는 미각, 후각, 촉각의 신호는 중추에서 전두엽의 안와전두피질에서 융합하며, 시상, 해마, 편도체로 연결되는 복잡한 전달 회로를 통하여 궁극적으로 풍미라는 감각(qualia)를 느끼게 된다. 이러한 폭발적인 신경신호의 전달 구성이 인간의 두뇌를 더욱 발달시키는 데 중요한 자극이 되어왔을 가능성도 제시되고 있다(Laitman et al, 1996; Rowe and Shepherd, 2016).

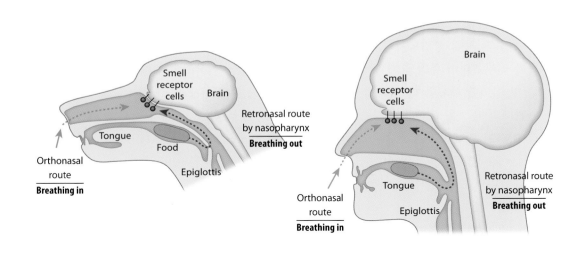

그림 4-4. **개와 인간에서의 전비강 후각 및 후비강 후각**(Modified from Shepherd, 2012).

　생후 발달 초기에 후두가 하강하는 것은 이 지구상 포유동물 중에서 인간이 발달 과정에서 보이는 큰 특징이다. 이 현상은 흡인과 질식의 위험성으로 생존을 위협할 수 있음에도 불구하고, 인간이 말하고 소통할 수 있는 능력을 부여하여 만물의 영장으로 현대의 문명에 이르게 하였다. 또한 후비강후각이라는 특유의 기능으로 두뇌 발달의 자극이 되고, 다양한 식생활과 문화를 이루게 되었다. 후두의 하강으로 인해 상부기도가 연부조직으로 둘러 쌓이게 되어, 상기도폐쇄와 연조직의 허탈에 의한 폐쇄성수면무호흡 현상도 동반되게 되었다.

■ 참고문헌 ■

1. Barsh LI. *The Origin of Pharyngeal Obstruction during Sleep. Sleep Breath 1999;3:17-22.*

2. Chimpanzee Sequencing and Analysis Consortium. *Initial sequence of the chimpanzee genome and comparison with the human genome. Nature 2005;437:69-87.*

3. Churchill SE, Shackelford LL, Georgi JN, Black MT. *Morphological variation and airflow dynamics in the human nose. Am J Hum Biol 2004;16:625-38.*

4. Crelin ES. *The human vocal tract: anatomy, function, development and evolution. New York: Vantage;1987. p. 97;220;223;224.*

5. Darwin C. *On the Origin of Species by Means of Natural Selection, or the Preservation of Favoured Races in the Struggle for Life. (1st eds): Nature. London: John Murray;1859.*

6. Davidson TM. *The Great Leap Forward: the anatomic basis for the acquisition of speech and obstructive sleep apnea. Sleep Med 2003;4:185-94.*

7. Davidson TM, Sedgh J, Tran D, Stepnowsky CJ Jr. *The anatomic basis for the acquisition of speech and obstructive sleep apnea: evidence from cephalometric analysis supports The Great Leap Forward hypothesis. Sleep Med. 2005;6:497-505.*

8. Diamond J. *The third Chimpanzee: the evolution and future of the human animal. New York: Harper Collins Publishers;1992. P 1;23;32-56.*

9. Diamond J. *Guns, Germs, and Steel. The Fates of Human Societies. Norton 1997. P 9*

10. Dyce KM, Sack WO, Wensing CJG. *Textbook of Veterinary Anatomy (3rd eds). Philadelphia: W.B. Saunders;2002.*

11. Flugel C, Rohen JW. *The craniofacial proportions and laryngeal position in monkeys and man of different ages: A morphometric study based on CT-scans and radiographs. Mechanisms of Ageing and Development 1991;61:65-83.*

12. Gilbert SF. *Ernst Haeckel and the Biogenetic Law. (8th eds): Developmental Biology. Sunderland: Sinauer Associates;2006.*

13. Hahn I, Scherer PW, Mozell MM. *Velocity profiles measured for airflow through a large-scale model of the human nasal cavity. Journal of Applied Physiology 1993;75:2273-87.*

14. Kalinka AT, Tomancak P. *The evolution of early animal embryos: conservation or divergence? Trends Ecol Evol 2012;27:385-93.*

15. Laitman JT, Reidenberg JS, Marquez S, Gannon PJ. *What the nose knows: new understandings of Neanderthal upper respiratory tract specializations. Proc Natl Acad Sci USA 1996;93:10543-5.*

16. Larson JE, Herring SW. *Movement of the epiglottis in mammals. American Journal of Physical Anthropology 1996;100:71-82.*

17. Lieberman DE. *The Evolution of the Human Head. London: The Belknap Press of Harvard University Press;2011.*

18. Lieberman DE, McCarthy RC. *The ontogeny of cranial base angulation in humans and chimpanzees and its implications for reconstructing pharyngeal dimensions. J Hum Evol 1999;36:487-517.*

19. Lieberman DE, McCarthy RC, Hiiemae KM, Palmer JB. *Ontogeny of postnatal hyoid and larynx descent in humans. Arch Oral Biol 2001;46:117-28.*

20. Lieberman P, Blumstein SE. *Speech physiology, speech perception, and acoustic phonetics. Cambridge: Cambridge University Press;1988.*

21. Negus VE. *The Comparative Anatomy and Physiology of the Larynx. New York: Grune and Stratton; 1949.*

22. Negus VE. *The evolutionary history of man from the evidence of the nose and larynx. AMA Arch Otolaryngol 1957;66:414-29.*

23. Nishimura T, Mikami A, Suzuki J, Matsuzawa T. 2003. *Descent of the larynx in chimpanzee infants. Proc Natl Acad Sci USA 2003;100:6930-3.*

24. Rhys-Evans P. *The Waterside Ape: An Alternative Account of Human Evolution. Boca Raton: CRC Press, Taylor and Francis Group;2019.*

25. Richards RJ. *The Tragic Sense of Life: Ernst Haeckel and the Struggle Over Evolutionary Thought. Chicago: University of Chicago Press;2008. p.136-42*

26. Richardson MK, Keuck G. *Haeckel's ABC of evolution and development. Biol Rev Camb Philos Soc 2002;77:495-528.*

27. Rowe TB and Shepherd GM. Role of ortho-retronasal olfaction in mammalian cortical evolution. J Comp Neurol 2016;524:471-95.

28. Sasaki CT. Physiology of the larynx. In: English GM ed. Otolaryngology. Vol 4 Ch 7. Harper and Row. 1987

29. Westhorpe RN. *The position of the larynx in children and its relationship to the ease of intubation. Anaesth Intensive Care 1987;15:384-8.*

30. Woodside DG, Linder-Aronson S, Lundstrom A, McWilliam J. *Mandibular and maxillary growth after changed mode of breathing. Am J Orthod Dentofacial Orthop 1991;100:1-18.*

31. Zucconi M, Ferini-Strambi L, Palazzi S, Curci C, Cucchi E, Smirne S. *Craniofacial cephalometric evaluation in habitual snorers with and without obstructive sleep apnea. Otolaryngol Head Neck Surg 1993;109:1007-13.*

기도 관리의
원칙

서울대학교 의과대학 이비인후과학교실 **정은재**

급성 기도폐쇄의 대처

초기대처

급성호흡곤란은 매우 빠른 시간 내에 치명적인 결과로 이어질 수 있으므로, 적극적인 평가와 대체가 매우 중요하다. 이러한 환자를 처음 접했을 때 즉시 판단해야 할 사항은 다음과 같다. 환자가 호소하는 것이 급성 호흡곤란에 합당한지, 환자의 상태가 평가를 진행하기에 안정되어 있는지, 기도폐쇄에 대한 검사를 시행할 시간적 여유가 있는지, 기도폐쇄를 후두내시경을 이용하여 평가하는 것이 문제가 없을지, 이용한다면 연성내시경, 경성내시경 중 어느 기구로 어떤 장소에서 판단할 것인지, 기도의 어느 부위에서 기도폐쇄가 예상되는지, 또한 환자가 기관내삽관술이 가능한 상황인지 등을 빠르게 판단해야 한다. 이를 위해 환자의 입이 잘 벌어지는지, 의식상태는 어떤지, 상부기도가 아닌 천식이나 기타 다른 호흡기 질환의 병력은 없는지, 외상의 병력이 있는지 등을 함께 파악해야 한다.

초기대처 시 기도폐쇄가 응급상황으로 빠르게 악화되기전에 잘 준비된 상황에서 적극적으로 처치하는 것이 중요하다. 준비가 덜 되어 있는 상황에서 시행하는 응급기관절개술, 응급 윤상갑상막절개술이나 기관내삽관술 등은 준비된 상태에서의 시술에 비하여 합병증이 발생할 확률이 높고 기도확보에 실패할 확률도 높기 때문이다. 의식이 소실된 환자는 앙와위에서 경부조직 및 혀의 무게에 의해 하인두 부위가 압박되면서 부분적인 기도폐쇄를 일으킬 가능성을 염두에 두고 턱을 들고 아래턱을 앞으로 당겨주는 자세(chin lift and jaw trust)를 취하거나 구인두 기도유지기(oropharyngeal airway)로 혀의 위치를 앞으로 이동시켜 주는 것만으로도 효과적으로 기도를 확보할 수 있다. 그러나 경부 척추의 손상이 의심되는 환자의 경우에는 턱을 드는 것이 척수의 손상을 초래할 수 있으므로 아래턱만 앞으로 당겨주는 것이 안전하다. 의식이 남아있는 환자에서 구역질 때문에 구강기도기를 사용하지 못하게 되면 비인두 기도유지기(nasopharyngeal airway)를 쓸 수 있다. 그러나 비인두 기도유지기는 두개저 골절이 있으면 두개 내로 잘못 들어가는 우려가 있어 사용하지 못하며, 비출혈을 일으킬 수 있는 단점이 있다.

급성기도폐쇄 환자에서 의식이 있다면 우선적으로 앉은 자세에서 가습이 잘 된 산소를 공급해 주면서 최대한 편안해질 수 있도록 유도해야 한다. 성인환자의 대부분은 안면마스크를 착용하는데 큰 불편함이 없지만, 소아의 경우 환아가 사용하기 어려워 한다면 무리하게 착용 시키지 말고 보호자가 안면마스크를 가까이 위치시켜 산소공급을 하도록 한다.

스테로이드 정맥주사에 대해서는 논란의 부분이 있다. 급성 외상에 의한 성문부위 부종의 경우 스테로이드 투여가 도움이 될 수 있으나, 외상으로 발생한 혈종에 의한 기도 폐쇄나 후두골절에는 효과가 없는 것으로 알려져 있다. 또한, 염증에 의한 급성 기도폐쇄의 경우 스테로이드가 오히려 증상을 가리거나 악화시킬 수 있다.

의식이 없는 환자에서 마스크 환기(mask ventilation)는 다른 안정적인 방법으로 기도를 확보하기 전까지 임시적으로 환자의 목숨을 구할 수 있는 방법이다. 그러나 이 방법은 불행히도 많은 양의 공기가 기도나 소화기 쪽으로 빠져나가고 이와 같이 공기가 새는 정도는 기도 폐쇄의 정도, 폐와 흉강의 저항에 비례한다고 알려져 있다(Ruben et al, 1961).

기관내삽관술

기관내삽관술(endotracheal intubation)은 급성 기도폐쇄 상황에서 가장 우선적으로 사용되어 온 방법이다. 기관내삽관의 일반적인 적응증으로는 급성기도폐쇄, 보호반사의 소실, 지나친 폐 분비물의 제거, 호흡부전 등이 있다(표 5-1). 구체적인 기관내삽관술 방법은 6장에서 다루기로 한다.

표 5-1. **기관내 삽관의 일반적인 적응증**

급성 기도 폐쇄

심폐 소생술 시(최적화된 산소공급과 환기)

이유를 막론한 호흡 부전(약물 과용, 경부 척추 손상 등)

보호 반사의 소실

쇼크에 빠진 다발성 손상 또는 외상 환자

기도 흡인을 막기 휘해(위의 내용물이나 출혈의 흡인 방지)

폐 분비물의 효과적 제거를 위해

수술을 위한 마취 시

기관내삽관은 기도를 안전하게 유지할 수 있고, 100% 산소를 공급할 수 있으며, 기관내 흡인 등을 통한 분비물 제거가 용이하고, 흡인성 폐렴 등을 예방할 수 있다는 장점이 있다.

기관내삽관은 잘 훈련받은 사람이 시행하면 빠르고 신뢰할 수 있고 손상을 적게 주는 방법이다. 중요한 점은 기도를 확보하고 나서 기도 폐쇄를 일으킨 원인이 무엇인지 반드시 알아내야 하는 것이다. 원인을 알지 못하고 기관내삽관을 한 환자 중 기도 이물이 원인인 환자들이 있고, 기도 이물이 기관내삽관으로 하기도 쪽으로 밀려들어가서 문제를 일으킬 가능성이 있기 때문이다.

기관내삽관이 어려울 것이라 예상되거나 기관내삽관이 실패한 경우 성문상부에서 기도를 유지하는 방법을 사용할 수 있는데, 대표적인 성문상부 기도유지 방법으로 앞서 언급한 안면마스크를 이용한 환기와 후두마스크, 식도기관복합관 등이 있다.

기관내삽관을 하기 전 구강 내 해부학적 구조를 평가하는 것이 필요하며 환자가 의식이 있고 근육이 경직되어 있을 때, 입을 손가락 두 개 넓이 이상으로 벌리지 못할 때, 목을 신전시키지 못하거나 Patil's 증후, 갑상−하악(thyro−meatal) 간격이 6 cm보다 작을 때 기관내삽관이 어려울 것이라는 것을 예측할 수 있다(Stocker, 2005)(표 5-2). 보다 자세한 평가 방법은 7장에서 다루기로 한다.

표 5-2. 일반적인 후두경을 이용한 기관내삽관이 어려울 것이라고 예측되는 경우

개구장애, 턱관절 장애

소하악증

상악골이 상대적으로 많이 돌출된 경우

대설증

갑상돌기와 하악 사이의 간격이 6 cm 이하일 때

목을 신전 시킬 수 없을 때(경추 손상 등)

목이 짧고 두꺼울 때, 또는 목에 종양이 있을때

또한, 대부분의 기도 폐쇄가 기관 삽관에 의해 임시적으로 해결될 수 있지만, 경추 골절, 후두 외상, 구강 내 심한 출혈, 개구장애, 거대한 후두 종양, 그리고 기도내 화상 등에서는 기도확보가 필요한 경우 기관내삽관 대신 기관절개술을 시도하거나 아래에 기술된 변형된 삽관술을 시도하는 것이 더 안전하다(표 5-3).

표 5-3. 기관내삽관을 피하는 것이 바람직한 경우

경추 손상

후두 손상

심한 구강 손상

　개구장애

　출혈

　점막손상

　생명을 위협하는 위중한 식도 주위 감염의 가능성이 있을때

흡인 화상

위에 열거한 상대적 금기 이외의 상황에서는 기관내삽관이 환자에게 위해를 주는 경우는 없기 때문에 급성 기도 폐쇄 환자에서 기관내삽관은 매우 중요한 시술이다.

기관내삽관이 어려울 것이라고 예측되는 경우에는 광봉(lighted-sylet tracheal intubation)을 이용하거나 굴곡기관지경(fiberoptic bronchoscope)을 이용하는 것이 도움이 된다 (Fulling and Roberts, 2000; Davis et al, 2000). 이외에 다양한 응급상황에서 시행하는 술식은 7장에서 다룬다.

기관내삽관은 간편하게 기도를 확보할 수 있는 방법이지만, 오랜 기간 유지할 경우 많은 합병증이 발생할 수 있고(표 5-4) 이를 최소화하기 위한 다양한 방법들이 고안되었다.

표 5-4. 기관내삽관의 합병증

시술에 의한 합병증	삽관 튜브에 의한 합병증	후기 합병증
치아손상	분비물에 의한 튜브폐쇄	발관 후 부종
점막손상	기관염증 또는 기관지염증	후두 육아종
성대손상	예기치 못한 튜브 발관(dislodgement)	성문 협착
피열연골 탈구	무기폐	성문하 협착
식도 삽관	긴장성 기흉	목소리 변화
기관 천공	성대 궤양	성대마비
흡인	피열연골 궤양	기관 협착
심정지	성문하 궤양	
	기관식도루	
	비강 궤양 (비강삽관시)	

 기관내삽관에 의한 합병증은 비숙련자에 의한 시행, 준비되지 않은 응급상황에서의 시행, 너무 큰 직경의 튜브를 사용한 경우 등에서 많이 발생하는 것으로 알려져 있다. 특히 소아나 여성환자에서는 환자 기도 크기와 맞지 않는 직경이 큰 튜브를 삽입함에 따라 허혈성 괴사의 발생과 이에 따른 협착이 발생할 수 있는 우려가 더 높으므로 주의하여야 한다. 또한, 튜브의 재질, 감염, 과도한 튜브의 움직임, 기관내삽관의 기간 역시 이러한 합병증 발생과 연관되어 있다.

 기관내삽관에 이용되는 튜브의 디자인과 재료가 발달하고, 기관내삽관 후 환자 관리방법도 개선되면서 이전보다 장기간의 기관내삽관으로도 후두 및 기관조직의 손상으로 인한 합병증이 감소하고는 있지만, 여전히 기관내삽관 후 후두조직의 손상이 94%에서 일어난다는 연구결과도 있으며(Colice et al, 1989) 장기간 지속되는 후유증 또한 19%에서 발생한다는 보고가 있다(Heffner, 1999).

 따라서, 장기간의 기관내삽관을 해야 할 경우에는 반드시 기관절개술로 바꾸어 주어야 하는데, 그 시기는 기관내삽관 후 2일에서 2주까지 다양하게 보고되고 있다(koh et al, 1997, Maziak et al, 1998, Sugerman et al, 1997, Littlewood and Durbin, 2001). 즉, 어떤 환자들은 기관내삽관술 후 첫 며칠 만에 기관절개술로 바꾸어 주는 것이 도움이 되고 다른 환자들은 10일이 지나서 바꾸어 주어도 별다른 문제를 일으키지 않을 수 있다. 따라서, 기관절개술로 바꾸어 주어야 하는 시기는 개별적인 환자의 상태와 임상 양상에 따라 결정하여야 한다. 소아 환자의 경우에는 성인보다 기관내삽관에 의한 후두 조직의 손상이 덜하므로 기관내삽관술 후 기관절개술로 바꾸어 주는 시기를 조금 더 길게 잡아도 되며, 신생아는 성인이나 소아와 달리 50일까지 기관내삽관을 유지해도 된다는 보고도 있다(Lee et al, 2002).

소아환자의 기도관리

소아의 기도 폐쇄를 치료할 때에는 소아 기도의 해부학적 구조와 생리가 성인과 다르다는 점을 숙지하여야 하며(Fried, 1979) 이러한 차이로 인하여 소아가 성인보다 상기도 폐쇄와 호흡부전에 더 취약하고 기관절개술시 더 세심한 고려가 필요하게 된다.

소아 후두는 사춘기 이전에는 성인에 비하여 매우 높은 위치인 하악골 수준에 위치하게 된다. 환아의 나이가 어릴수록, 특히 영아에서는 후두의 위치가 높고 후두연골의 골화가 덜 되어 촉진의 부정확성으로 기관절개술 시 해부학적 지표의 확인이 어려운 경우가 많다. 그러나, 후두연골이 골화가 되지 않음에 따라 기관튜브 압력에 의한 괴사 및 협착위험도는 줄어들게 된다. 소아의 기도 점막은 성인에 바하여 혈관이 풍부하고 주변 구조물과 더욱 느슨하게 부착되어 있기 때문에 부종이 발생하기 쉽고, 소아에서의 기도 직경이 좁기 때문에 이러한 부종은 보다 쉽게 기도 폐쇄로 이어진다(Brantigan et al, 1982; VerMeulen and Birck, 1968). 또한, 골성 흉곽(bony thorax) 역시 골화가 덜 되어 있고, 늑골이 성인에 비하여 수평으로 놓여있으며 늑골간 근육(intercostal muscle) 역시 발달이 덜 되어 소아의 호흡은 주로 횡격막에 의해 이루어지는 특성을 가지고 있다. 따라서, 복부나 흉곽의 팽창 등으로 횡격막의 움직임이 제한되면 기계적 호흡부전을 일으킬 수 있다. 말초 기관지가 전체 기도의 저항에서 차지하는 비중이 소아에서 성인보다 훨씬 높기 때문에 말초 기관지 부위의 부종이 발생하면 기도의 저항이 급격히 증가하게 되며, 소아의 경우 성인에 비해 큰 크기의 폐포가 적어서 폐의 허탈이 잘 발생한다(Newth, 1979). 소아의 휴식 시 체중당 기초 산소 소모량은 성인의 2배에 달하며 호흡이 곤란할 때 소아의 경우는 호흡의 깊이를 조절하는 것보다 호흡 횟수를 늘리는 것이 쉽기 때문에 호흡근의 피로로 인한 호흡 부전과 저산소증이 성인보다 훨씬 빨리 발생한다(Patel et al, 1994).

소아환자에서 기도확보의 적용

급성 상기도 폐쇄: 비외상성

후두개염 등의 성문상부의 감염, 아데노이드 비대를 동반한 심한 편도염, 편도주위 종양, 후인두 농양 또는 크룹이나 기도 내 이물 흡인, 혈관부종등의 성문하부의 문제등은 대표적으로 급성 상기도 폐쇄를 유발할 수 있는 비외상성 질환들이다. 이러한 질환에서 발생한 기도 폐쇄에서는 해당 질환에 대한 깊이 있는 이해와 함께 급성 상기도 폐쇄가 발생한 위치와 기도 폐쇄로 인한 증상 악화 속도에 대한 빠른 판단이 필수적이다.

호흡곤란을 호소하는 환아를 평가할 때 환아를 흥분시켜 상황을 급속도로 악화시키지 않도록, 환아가 편안하고 안정된 상태로 유지될 수 있도록 모든 노력을 기울여야 한다. 환아의 보호자가 환아와 함께 있도록 하여 필요한 경우 의료진을 도울 수 있도록 하고, 환아는 가장 편안한 자세를 유지하도록 한다. 환아의 전반적인 상태관찰이나 호흡 횟수, 피부색, 의식상태, 흉부 함몰 여부, 천명 등의 검진은 환아로부터 떨어져서 시행하고 이후 맥박수 측정과 호흡 청진을 시행한다. 상기 검사를 시행하는 도중에 환아가 흥분한다면 맥박수나 청진의 결과를 신뢰할 수 없으므로 검진을 중단한다. 만약 환아가 전형적인 후두개염의 소견을 보이지 않는다면 조심스럽게 구강검진을 시행하지만, 후두개염이 의심된다면 바로 기관내삽관이나 기관절개술 등 응급상황에서 처치를 시행할 수 있는 의료진과 시설이 갖추어 지기 전까지 구강내 검사는 시행하지 않는다. 후두개염이나 심한 기도 폐쇄 상황에서는 구역 반사가 흡인이나 후두경련, 미주신경 자극 및 심폐정지를 유발할 수 있기 때문이다.

이와 같은 관찰이나 청진 후에는 환아의 호흡 곤란의 정도와 기도 폐쇄 부위를 어느정도는 예측할 수 있다(표 5-6). 이러한 모든 정보를 종합하여 진단을 내리고 산소 포화도를 지속적으로 감시함으로써 현재 환자의 호흡상태를 추적 관찰하여야 한다.

표 5-5. 급성 상기도 폐쇄의 임상양상

	성문상부 질환	성문하부 질환
천명(stridor)	비교적 적음	매우 큼
목소리 변화	잘 들리지 않는 목소리(muffled)	애성(hoarse)
삼킴 곤란	+	-
특정한 자세의 선호	+	-
개가 짖는 듯한 기침	-	+ 특히 크룹환아에서
발열	+	+ 특히 크룹환아에서
개구장애	+ 편도주위 농양시	-
안면부종	-	+ 혈관부종시
후두개염	똑바로 앉아 목을 뒤로 젖히고 머리는 앞으로 유지하는 자세 선호	
편도주위농양	머리를 농양이 있는 부위로 숙이는 경우가 있음비강 궤양 (비강삽관시)	

표 5-6. 소아 급성 상기도 질환의 추가적 임상양상

	호발연령	호흡부전이 나타나는 양상
심한 편도염	취학연령	서서히
편도주위 농양	10세 이상	편도염 이후 일측으로 발생하는 목의 통증과 고열을 동반하는 갑작스러운 호흡곤란
후인두농양	3세 이하	상기도 감염 후 고열을 동반하는 갑작스러운 호흡곤란
후두개염	2세 – 7세	건강하던 환아에서 매우 빠르게 진행하는 연하통과 고열을 동반한 호흡곤란
크룹	3세 이하	상기도 감염 후 갑작스럽게 발생하는 천명과 개 짖는 듯한 기침
이물 흡인	4세 이하	땅콩 등의 작은 크기의 물체를 먹거나 입에 물고 있다가 갑자기 발생한 목 메임과 함께 혹은 이후에 발생한 호흡곤란
혈관부종	학령기	음식 섭취 후 또는 벌에 쏘인 후 갑작스럽게 발생한 호흡곤란

환자의 기도폐쇄부위와 호흡곤란의 정도와 진행 속도 등이 평가되면 가장 적합한 치료방법을 생각해야 하는데 이는 치료에 필요한 장비와 시설이 갖추어 졌는지 여부에 따라 달라진다.

기도를 안전하게 확보할 수 있는 의료진과 장비가 갖추어 지지 않은 의료기관에서 성문상부의 기도폐쇄나 중등도 이상의 호흡곤란을 호소하는 경우는 다음과 같은 단계에 따르는 처치를 진행한다.

❶ 환자에게 산소를 공급하며 보호자가 마스크를 잡고 있도록 한다.

❷ 환자의 기도를 안전하게 확보할 수 있는 시설과 의료진이 갖추어진 병원으로 가능한 빨리 환자를 이송한다.

❸ 이송 중에는 환아의 부모가 함께 구급차 안에 타도록 하며 부모가 환아를 잡고 있거나 옆에 앉아 있도록 한다. 환아의 부모가 환아가 호흡하기에 가장 편안한 제세를 유지할 수 있도록 돕게 하며 이송 중 호흡정지가 발생하면 인두부위의 분비물 흡인 등을 통해 제거한 후 산소마스크를 위치시키고 엠부 마스크(ambu mask)를 이용해 산소를 공급하는 것만으로도 기도를 확보할 수 있다. 이때 환아의 가슴이 적절하게 팽창되는 정도로 호흡을 조절한다.

적절한 규모와 시설이 갖추어진 병원에서 위와 같은 급성 상기도 폐쇄 환자가 발생했을 경우 가능하다면 이비인후과의, 중환자실 담당 내과의, 마취과의, 소아과의, 응급실 간호사로 구성된 팀이 기도관리를 담당하는 것이 좋으며 다음과 같은 단계의 처치를 진행한다.

❶ 간호사가 응급실에 도착한 환아의 상태를 확인한 후 처치를 할 수 있는 공간으로 이송한다. 이때 심한 호흡곤란을 호소하거나 성문상부의 질환이 의심되는 경우 심폐소생술이 가능한 시설이 갖추어진 곳으로 옮기는 것이 좋으며, 경한정도의 호흡곤란을 호소하는 성문하부 질환이 의심되는 경우 관찰실로 옮긴다.

❷ 가슴이 된 산소를 공급하며 환아의 옷을 벗기고 환아의 부모에게 산소가 공급되는 마스크를 가급적이면 가까이 들고 있게 한다.

❸ 소아과 전문의가 환아의 상태를 확인하고 그 동안 간호사는 구강과 기도를 관찰할 수 있는 도구와 기도 삽관에 필요한 도구들을 준비한다.

❹ 환아가 성문상부 질환, 심한 호흡곤란을 동반한 성문하부 질환, 이물 흡인, 혈관 부종 등이 의심되는 경우 팀의 구성원 전원을 호출하여 응급상황에 대비한다. 환아의 증상이 경한 크룹이나 성문하부 질환인 경우 내과적 치료를 시행한다.

❺ 팀이 도착하면 환아의 상태를 평가한 후 기도를 확보할 수 있는 계획을 세운다. 만약 환아가 심한 호흡곤란을 호소할 경우 직접적인 구강과 기도관찰 및 모든 검사들은 수술장에서 기도확보를 할 준비가 완벽하게 될 때까지 미루어야 한다.

❻ 환아가 기관내삽관이나 기관절개술 또는 다른 수술이 필요할 경우 수술장으로 이송하며, 수술적 치료가 필요하지 않거나 관찰이 필요한 경우에는 중환자실 또는 병실로 이

송한다. 크룹이나 혈관부종 등의 경우에도 에피네프린 등 내과적 치료에 대한 반응 정도에 따라 수술장이나 중환자실 또는 병실로 옮길지 여부를 결정한다. 환아의 부모는 항상 환아와 같이 있을 수 있도록 하며 수술장에 도착하였을 때만 떨어져 있게 한다.

❼ 검사실 검사는 호흡곤란이 심하지 않을 경우 시행한다. 방사선학적 검사는 크룹에서 성문하부의 좁아진 정도를 확인할 때, 후두개염에서, 진단이 불명확할 때, 이물 흡인이 의심될 때 시행하는 것이 좋으며, 이때는 이동식 방사선학적 검사를 환아의 부모와 의료진이 있는 응급실에서 시행하는 것이 좋다. 피검사와 세균배양검사등은 기도가 안전하게 확보된 후에 시행하여야 하며 정맥주사 등도 마찬가지이다.

호흡곤란을 호소하는 소아 환아에서 인공 기도의 적응증은, 저산소증을 동반한 심한 호흡곤란을 호소하며 내과적 치료로 호전될 수 없는 상태일 때 시행되어야 하며 대표적으로 환아가 호흡근의 피로와 함께 과이산화탄소혈증을 동반하거나 갑작스러운 완전기도폐쇄의 가능성이 매우 높을 때, 또는 전신마취 하에서 수술적 치료가 필요한 경우 등에서 기관내삽관이나 기관절개술이 필요하며 어떤 방법을 사용할 지는 환아의 상태에 따라 선택하여야 한다.

급성 상기도 폐쇄: 외상성

심한 외상을 입은 환자에서 나이에 상관없이 안전하게 기도를 확보하고, 호흡을 효과적으로 할 수 있도록 하며 혈액순환이 잘 되도록 하는 것은 가장 중요한 일임에도 심한 두경부의 손상을 입은 환자에서 종종 안전한 기도 확보를 소홀히 하는 경우가 있다. 즉, 손상 초기에는 검사상 기도 폐쇄가 심하지 않더라도 시간이 지나면서 부종이 진행하거나 혈종이 지속적으로 증가하여 기도 폐쇄가 심해질 수 있어 지속적인 관리가 필요하다.

일반적으로 외상환자에서 두부 손상(글라스고우 혼수 척도 ≤ 8), 호흡이 불안정하거나 산소 공급이 안되는 경우, 혈액 순환이 불안정한 경우, 상기도 부위의 손상 등이 있으면 인공 기도의 적응증이 된다(Laneron, 2000). 그러나 이 외에도 각각의 외상기전과 환자의 상태에 따라 기도를 확보해야 하는 상황들이 있을 수 있으므로 유연하게 대처해야 한다.

성인환자에서 기도확보의 적용

종양의 치료

소아에서는 종양의 치료가 인공 기도의 적응증이 되는 경우가 드물지만 성인에서는 흔하다. 서서히 자라는 종양의 경우에는 초기 증상으로 호흡 곤란보다는 연하통과 연하 곤란 등이 발생하게 된다(Courey, 1995; Bradley, 1999). 또한, 그렁거림이나 천명 등의 증상 역시 기도의 50% 이상이 폐쇄되기 전까지 확실하게 나타나지 않으므로 주의해야 한다(Hollingsworth, 1987). 두경부 종양의 경우 종양의 완치를 위한 수술 후 부종이나 혈종, 분비물의 조절이 불가능한 모든 상황이 수술 후 기도 폐쇄를 유발할 수 있으므로 수술 전 기관절개술이 필요할 수 있다.

종양으로 인한 기도 폐쇄 환자에서 대부분의 경우에는 명확한 치료 방침을 결정하기 전 전산화단층 촬영을 포함한 방사선학적 검사를 시행해야 한다. 폐쇄성 종양 환자에서는 방사선학적으로 종양의 위치를 미리 파악함으로써 기관절개술을 시행할 위치를 미리 확인하여 종양 내부로 절개해 들어갈 위험을 피할 수 있다.

기관절개술 여부를 결정할 때 경험과 판단이 중요한데 후두암 환자에서는 수술 전 기관절개술을 하는 것이 기관절개술 주위의 재발률을 높일 수 있으므로 유의해야 한다는 보고도 있다. 이러한 재발은 진단 및 치료 당시의 병기와 밀접한 관련이 있다. 환자의 기도 상태와 적절한 환기가 가능한지 여부를 지속적으로 관찰해야 하며 만약 호흡이 힘들어지면서 환자의 긴장도가 높아지고 호흡곤란의 정도가 자세변화에 따라 변화하는 양상이라면 기도확보를 위한 처치를 해야 한다.

갑상선절제술

갑상선절제술을 하는 경우 기관절개술이 필요한 경우는 매우 드물다. 그러나 갑상선 절제술 중 양측의 되돌이후두신경이 모두 손상된 경우 양측 성대마비가 와서 호흡곤란을 유발할 수 있다. 만약 되돌이후두신경 손상이 의심되면 수술직후 성대를 검사하여 양측 성대마비가 있을 경우 기관절개술이 필요할 수 있다. 갑상선절제술 직후 혈종이 발생할 수 있으며 이때는 일차적으로 피부의 봉합을 열어 혈종을 제거함으로써 기도가 눌리는 것을 풀어주어야 한다. 만약 기도가 안정적으로 확보되면 수술장으로 다시 들어가서 지혈을 해야 한다. 만약 환자가 심한 호흡곤란을 호소하며 혈종을 제거한 후에도 증상이 지속되면 기관내시경등을 이용하여 작은 직경의 관을 삽입하거나 또는 응급기관절개술을 시행해야 한다.

성인에서 만성 기도 폐쇄

서서히 기도가 폐쇄되는 환자들은 대부분의 응급상황이 발생하기 전 검사 과정에서 기도 폐쇄를 확인하여 적절한 처치를 시행할 수 있으나, 가끔 폐쇄성 후두 종양이나 후두낭 또는 양측 성대마비 환자에서 출혈이나 염증이 생기면서 갑작스럽게 기도 폐쇄를 초래하는 경우가 있다. 이러한 상황에서는 정확한 진단과 함께 즉각적인 조치가 취해져야 한다. 오래 지속되는 연하통이나 연하곤란, 애성 등이 흔히 나타나므로 이에 대한 상세한 병력청취와 함께 상기도에 대한 철저한 검진을 해야 한다. 드물게 이전 갑상선전절제술 과정에서 양측의 되돌이후두신경 손상이 일어난 경우도 있으므로 주의해야 한다. 직접 후두경과 같은 검사 등을 통해 기도의 상태를 알아보고 기도 확보를 하는 것이 가장 중요하다. 보통 초기 조치로 적절하게 가습된 산소를 공급하고 염증으로 인한 부종이 심할 때는 정맥을 통한 항생제와 스테로이드제제 투여가 효과적일 수 있다.

후두기관협착

후두기관협착은 전통적으로 외상이나 감염에 의한 경우가 대부분이었으나 기관내삽관술이 많이 시행되면서 장기간의 기관내삽관술로 인한 협착이 가장 큰 원인을 차지하게 되었다. 또한 성문하 손상이 있는 경우 수 시간의 기관내삽관만으로도 성문하 협착이 발생할 수 있다. 그 외에 기관절개술이나 방사선 치료 등 다양한 원인에 의해 후두기관협착이 발생한다. 이러한 환자들의 경우 협착 부위를 확장하는 술식이 필요한데, 단순한 확장술을 시행할 수도 있고, 후두기관 성형술, 윤상기관절제술, 기관절제술 및 단단문합술 등의 수술을 통해 한번에 교정할 수도 있다.

■ 참고문헌

1. Bradley PJ. Treatment of the patient with upper airway obstruction caused by cancer of the larynx. Otolaryngol Head Neck Surg 1999;120(5):737-41.

2. Courey MS. Airway obstruction. The problem and its causes. Otolaryngol Clin North Am 1995;28(4):673-84.

3. Davis L, Cook-Sather SD, Schreiner MS. Lighted stylet tracheal intubation: a review. Anesth Analg 2000;90(3):745-56.

4. Fulling PD, Robert JT. Fiberoptic intubation. Int Anesthesiol Clin 2000;38(3):189-217.

5. Hollingsworth HM. Wheezing and stridor. Clin Chest Med 1987;8(2):231-40.

6. Koh WY, Lew TW, Chin NM, et al. Tracheostomy in a neuro-intensive care setting: indications and timing. Anaesth Intensive Care 1997;25(4):365-8.

7. Langeron O. Trauma airway management. Current Opinion in Critical Care 2000;6:383-9.

8. Lee W, Koltai P, Harrison AM, et al. Indications for tracheostomy in the pediatric intensive care unit population: a pilot study. Arch Otolaryngol Head Neck Surg 2002;128(11):1249-52.

9. Littlewood K, Dubin CG, Jr. Evidence-based airway management. Respir Care 2001;46(12):1392-405

10. Maziak DE, Meade MO, Todd TR. The timing of tracheotomy: a systemic review. Chest 1998;114(2):605-9.

11. Ruben H, Knudsen EJ, Carugati G. Gastric inflation in relation to airway pressure. Acta Anaesthisiol Scand 1961;5:107-14.

12. Stocker R, Biro P. Airway management and artificial ventilation in intensive care. CurrO pin Anaesthsiol 2005;18(1):35-45

13. Sugeman HJ, Wolfe L, Pasquale MD, et al. Multicenter, randomized, prospective trial of early tracheostomy. J Trauma 1997;43(5):741-7.

기관내삽관과 성문위 기도유지기
Endotracheal intubation and supraglottic airway devices

서울대학교 의과대학 마취통증의학교실 **김희수**

동영상 QR코드

　기도를 유지하는 방법에는 가장 기본적이며 간단한 방법으로 마스크 환기(mask ventilation)가 있지만 기도유지의 표준(gold standard)은 기관내삽관(endotracheal intubation)이며 가장 확실한 기도유지 방법이다. 기관내삽관은 흔하게 시행되는 시술(procedure)이지만 침습적이고 숙련된 기술이 요구되므로 이에 대한 방법을 사전에 충분히 숙지하고 이와 관련된 장비나 기구 등에 익숙해지도록 하는 것이 좋다. 수술이나 마취를 위해 통상적으로 시행되는 경우는 환자에게 마취제나 신경근차단제 등을 충분히 사용하기 때문에 비교적 기관내삽관을 용이하게 할 수 있지만 병동이나 시술 시 급하게 기관내삽관을 해야하는 경우는 환자가 어려운 기도거나 저산소증이나 심정지 등 당황스러운 환경에서 시행할 수도 있으므로 예상되는 다양한 임상상황이나 기관내삽관과 관련된 합병증에 대해서도 관심을 가지고 처치한다면 환자의 예후에도 도움을 줄 수 있을 것이다.

기관내삽관

적응증

기관내삽관은 위험이 동반되는 시술이므로 반드시 적응증을 이해하고 필요한 경우에 시행하도록 한다. 일반적 적응증은 기도를 확보해야 하는 경우, 저산소증이나 고이산화탄소혈증 등이 동반된 호흡부전, 무호흡, 의식저하나 급격한 의식상태의 변화, 기도손상이나 기도손상이 임박했을 때, 흡인의 위험이 있거나 후두 손상 등이다(Usha Avva et al. 2021). 보다 자세한 내용은 5장에 기술되어 있다.

기구

기관내관(endotracheal tube)

가장 기본이 되는 기관내관은 기낭(cuff)이 있는 일회용 플라스틱 내관으로 대부분의 경우 경구용(oral) 기관내관이지만 필요시 비강(nasal)용 기관내관을 사용할 수 있다(그림 6-1).

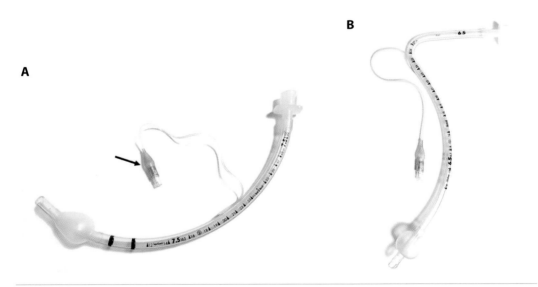

그림 6-1. 경구용 기관내관(A)와 비강용 기관내관(B). 경구용 기관내관과 비강용 기관내관이다. 화살표는 기낭과 연결되어 기낭에 공기를 넣을 수 있는 길잡이풍선(pilot balloon)이다.

후두경

① 직접후두경(direct laryngoscope)

기관내삽관을 위해 가장 전통적이며 흔하게 사용되는 후두경으로 직접 성문(glottis)를 관찰할 수 있도록 고안되어 광원(light source)의 손잡이(handle)와 후두경날(blade)의 결합으로 이루어져 있다. 직날(straight blade)과 곡날(curved blade)의 2가지 형태가 있고 Macintosh는 곡날의 대표적 칼이고 Miller는 직날의 대표적 칼이다(그림 6-2).

후두경날은 환자의 나이나 체격 또는 임상적 필요에 따라 선택하여 사용할 수 있다. 보통 Macintosh날은 성인에서 흔하게 사용하고 Miller날은 소아에서 많이 사용되는데 시술자의 후두경날에 대한 선호도나 경험도 중요한 고려사항이다.

② 비디오 후두경(videolaryngoscope, 그림 6-3)

최근 기술의 발달로 비디오 후두경은 지속적으로 발전되어 현재에는 어려운 기도 관리나 일반적 기도 관리의 기준이 되었고 비용도 상당히 저렴해 졌으며 최근 감염 등의 문제로 일

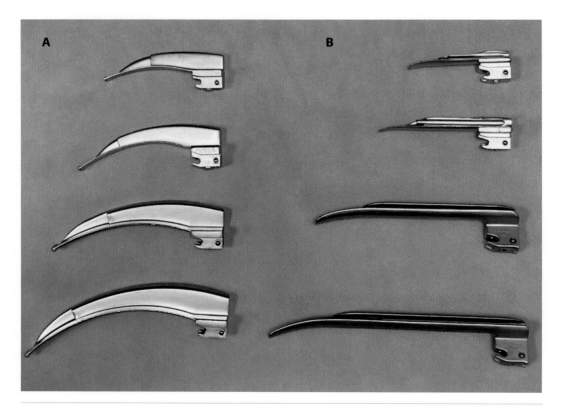

그림 6-2. Macintosh 곡날(A)과 Miller 직날(B).

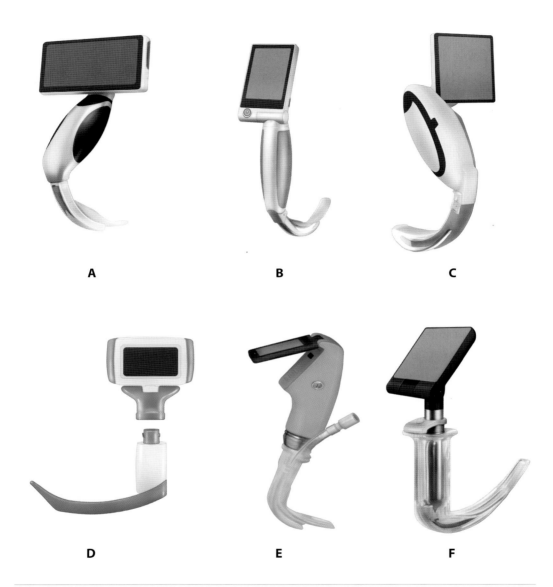

A B C

D E F

그림 6-3. 국내 출시된 비디오 후두경(A; KOMAC, B; ACE SCOPE, C; McGrathMac, D; UEScope, E; Pentax AWS, F; C-MAC).

회용 후두경날을 사용하는 추세다. 어려운 기도 관리나 기관내삽관 시 직접후두경의 대체 방법으로 제시되고 있지만 성문이 노출되는 것을 카메라로 본다고 해서 반드시 기관내삽관 을 성공하는 것은 아님을 염두에 두어야 한다. 다양한 종류의 비디오 후두경이 소개되어 있 고 각기 장단점이 있지만 모두 구비할 수 없으므로 평상시에 익숙한 기구를 사용하는 것이 좋다. 비디오 후두경의 날은 Macintosh날이나 Miller날 모두 출시되어 있다.

기관내삽관 방법

준비과정

기관내삽관은 침습적 의료행위로 가장 최상의 결과를 얻기 위해서는 시술자가 편한 상 태와 위치에서 환자의 적절한 자세가 되도록 하고 사전에 적당한 예방산소투여(preoxygen- ation)를 한 후 시행하도록 한다. 또한 사용하고자 하는 기구가 잘 작동하는지 미리 점검을 한 후 시행하는 것이 안전하고 정확하며 빠르게 적용될 수 있다.

먼저 후두경을 이용하여 기관내삽관을 할 때 올바른 환자의 자세는 흡입자세(sniffing po- sition)로 환자의 머리 아래에 7−9 cm의 단단한 베개를 받히고 35도 정도 목을 굴곡시킨 자 세다(그림 6-4). 특히 목의 굴곡은 환추후두 관절(atlantooccipital joint)을 최대한 신전시킴으 로써 입이 잘 벌어지게 할 뿐만 아니라 후두가 잘 보이도록 하는 가장 주요한 요소인 구강 과 인두의 축을 일치하도록 만들어 준다.

사용하고자 하는 기구가 제대로 준비되어있지 않은 경우 당황하기 쉬우므로 기관내삽관 을 시행하기 전에 후두경의 불이 제대로 들어오는지 확인하고 환자의 나이나 체격에 따라 적당한 굵기의 내관준비, 내관의 기낭이 터지지 않았는지 미리 확인해야 한다. 또한 기낭을 부풀릴 수 있는 시린지와 입 속의 침이나 혈액을 흡입할 수 있는 흡입 기구(suction appara- tus), 산소공급이 가능한 마스크 등을 점검하는 것도 필수적이다.

만일 환자가 비만할 경우 흡입자세를 하기가 어려울 수 있으므로 이때에는 어깨와 등 아 래에 적당한 베개를 넣어서 올리는 경사자세(ramped position)를 취하는 것이 좋다(그림 6-5).

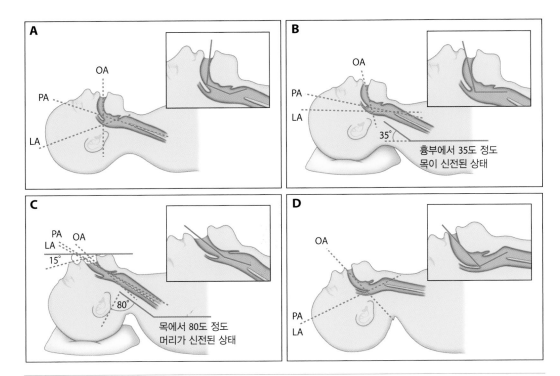

그림 6-4. 기관내삽관을 위한 머리와 목의 자세(A; 침상 위에 머리가 중립(neutral) 상태, B; 베개위에서 머리가 중립 상태, C; 흡입자세(베개위에 머리를 두고 목에서 머리가 신전된 상태), D; 침상 위에 머리를 두고 목에서 머리가 신전된 상태). 각 머리 위치에 따라 구강축(oral axia; OA)과 인두축(pharyngeal axis; PA)와 후두축(laryngeal axis; LA)의 정렬상태를 보여준다. 흡입자세(sniffing position)에서 3개의 축이 일치됨을 확인할 수 있다. (From Baker PA, Timmermann A. Laryngoscopic tracheal intubation. In: Hagberg CA, Artime CA, Aziz M, eds. Hagberg and Benumof's Airway Management. 4th ed. Philadelphia: Elsevier; 2018.)

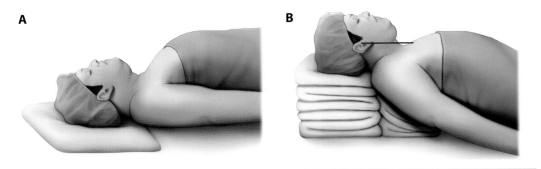

그림 6-5. 경사자세(ramped position). A; 중립자세, B; 경사자세. 경사자세에서는 환자의 머리와 몸통이 외이도(external auditory meatus)와 흉골상절흔(sternal notch)가 수평이 되도록 올라간다(검은 선). 이 위치에서 비만 환자의 성문(glottis)가 더 잘 노출되는데 경추 손상 등 금기가 아닐 때 이 자세를 취해야 한다. (https://www.uptodate.com/contents/image?imageKey=ANEST%2F95285)

구체적 방법

① 마스크 환기

앞서 기술한 바대로 기관내삽관을 해야 하는 경우는 기도확보를 위해서인데 아무리 숙련된 의사가 기관내삽관을 하더라도 시술을 위한 시간이 필요하다. 따라서 기관내삽관을 하는 동안은 환자가 대부분 무호흡이거나 호흡 부전으로 저산소증이 될 가능성이 충분히 있으므로 안전한 기관내삽관을 위해 예방산소투여가 필수적이다. 마스크 환기는 산소를 투여하기 위한 비침습적인 기본적이며 직접적인 방법으로 어려운 기관내삽관일 때 매우 유용한 구조 방법으로 실제 마스크 환기를 효과적으로 시행하기 위해서는 기술과 노련함이 필요하다고 할 수 있겠다. 환자가 무호흡일 경우 무턱대고 기관내삽관을 시행하기보다는 산소투여를 위해서 마스크 환기를 잘 시행하는 것만으로도 환자는 안전해질 수 있다.

마스크 환기를 시행할 때는 보통 왼손 엄지와 검지를 C자형으로 구부려 마스크를 잡고 중지와 약지로 환자의 하악 가지(mandibular ramus)를, 새끼손가락으로는 하악각(mandibular angle)을 잡는다. 오른손으로는 보유주머니(reservoir bag)를 이용하여 수기환기(manual ventilation)를 한다. 만일 환자의 얼굴이 크거나 기도유지가 어려운 경우라면 두 손을 활용할 수 있는데 위에서 언급한 대로 왼손의 자세를 오른손도 동일하게 한 후 두 손으로 마스크를 잡고 다른 보조 시술자가 보유주머니를 이용하여 환기를 하면 된다.

② 기관내삽관

환자가 기관내삽관을 위해 적절하게 자세를 취하고 충분히 예방산소투여가 된 후 모든 기구가 준비되면 시행한다. 시술자는 환자의 머리 쪽에 서서 후두경 삽입을 위해 입을 벌린다. 전통적인 개구(mouth opening)방법은 가위 기술(scissor technique, 그림 6-6)이지만 대부분의 경우 고개를 젖히면 입이 자연스럽게 벌어지므로 이를 이용하면 된다. 입이 벌어지면 후두경날을 환자의 오른쪽으로 넣어 혀를 왼쪽으로 젖히고 혀의 기저를 따라 후두개(epiglottis)가 노출될 때까지 진입시키고 후두경날 끝을 후두개계곡(epiglottic vallecular)에 위치시킨 후 후두개를 들어올릴 수 있게 45도 각도로 위-앞(upward forward)방향으로 들어올린다(그림 6-7). 성문이 충분히 노출되면 준비된 내관을 연필을 쥐듯 잡고 환자의 입 안에 조심스럽게 넣어 내관의 끝이 성문을 통과하도록 한다. 만일 내관이 진입이 잘 되지 않으면 속침(stylet)을 내관 속으로 넣어 내관을 하키스틱 모양으로 끝을 약 60도 정도 구부려서 사용하거나 내관을 조금 돌려서 진입시키면 쉽다. 직날은 곡날과는 다르게 직날 끝으로 후두개를 직접 들어올리는 것이 다르다.

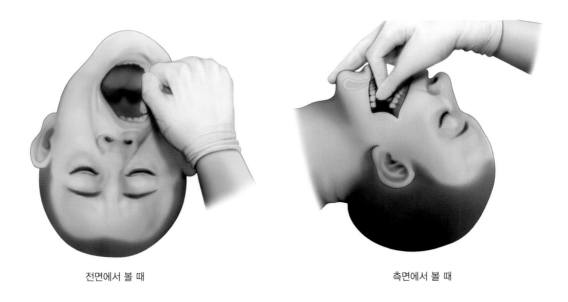

전면에서 볼 때   측면에서 볼 때

그림 6-6. 후두경 삽을 위한 개구(mouth openin)방법; 가위 기술(scissor technique). 오른손의 엄지로 오른쪽 아래 어금니를 머리쪽으로 누르고 오른손 검지 또는 중지로 오른쪽 위니 어금니를 누른다. (From Baker PA, Timmer- mann A. Laryngoscopic tracheal intubation. In: Hagberg CA, Artime CA, Aziz M, eds. Hagberg and Benumof's Airway Management. 4th ed. Philadel- phia: Elsevier; 2018.)

어려운 기도를 가진 환자에서 성문이 잘 노출되지 않는 경우에는 외후두조작(external laryngeal manipulation)을 하면 성문이 노출되어 기관내삽관이 용이해진다(그림 6-8). 이때 과도한 조작을 하면 연골의 손상 등이 발생할 수 있으므로 주의한다.

기관내삽관 후에는 후두경을 제거하는 과정에서 치아의 손상이 될 수 있으므로 조심스럽게 제거하도록 한다. 기관내삽관 후에는 보유주머니를 이용하여 환기를 시작한다. 환기할 때 공기가 새지 않을 정도의 최소한 양(volume)으로 내관 기낭을 팽창시키고 잘 고정하고 제대로 삽입이 되었는지 곧바로 확인해야 한다. 즉 환기할 때 흉부가 잘 부푸는지 확인하고 청진기를 이용하여 양쪽 폐음이 잘 들리는지, 환자의 상복부를 청진해서 식도삽관이 아닌지, 호기 일회호흡량(exhaled tidal volume)이 충분한지 확인하거나, 수기 환기 시 보유주머니의 탄성(compliance)이 적당한 지 등으로 확인할 수 있다. 가장 정확하고 객관적 방법은 최소한 3번 이상의 정상 날숨끝 이산화탄소분압도(capnogram) 모양을 관찰하는 것으로 직사각형으로 잘 나타나는 것이다(그림 6-9). 최근에는 초음파기기(ultrasound device)를 이용하여 양측 폐에서 폐미끄럼 징후(lung sliding sign, 동영상)를 관찰할 수도 있는데 폐미끄럼

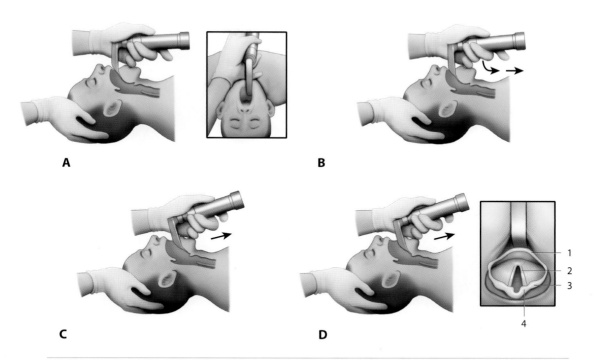

그림 6-7. **곡날(curved blade)을 이용한 후두경조작법. (A) 왼손으로 후두경을 쥐고 환자의 오른쪽으로 후두경을 삽입. (B) 왼쪽 손목을 약간 돌리면서 후두경을 혀의 기저부(tongue base)쪽으로 전진시킴. (C) 혀의 기저부에 도달한 후 곡날을 45도 위-앞(upward-forward; 화살표)으로 듦. (D) 곡날의 끝 부분을 후두개계곡(epiglottic vallecular)에 위치시키고 45도 방향으로 지속적으로 들어올림. 1; 후두개(epiglottis) 2; 성대(vocal cords) 3; 설상연골(cuneiform cartilage) 4. 소각연골(corniculate cartilage).** (From Baker PA, Timmermann A. Laryngoscopic tracheal intubation. In: Hagberg CA, Artime CA, Aziz M, eds. Hagberg and Benumof's Airway Management. 4th ed. Philadelphia: Elsevier; 2018.)

징후는 호흡하는 동안 내장가슴막(visceral pleura)이 벽가슴막(parietal pleura)과 마찰하면서 움직일 때 발생하는 움직임으로 비침습적으로 환기가 되고 있음을 확인할 수 있는 좋은 방법이다.

기관내삽관 후 기관내관 끝의 위치는 중요하다. 왜냐하면 기관내관이 너무 깊게 삽입되면 한 쪽 폐로 삽입되어 일측폐만 환기가 되고 반대로 기관내관이 너무 얕게 삽입되면 성대(vocal cords)를 손상시킬 수도 있고 환자의 움직임에 따라 기관내관이 기도에서 제거되는 위험한 상황이 발생할 수 있기 때문이다. 기관내관 끝이 1번째 흉추(thoracic vertebra)위치거나(Blayney and Locgan, 1994) 1번째 흉추의 아래쪽 경계와 2번째 흉추의 위쪽 경계사이에 위치할 때 정확한 위치에 거치한 것으로 판단할 수 있다(Thayyil et al. 2008). 이와 같이 기관내관의 삽입 길이를 확인하는 표준방법은 흉부 X선 촬영으로 확인하는 것이지만 현실

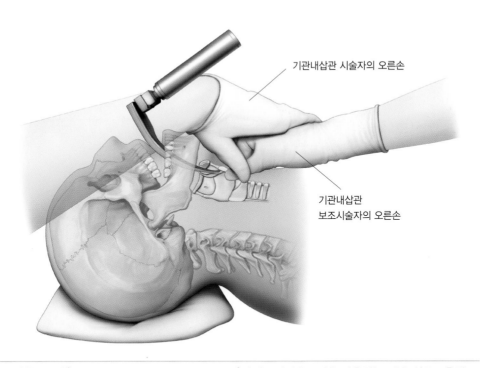

기관내삽관 시술자의 오른손

기관내삽관
보조시술자의 오른손

그림 6-8. **외후두조작(external laryngeal manipulation)방법.** 직접후두경을 사용하는 경우 성문노출이 보조시술자와 공유되지 않으므로 기관내삽관 시술자가 조시술자의 손을 움직여 성문 노출이 잘되도록 가이드한다. (From Henderson J. Airway management. In: Miller RJ, ed. Anesthesia. 7th ed. Philadelphia: Churchill Livingstone; 2009.)

적으로는 어려움이 있으므로 실제 임상에서는 기관내관에 표시되어 있는 길이로 추정하게 된다. 전통적으로 기관내관에 표시되어 있는 길이를 기준으로 남자는 입술이나 위 앞니(upper incisor)나 잇몸에서 23 cm, 여자는 21 cm정도로 제시하고 있다(Stone and Gal, 2000). 그러나 이런 획일적 방법은 환자의 체격 등이 고려되지 않았고 서양인을 대상으로 한 것이므로 일괄적으로 적용하면 위험할 수 있다. 따라서 이 전의 연구에 의해 기관내관을 삽입하는 적절한 깊이를 제시하는 다양한 방법이 제시되어 있고 이 중 가장 쉽고 편리하게 사용할 수 있는 방법은 기관내삽관을 한 후 손가락 끝을 흉골상절흔(suprasternal notch)위치에 넓게 대고 압력을 가하면서 기관내관을 부드럽게 전진시키거나 후퇴시키고 동시에 다른 한 손으로 기관내관의 길잡이풍선(pilot balloon)을 잡고 흉골상절흔에서 가해지는 압력을 촉지(palpation)하는 것이다(Pollard and Lobato, 1995).

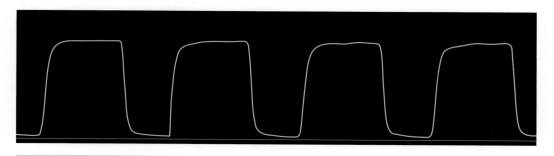

그림 6-9. **기관내삽관 성공 시 날숨끝 이산화탄소분압도(capnogram).** 기관내삽관을 성공하게 되면 이산화탄소분압도의 모양이 직사각형으로 연속적으로 3번 이상 나타난다.

성문위 기도유지기(supraglottic airway/extraglottic airway)

성문위 기도유지기는 환기나 산소 또는 가스 공급을 위해 개방통로(patent conduit) 확보하기 위해 성문을 확인하지 않고 인두(pharynx)에 삽입하는 일련의 기구를 말한다. 기관내삽관에 비해 덜 침습적이지만 안면마스크보다는 기도확보가 확실하며 자발호흡(spontaneous breathing)과 양압환기(positive pressure ventilation)가 가능하다는 장점이 있다. 1983년 Archie Brain이라는 영국마취통증의학과 의사에 의해 개발된 이래 기도관리는 성문위 기도유지기 사용 전후로 나뉜다라고 할 정도의 획기적 전환을 가져왔다. 초기 형태로부터 다양한 변화가 시도되어 현재에는 훨씬 안정적으로 기도관리가 가능한 3세대 성문위 기도유지기까지 개발되었다(그림 6-10).

적응증 및 장단점

성문위 기도유지기는 먼저 일차 기도관리 기구로 수술장이나 수술장 외에서도 간단한 시술에 활용할 수 있으며 응급소생술 시 기관내삽관 전에 응급 기도관리가 필요할 때나 특히 신생아의 소생술에도 유용하다. 기관내삽관을 위한 통로로 사용할 수 있고 상황이나 기도 구조(airway rescue)에 매우 필수적 도구가 된다. 또한 전신마취 시 부드럽고 원활한 발관(extubation)을 위해 거치되어 있는 내관과 교체하여 사용하기도 한다.

하지만 흡인의 위험이 있는 경우, 성문위 기도유지기를 사용하는 것이 어려울 것으로 예측이 되는 경우거나, 역설적이지만 기관내삽관이 어려울 것으로 예상될 때 사용하였을 때

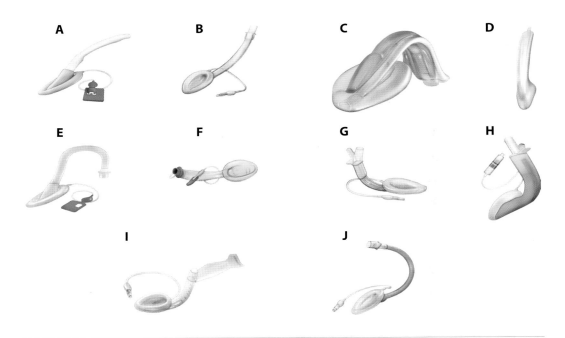

그림 6-10. **다양한 성문위 기도유지기.** (A) Laryseal blue, (B) LMA Unique, (C) AuraGain, (D) I-GEL, (E) Laryseal Flexi & PRO, (F) Air-Q Masked Laryngeal Airway, (G) LMA Supreme, (H) LMA Protector, (I) LMA Fastrach, (J) LMA Flexible 2 또는 3세대 성문위 기도유지기가 국내에 다양하게 출시되어 있으므로 임상적 필요에 따라 사용할 수 있다.

기도관리가 안되면 더욱 위험하기 때문에 주의를 해야 한다. 그리고 환자의 자세가 흡인의 위험을 증가시킬 수 있거나 엎드린 자세 등에서도 사용에 신중을 기해야 한다. 사용 시간에 대한 정확한 기준이나 가이드라인은 없지만 장시간 사용하게 되면 성문위 기도유지기의 기낭의 압력을 감시하고 가능하다면 공기가 새지 않는 최소한의 압력으로 유지하도록 한다 (Gordon et al, 2018).

성문위 기도유지기의 장점은 사용하기 쉽고 빠르게 거치시킬 수 있으며 기관내삽관에 비해 혈역학적 변화가 적어 안정적이며 자극이 적고 신경근차단제가 없이도 사용이 가능할 뿐만 아니라 기관내삽관에 따른 위험, 즉 치아나 구강구조물의 손상이나 인두통(sore throat)이 적고 제거할 때 기침이나 기관지연축(bronchospasm)이 적다는 것이다. 반면 내관에 비해 봉쇄압력(seal pressure)이 적어서 기도압력이 높은 환자에서는 효과적인 환기가 되지 않을 수도 있고 후두연축(laryngospasm)으로부터 기도를 보호하기 어렵다는 단점이 있다. 2세대나 3세대의 성문위 기도유지기는 위접근통로(gastric access channel)가 있으므로 위역류

(gastric regurgitation)이나 흡인(aspiration)의 위험이 상대적으로 최소화되었다.

기구

1988년 처음 임상에 도입된 이후 꾸준히 발전하고 다양한 형태의 일회용 또는 재사용할 수 있는 성문위 기도유지기가 개발되어 임상에 사용되고 있다. 전 세계적으로 약 40종류 이상의 성문위 기도유지기가 임상에서 사용 가능하며 초창기 형태에 위접근통로를 가진 2세대 성문성 기도유지기가 소개된 이후 널리 사용되고 있다.

제조사마다 성문위 기도유지기의 특징이 다르고 성문위 기도유지기 크기마다 권고하는 체중이 다를 수 있으므로 임상적 상황에 따라 또는 근무하는 환경에 따라 활용하도록 하고 특히 어려운 기도를 접했을 때는 가장 많이 사용하여 익숙한 성문위 기도유지기를 사용하는 것이 환자의 안전을 위해 좋다.

방법

성문위 기도유지기를 삽입하는 방법은 여러 가지가 있는데 환자의 상태나 기구마다 다를 수 있으므로 다양한 경험이 필요하다.

환자의 자세

성문위 기도유지기를 삽입하기 위한 환자의 자세는 기관내삽관과 동일하게 흡입자세를 취하도록 한다.

삽입방법

성문위 기도유지기를 삽입하는 가장 표준적이고 고전적인 방법(Jannu et al, 2017)은 기낭에서 공기를 완전하게 제거한 후 성문위 기도유지기의 뒤쪽에 윤활제(lubricant)를 잘 바른 후 삽입하는 것이다. 이때 기도유지기 안쪽, 즉 환자의 기도에 접하는 쪽에 윤활제가 도포되면 기도를 자극할 수 있고 윤활제가 건조된 후에는 기도를 폐쇄시킬 수 있으므로 주의하도록 한다. 성문위 기도유지기를 연필 잡듯이 잡은 후 검지를 기도유지기의 몸통(shaft) 위에 대고 뒤쪽 표면을 인두(pharynx)의 만곡(curvature)을 따라 구개(palate)에 대고 누르면서 저항이 느껴질 때까지 하인두(hypopharynx)로 밀어 넣는다. 이 후 기낭을 팽창시키는데 기관내삽관과 동일하게 환기를 하였을 때 공기가 유출되지 않을 정도의 압력과 양이 적당한데 이는 통상적으로 40-60 cmH$_2$O정도이다(Asai and Brimacombe, 2000)

성문위 기도유지기의 삽입 또는 거치 성공률을 높이기 위해 대체방법이 시도되어 제시되었는데 이 중 대표적인 것이 회전(rotation)법이다(Park et al, 2016).

이는 고전적인 방법과는 달리 성문위 기도유지기를 90도 또는 180도 회전한 후 삽입하고 하인두에 도달하면 최종 위치를 위해 성문위 기도유지기를 회전시키는 방법인데 여러 연구에 의하면 삽입 최초 성공률도 높고 빠른 삽입도 가능한 것으로 보고되었다(Jeon et al, 2010).

성문위 기도유지기를 삽입한 후에는 기관내삽관 후와 마찬가지로 제대로 거치되었는지 확인이 반드시 필요하다. 성문위 기도유지기가 적절하게 거치되었다면 날숨끝 이산화탄소 분압도 모양이 직사각형모양으로 잘 관찰되고 폐음을 청진했을 때 양쪽 폐에서 균등하게 폐음이 잘 들리고 부드럽게 양압환기를 시도할 때 18-20 cmH$_2$O정도의 들숨압(inspiratory pressure)에서 누출소리가 들리는 것을 확인할 수 있다.

성문위 기도유지기를 삽입한 후 제대로 환기가 되지 않을 때는 대부분 후두개가 아래쪽으로 내려가 기도입구를 막기 때문이라고 알려져 있으므로 이때에는 성문위 기도유지기를 2-4 cm정도 빼내어 살짝 다시 밀어넣도록 하면 대체로 제 위치에 거치된다. 머리를 약간 신전시키거나 환자의 체격 등을 고려해서 다른 크기로 다시 시도하는 방법도 있다.

어려운 기도관리 알고리즘

기관내삽관은 어려운 기도관리와 상당히 상관이 있으므로 이에 대해 간단히 언급하고자 한다.

어려운 기도란 '통상적으로 훈련된 마취통증의학과 의사가 마스크를 통한 상기도 환기가 어렵거나 기관삽관(tracheal intubation)이 어려운 경우 또는 환기와 기관삽관이 모두 어려운 경우를 경험하는 임상적 상황'으로 정의한다. 1993년 미국마취통증의학회(American Society of Anesthesiologists)에서 최초로 어려운 기도 관리 가이드라인을 제시한 이후 2013년에 업데이트하였고 이와 함께 어려운 기도관리 알고리즘을 제공하여 실제적으로 어려운 기도관리에 도움을 주고 있다(https://pubs.asahq.org/anesthesiology/article/118/2/251/13535/Practice-Guidelines-for-Management-of-the?_ga=2.85199518.622190298.1635471423-58996305.1631233276).

이와 함께 어려운 기도 관리를 위한 다양한 알고리즘을 제시하고 있는데 대부분의 알고리즘에서 공통적으로 어려운 기도를 예측하고 관리전략으로 각성 삽관(awake intubation)을 권고(Difficult Airway Society 권고는 제외)하고 있다. 이 중 가장 간편하게 사용할 수 있는 정보를 소개한다(http://vortexapproach.org/, https://das.uk.com/). 보다 자세한 사항은 7장에 기술되어 있다.

■ 참고문헌

1. Anubhav Jannu, Ashim Shekar , Ramdas Balakrishna , et al. Advantages, Disadvantages, Indications, Contraindications and Surgical Technique of Laryngeal Airway Mask. Arch Craniofac Surg 2017;18:223-9.

2. Asai T and Brimacombe J. Review article: cuff volume and size selection with the laryngeal mask. Anaesthesia. 2000;55:1179-84.

3. Blayney MP and Logan DR. First thoracic vertebral body as reference for endotracheal tube placement. Arch Dis Child Fetal Neonatal Ed 1994;71:F32-5.

4. Jin Ha Park, Jong Seok Lee, Sang Beom Nam, et al. Standard versus Rotation Technique for Insertion of Supraglottic Airway Devices: Systematic Review and Meta-Analysis. Yonsei Med J 2016;57:987-97.

5. Joanna Gordon , Richard M Cooper, Matteo Parotto. Supraglottic airway devices: indications, contraindications and management. Minerva Anestesiol 2018;84:389-97.

6. R J Pollard and E B Lobato. Endotracheal tube location verified reliably by cuff palpation. Anesth Analg 1995;81:135-8.

7. Stone DJ, Gal TJ. Airway management. In: Miller RD, Anesthesia. 5th ed. Philadelphia Churchill Livingstone Inc: 2000;1431-2.

8. Thayyil S, Nagakumar P, Gowers H, et al. Optimal endotracheal tube tip position in extremely premature infants. Am J Perinatol 2008;25:013-16.

9. Usha Avva, Julie M. Lata, John Kiel. Airway Management. 1st ed. In: StatPearls [Internet]. Treasure Island (FL): StatPearls Publishing; 2021 Jan. 2021 Jul 26.

10. Young-Tae Jeon , Hyo Seok Na, Sang-Hyun Park, et al. Insertion of the ProSeal laryngeal mask airway is more successful with the 90 degrees rotation technique. 2010;57:211-5.

11. https://pubs.asahq.org/anesthesiology/article/118/2/251/13535/Practice-Guidelines-for-Management-of-the?_ga=2,85199518,622190298,1635471423-158996305,1631233276

12. http://vortexapproach.org/

13. https://das.uk.com/

CHAPTER

07

응급상황에서의 기도 중재
Airway intervention in the Emergency Situation

서울대학교병원운영 보라매병원 응급의학과 **이휘재**

기도 관리는 모든 응급 상황에서 핵심적인 항목이다. 기도의 문제가 응급 상황의 원인이자 우선적인 치료 목표일 수도 있으며, 응급 상황을 유발한 다른 원인의 효과적인 치료를 위하여 기도 관리가 우선적으로 필요할 수 있다. 모든 응급 상황에서 우선적으로 평가하고 대처하는 것은 가장 기본이 되는 ABC (airway, breathing, circulation) 중 가장 첫 번째가 기도 관리이다. 응급 상황에서의 기도 관리는 환자의 생명 유지를 위한 중요하고 결정적인 절차이지만, 충분히 준비되지 않은 상황에서 짧은 시간 내에 시행하여야 하는 경우가 많아 여러 가지 어려움이 있다. 수술장에서 이루어지는 계획된 기관내삽관과는 달리 응급상황에서 이루어지는 기관내삽관은 기관내삽관의 실패, 외과적 기도 확보술의 시행, 혈압저하, 산소포화도감소, 심정지 등의 합병증이 더 많이 발생한다. 이러한 어려움을 극복하기 위하여는 응급 상황에 대한 대비가 필요하다. 응급 상황에서 응급 기도 관리에 필요한 약물, 도구 및 어려운 기도 상황에서 사용할 수 있는 예비 수단을 미리 준비할 필요가 있다. 각 기관에서는 준비 사항을 반영한 사전에 약속된 응급기도관리에 대한 프로토콜을 개발하고 구성원들에게 프로토콜을 공유하고 교육하면 응급상황에서 효과적으로 반응하고 합병증의 발생을 예방할 수 있겠다.

응급기도관리에는 산소 투여, 백–마스크 환기, 기관내삽관을 위한 빠른연속기관삽관 (rapid sequencing intubation, RSI) 절차, 기관내삽관, 성문위 기도유지기 등의 기관내삽관 이외의 기도 유지 장지의 사용, 인공호흡기적용 등이 포함된다. 이 장에서는 응급 기도 관리의 원칙과 접근, 윤상갑막절개술에 대하여 주로 다루도록 할 것이며 기관내삽관과 기도 확보의 다른 방법에 대한 구체적인 내용들은 이 책의 다른 부분에서 다루어질 예정이다.

기도 중재가 필요한 응급상황

기도 확보가 필요한 상황은 크게 다음과 같은 경우가 있다.

기도의 유지가 어렵거나 필요한 경우

기도가 유지되는지 여부의 평가에서는 기도 개방과 기도 보호의 두 가지 측면을 확인하여야 한다. 기도 개방을 통하여 들숨과 날숨이 효과적으로 이동하여 산소 및 이산화탄소의 교환이 이루어지게 되며, 기도 보호를 통하여 이물, 위액, 각종 분비물에 의한 흡인이 이루어지지 않고 호흡을 유지할 수 있게 된다.

기도의 정상 해부학적 구조가 유지되고 의식이 명료한 경우에는 기도의 근육과 기도 유지를 위한 여러 반사 기전이 정상적으로 작동하여 기도 개방을 유지할 수 있다. 일반적으로 환자가 목소리의 변화 없이 정상적으로 말을 할 수 있다면, 기도가 잘 유지되고 있다고 볼 수 있다. 하지만, 이물, 협착, 종양 등의 기도의 해부학적 구조에 영향을 미치는 물리적 이상이 있을 경우 기도 유지가 어려워진다. 의식 저하가 동반된 상황에서는 기도 근육의 기능이 저하되고 기도 유지를 위한 여러 반사 기전이 약화되어 기도의 유지가 어렵게 된다. 의식 저하로 기도 개방이 어려운 환자에게는 구인두기도유지기(oropharyngeal airway) 혹은 비인두기도유지기(nasopharyngeal airways)를 적용하면 기도 유지에 도움이 된다. 하지만, 기도유지기는 기도 개방을 유지해주는 효과는 있으나 기도를 보호하는 데에는 도움이 되지 못한다. 삼킴 능력이 저하되어 입안이 분비물로 차 있거나, 입인두의 후방이 분비물이 차 있으면 기도 보호가 이루어지기 어렵다고 판단하여야 한다. 기도 개방이 유지되지 않는 상황에서는 기도 보호 역시 잘 되지 않는 경우가 대부분이며, 결국 기관내삽관 등 안정적으로 기도를 유지할 수단의 적용이 필요하게 된다.

기도 유지를 평가하기 위하여 구역 반사를 평가하는 것은 시행하지 않도록 한다. 구역 반사는 기도 유지가 되지 않는 상황에서도 나타날 수 있으며, 구토 및 흡인을 유발하여 호흡 상태를 더 악화시킬 있다. 특히 응급 상황에서 기도 평가 필요한 환자들은 대부분 누워있는 환자들로 합병증 발생의 위험이 매우 높다.

적절한 산소 공급이 되지 않거나 환기 부전이 있는 경우

산소와 이산화탄소의 기체교환은 호흡에서 가장 중요한 부분이며, 기도관리 측면에서도 가장 핵심적인 부분이다. 적절한 산소 공급(oxygenation)이 이루어지지 않으면 혈중 산소분압 및 산소포화도가 감소하게 된다. 환기(ventilation)가 적절히 유지되지 않으면 산소 공급의 장애와 함께 이산화탄소의 제거가 이루어지지 않아 혈중 이산화탄소분압이 상승하게 된다. 기도가 유지되고 있으나, 적절한 산소 공급이 이루어지지 않고 있다면 산소를 추가적으로 환자에게 공급하여야 한다. 기도가 유지되고 있으나 환기 부전이 지속된다면 비침습적양압환기(noninvasive positive ventilation) 등도 고려할 수 있다. 이러한 비침습적 방법에도 환자의 산소화 및 환기 부전이 호전되지 않는다면 기관내관삽관 등을 통한 기도 확보 및 기계환기의 적용이 필요하다.

동맥혈 검사는 환자의 산소화 및 환기 상태를 평가할 수 있는 유용한 수단이다. 하지만 결과를 확인하는 데까지 어느 정도 시간이 필요하며, 환자의 상태가 빠르게 악화되고 있는 상황에서는 검사 결과가 미처 환자의 임상상태를 반영하지 못할 수 있다. 응급 상황에서 임상의사가 환자에게 기관내삽관이 필요하다고 판단한다면 동맥혈 검사의 확인은 필수적이지 않으며, 오히려 검사 결과를 기다리느라 적절한 조치를 지연시켜 환자의 상태를 악화시킬 수 있다.

환자의 임상 상태가 악화되어 기도 유지가 필요할 것으로 예측되는 상황

평가 당시에는 기도가 잘 유지되고 있으며 산소 공급 및 환기 상태가 정상적이라고 하더라도, 앞으로 기도의 유지가 점차 어려워질 것으로 예측되거나, 환자의 임상 증상이 악화되어 호흡부전이 점차 진행할 것으로 예상되는 경우에는 선제적으로 기도 중재를 고려할 수 있다. 특히 환자의 기저 질환 및 전신 상태로 인하여 산소의 부족 및 호흡저하가 치명적인 영향을 줄 것으로 예상될 때에는, 선제적으로 기도 중재를 하는 것이 중요하다. 쇼크 환자에게 기관내삽관 및 기계환기를 적용할 경우 호흡일량(work of breathing)의 감소를 통하여 호흡근의 산소 소모를 감소시키고, 조직으로의 산소 공급을 증가시키는 효과를 기대할 수 있다.

응급중증환자가 검사, 시술, 전동, 전원 등으로 불가피하게 최선의 치료가 이루어질 수 없는 상황에 놓이게 되거나 이송이 필요한 경우에는 갑작스러운 악화를 예방하고 환자의 안전을 위하여 선제적으로 기관내삽관을 통한 기도확보가 필요할 수 있다.

어려운 기도의 예측

응급 상황에서의 기관내삽관을 하는 경우 15% 정도에서 첫 시도에서 실패하게 되며, 최종적으로 1-3%에서 일반적인 방법의 기관내삽관을 실패하는 것으로 알려져 있다. 지속적인 기도확보의 실패 및 저산소상황의 노출은 중증 환자의 나쁜 예후와 관련이 있다. 미리 어려운 기도를 예측하고 대비하는 것은 응급기도관리에서 실패를 줄이고 합병증의 발생을 예방할 수 있는 수 있게 해주는 중요한 과정이다.

어려운 기도와 관련된 인자로는 비만, 수염, 두껍거나 짧은 목, 작거나 큰 턱, 앞니가 돌출된 경우, 치아가 없는 경우, 수면무호흡증의 병력, 높은 구개궁(high arched palate), 안면 및 기도 외상, 두경부 종양, 루드비히편도주위고름집(Ludwig's angina), 기도 화상, 기도의 염증 등이 있다.

어려운 기도를 예측하기 위한 여러가지 방법이 개발되어 있으나, 대부분은 협조가 어려운 응급환자의 특성상 응급상황에서는 직접적으로 적용하는 데에는 한계가 있다.

어려운 기도는 환자의 해부학적 구조, 기도 및 호흡상태 이외에도 전신상태, 임상의사의 경험, 기도 중재에 사용되는 장비의 종류 및 특성, 기도 중재가 시행되는 환경 등 다양한 요인의 영향을 받는다. 따라서, 시술자는 응급 기도 관리에서 예상치 못한 돌발 상태가 발생할 수 있다는 것을 항상 유념하여야 하며 기도확보에 실패할 경우 다음으로 시행하여야 할 절차에 대하여 사전에 충분히 숙지하여야 한다.

LEMON Method

응급상황에서 어려운 기도여부를 평가하기 위하여 사용할 수 있다. 해당하는 항목이 많을 수록 직접후두경으로 성문을 확인하기 어려울 가능성이 높다.

L은 외관 평가(Look externally)를 의미하며 외관으로 평가할 때 어려운 기도가 예측되는 상황으로 위에서 언급한 어려운 기도와 관련있는 인자(수염, 앞니 돌출, 안면 외상 등) 및 임상의사의 경험 등을 고려하여 직관적으로 판단하게 된다.

E는 3-3-2 규칙(Evaluated 3-3-2)을 의미한다(그림 7-1). 환자의 손가락을 기준으로 입을 3손가락이상 벌릴 수 있는지, 턱끝부터 입바닥을 따라서 3손가락이상의 길이인지, 후두융기 위로 2손가락이 들어가는 지를 평가하게 된다. 환자의 손가락을 사용할 수 없는 경우에는, 환자의 손가락과 의료진의 손가락 사이즈의 비율을 확인한 후 의료진의 손가락을 이용하여 측정하고 비율에 맞추어 어림하여 판단한다.

M은 말람파티 점수(Mallampati score)를 의미한다(그림 7-2). 입을 벌렸을 때 편도지주부가 모두 보이면 Classs 1, 경구개를 제외하고는 혀로 인하여 구조물이 다 가려지면 Class 4로 측정된다. Class 1, 2의 경우에는 구강 접근이 용이하지만, 4의 경우는 매우 어려울 것으

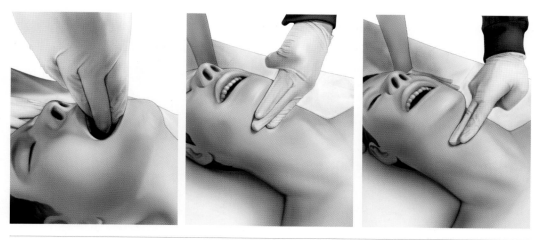

그림 7-1. **3-3-2 Rule.** 앞니 사이의 거리 (3), 턱 끝에서 목뿔뼈 사이의 거리 (3), 입바닥에서 갑상연골 사이의 거리 (2) 를 손가락을 이용하여 평가한다. 환자의 손가락을 사용하는 것이 원칙이다. 환자의 손가락을 사용할 수 없는 경우에는 시술자의 손가락을 사용하여 측정한 이후, 환자의 손가락과 시술자의 손가락 길이 비율을 고려하여 판단한다.

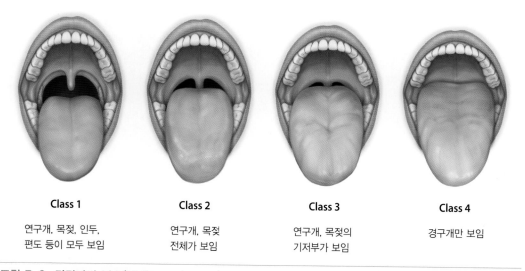

Class 1

연구개, 목젖, 인두,
편도 등이 모두 보임

Class 2

연구개, 목젖
전체가 보임

Class 3

연구개, 목젖의
기저부가 보임

Class 4

경구개만 보임

그림 7-2. **말람파티 점수(Mallampati score).** Class 1 및 2의 경우는 기관내삽관이 용이할 것으로 예상할 수 있다. Class 3의 경우 중등도, class 4의 경우 매우 어려울 것으로 예상할 수 있다.

로 판단할 수 있으며, 3의 경우에는 중등도의 위험이 있다고 판단할 수 있다. 평가를 위하여
는 환자의 협조가 필요하기 때문에 응급 환자의 절반에서 적용이 어렵다고 알려져 있다. 이
러한 경우에는 후두경날을 설압자로 이용하여 평가해볼 수 있다.

O는 폐쇄 혹은 비만(Obstruction or Obesity)을 의미한다. 후두개염, 종양, 외상, 혈종 등
기관내삽관을 방해할 기도 폐쇄 요인들의 유무 및 비만 여부를 평가하게 된다.

N은 목의 움직임(Neck mobility)을 의미한다. 목이 잘 움직이지 않으면 원활한 기관내삽
관을 위한 자세를 잡는 것이 어려워져서 직접후두경의 시야확보가 어려워지고 기관내삽관
실패의 위험이 올라간다. 강직성척수염, 파킨슨병, 외상으로 경추고정을 한 경우 등이 있겠
다(표 7-1).

표 7-1. **어려운 기도 평가를 위한 LEMON 방법**

LEMON	
L	외견 확인(Look externally)
E	3-3-2(Evaluate 3-3-2)
M	말람파티 점수(Mallampati score) ≥ 3
O	폐쇄(Obstruction), 비만(Obesity)
N	목의 움직임 제한(Neck mobility)

표 7-2. **어려운 기도 평가를 위한 MACOCHA score**

요인	점수
환자 요인	
말람파티 점수(Mallampati score) ≥ 3	5
폐쇄성수면무호흡증	2
경추의 움직임이 제한된 경우	1
입이 3 cm이상 벌려지지 않는 경우	1
병태생리 요인	
코마	1
심한 저산소증(SaO$_2$ < 80%)	1
시술자 요인	
마취과 의사가 아닌 경우	1
총합	12

MACOCHA Method

중환자실 환자를 대상으로 어려운 기도를 평가하기 위하여 개발된 점수체계로 응급상황에서 활용할 수 있다. 0–12점으로 이루어져 있으며 0–3점은 저위험, 4–7점은 중등도 위험, 8–12점은 고위험으로 평가한다(표 7-2).

응급 기도 중재를 위한 전략

응급기도중재에서 기도 확보가 필요하다고 판단하였다면, 이후에는 빠른연속기관삽관 시행 여부를 판단하는 것이 중요한 절차이다. 근이완제 투여를 포함한 빠른연속기관삽관은 안전하고 용이하게 기관내삽관을 시행할 수 있게 도와주지만, 만약 기관내삽관을 실패한 경우

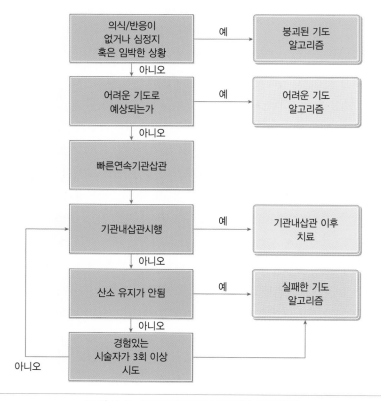

그림 7-3. 기본적인 응급 기도관리 알고리즘

자발호흡이 없어 호흡보조가 불가능할 수 있다.

일반적인 원칙

환자가 반응이 없어 기관내삽관을 시행하여도 저항하지 않을 것으로 판단되거나 심정지 상태이거나 심정지가 임박한 환자의 경우 붕괴된 기도로 평가하고 붕괴된 기도 절차에 따라서 즉각적인 기도 확보를 시행한다.

붕괴된 기도가 아닐 경우에는 어려운 기도 여부를 평가한 후에 어려운 기도가 아니라고 판단되면 빠른연속기관삽관 절차를 시행한다(그림 7-2).

어려운 기도

어려운 기도가 예상될 때는 기관내삽관을 시행할 수 있는 2명 이상의 시술자가 준비되어야 하며 적어도 1명 이상은 기도 중재에 대한 충분한 경험이 있어야 한다. 만약 해부학적인 이상(종양, 외상, 해부학적 구조, 비만 등)이 어려운 기도의 주된 원인이라면 빠른연속기관삽관을 시행하지 않고 환자의 호흡을 유지하면서 시행할 수 있는 방법을 고려하며 여의치 않을 경우에는 윤상갑상연골절개술 혹은 응급 기관절개술을 시행할 수 있다. 기도 폐쇄가 뚜렷한 해부학적 문제에 의한 것이 아닐 경우에는 빠른연속기관삽관을 시행하여 기관삽관을 진행할 수 있다

사전 평가에서는 예상하지 못하였지만, 환자의 진정과 근육이완이 완료된 이후 기관내삽관 과정에서 어려운 기도임이 확인되고 실패할 수 있다. 이러한 예측하지 못한 어려운 기도는 매우 당혹스럽고 어려운 상황이다. 이러한 상황에 마주치게 되면 일단 흥분을 가라앉히고 침착할 필요가 있다. 침착하게 상황을 평가하고 다음 단계에서 필요한 절차에 대하여 생각하도록 한다. 갑작스러운 돌발상황에서 적절하게 판단하는 것은 쉬운 일이 아니다. 기관내삽관에 대한 체크리스트 및 각 기관별로 가용가능한 자원을 고려한 어려운 기도 상황의 프로토콜을 만들어 준비하고 구성원들이 이에 대하여 잘 숙지하고 있다면 이러한 상황에서 적절한 대응을 하는데 도움이 되겠다. 이후 필요한 도움을 요청할 수 있는데, 상급자 및 관련된 전문

의료진(마취과, 신속대응팀, 이비인후과, 중환자의학과, 응급의학과 등)의 도움을 요청하도록 한다. 처음 기도 중재를 계획할 때 첫 방법에서 실패했을 때 다음 단계에서 사용할 방법까지 미리 결정하여야 한다. 시행한 기도 중재술이 실패한다면 여러 번 시도하여 시간을 낭비하지 말고 다음 방법으로 신속하게 넘어가도록 한다. 백-밸브 마스크로 호흡이 유지된다면, 진정제와 근육이완제의 효과가 사라져서 자발호흡이 회복될 때까지 기다리는 것도 고려할 수 있다. 성문위 기도유지기를 활용할 수 있으며, 필요하다고 판단되는 경우 수술적 기도 확보를 망설여서는 안 된다(그림 7-4,5,6).

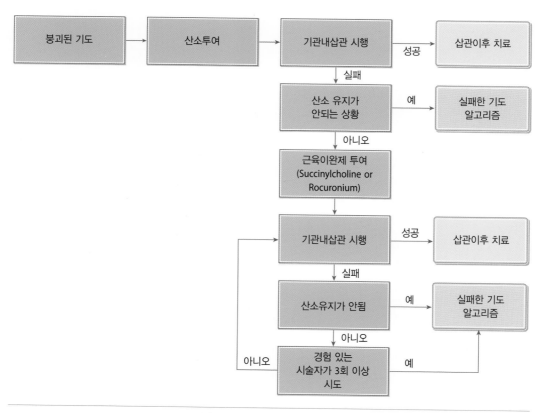

그림 7-4. **붕괴된 기도 알고리즘**

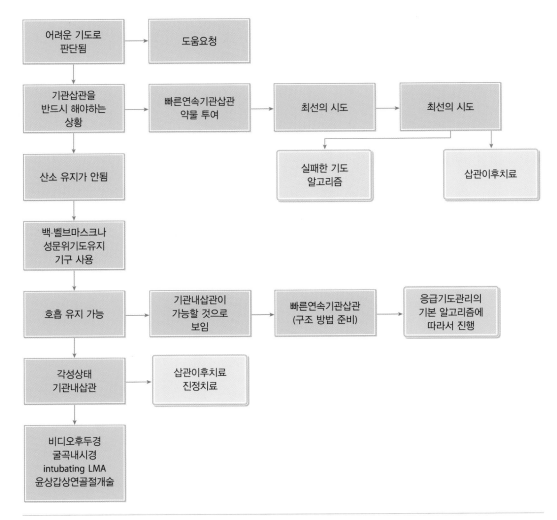

그림 7-5. **어려운 기도 알고리즘**

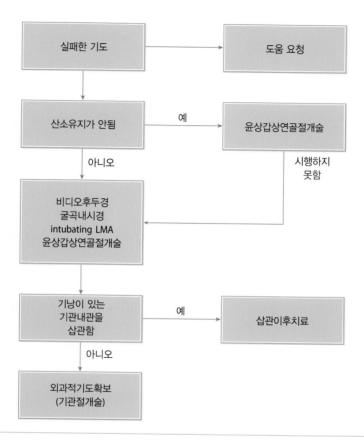

그림 7-6. **실패한 기도 알고리즘**

빠른연속기관삽관

빠른연속기관삽관(Rapid Sequencing intubation, RSI)은 기관내삽관 과정에서 생리적인 방해를 최소화하면서 최소한의 시간에 기관내삽관을 하기 위하여, 진정제와 근이완제를 순차적으로 투여하는 시술이다. 빠른연속기관삽관은 진정제 단독으로 사용하는 것보다 더 손쉽고 안전하게 기관내삽관을 성공할 수 있게 해주기 때문에 응급기도관리에서 기본적으로 사용하는 절차이다.

이미 환자의 의식이 없거나, 심정지 및 호흡정지가 발생하거나 임박한 경우에서는 빠른연속기관삽관을 하지 않고 붕괴된 기도(Crash airway) 절차를 따르면 된다. 어려운 기도가 예상되는 경우나 근육이완제의 사용이 시야를 개선해줄 것 같지 않은 상황(부종이 심하거나, 외상이나 감염으로 근이완에도 불구하고 턱을 더 벌릴 수 없을 것을 예상되는 상황, 구강의 종양 등)은 빠른연속기관삽관의 상대적인 금기이다. 근육이완제를 투여하여 자발호흡이 없기 때문에 실패할 경우 사용할 수 있는 구조 도구(성문위기도유지장치 등)와 구조 방법을 반드시 미리 생각하고, 준비하도록 한다.

전처치는 기관내삽관 과정에서 유도되는 자율신경계 항진을 줄이고, 분비물을 줄여서 기관내삽관을 용이하게 해주는 것으로 알려져 있어 시행을 고려할 수 있다. 하지만 응급 기도 관리에서 전처치의 효용성에 대한 근거는 부족한 상황으로 대부분의 시술자들이 생략하여 진행하고 있다.

아트로핀(atropine 0.02 mg/kg IV), 리도카인(Lidocaine 1.5 mg/kg IV), 펜타닐(Fentanyl 1−3 mcg/kg) 등을 사용할 수 있다.

진정제

빠르게 효과가 나타나며, 깊은 수면을 유도하고, 지속시간이 짧고, 혈역학적 영향이 적은 특성을 가진 약물이 빠른연속기관삽관에서 적절하다.

① 에토미데이트(Etomidate)

빠르게 효과가 나타나며, 혈역학적 영향이 적어서 선호되는 약물이다. 근간대성경련(myoclonus)이 발생할 수 있으며, 진통효과가 없어 기관내삽관과정에서 가해지는 자극에 의한 교감신경항진을 줄여주지는 못한다. 또한 구조가 스테로이드와 유사하여 부신기능저하를 유발할 수 있다. 단, 빠른연속기관삽관의 1회 투여가 임상적으로 의미있는 부신기능저하를 유발할 수 있는 지에 대하여는 논란이 있다. 정맥으로 0.3 – 0.5 mg/kg의 용량을 투여한다.

② 프로포폴(Propofol)

약의 효과가 빠르게 나타나고 지속시간이 짧아 유용하다. 뇌압을 감소시기고, 경련을 예방하는 효과가 있다. 하지만 심장기능저하와 혈관 확장을 통한 혈압 저하를 유발할 수 있어 주의가 필요하다. 정맥으로 0.5 – 1.5 mg/kg의 용량을 투여한다.

③ 미다졸람(Midazolam)

뇌압을 감소시키고, 경련을 예방하고, 비교적 혈역학적 영향이 적은 장점이 있다. 하지만 증상시작까지 시간이 걸리며 수면유도 효과가 약한 단점이 있다. 정맥으로 0.1 mg/kg의 용량을 투여한다.

근육이완제

① 석시닐콜린(Succinylcholine)

효과가 빠르게 나타나며, 작용 시간도 짧아 유용하다. 투약 후 1분 정도에 약의 효과가 나나타며, 5–10분 정도 약효가 지속된다.

탈분극성 근이완제로 아세틸콜린 수용체에 완전히 결합하여 근이완을 유발한다. 고칼륨혈증이 있거나, 근육질환, 중증근무력증 환자에서는 증상을 악화시킬 수 있어 사용하지 않도록 한다. 악성고열을 유발할 수 있다. 1.5 mg/kg의 용량을 정맥으로 투여한다.

② 로큐로니움(Rocuronium)

효과가 1–3분 정도에 빠르게 나타나서 석시닐콜린을 대체하여 많이 사용되고 있으며, 약물효과 지속은 35–45분 정도로 석시닐콜린보다 긴 시간동안 근이완을 유지한다. 1 mg/kg의 용량을 정맥으로 투여한다. 고칼륨혈증이 있거나 근육질환, 중증근무력증 환자에서도 사용할 수 있다.

빠른연속기관삽관의 절차

(ㄱ) 기도확보방법 결정
(ㄴ) 정맥로확보, 모니터링 연결(혈압, 심전도, 산소포화도, 호기말이산화탄소분압)
(ㄷ) 환자의 혈역학적 상태 및 어려운 기도 여부 평가
(ㄹ) 기관내삽관 세트, 흡인, 실패를 대비한 구조 도구 준비
(ㅁ) 산소전처치

(ㅂ) 필요시 전처치 약물투여

(ㅅ) 진정제 및 근육이완제 투여

(ㅇ) 기관내관을 삽관

(ㅈ) 기관내관의 위치 확인

(ㅊ) 튜브를 고정

(ㅋ) 인공호흡기 세팅 조절 및 진정치료

통합적 기도 관리

응급환자의 기도 관리에서 발생할 수 있는 치명적인 합병증은 저산소증, 혈압저하, 심정지 등이 있으며 환자의 예후에 중요한 영향을 미치게 된다. 이러한 치명적인 합병증을 막기 위하여 계획 및 준비 과정, 기관내삽관, 기관내삽관 이후 치료 과정에서 체계적이고 통합적인 접근이 필요하다. 대표적인 것이 수정된 몽펠리에 프로토콜(Modified Montpellier Protocol)이다(표 7-3).

표 7-3. 수정된 몽펠리에 프로토콜 Modified Montpellier Protocol

기관내삽관 전
기관삽관을 시행할 수 있는 2명 이상이 시술을 진행
500 mL 이상의 생리식염수 혹은 링거액을 투여(폐부종이 없는 경우)
기관삽관이 끝난 이후 지속적으로 투여할 진정제를 준비
3분 이상 산소전처치를 시행 - Non-rebreather mask(산소 15 L/min) - BiPAP FiO$_2$ 100%, PEEP >= 5 cm, delta peep ≥ 5 cm - Nasal high flow with FiO$_2$ 100% and ≥ 40 L/min
기관내삽관
빠른연속기관삽관을 다음 약물을 사용하여 시행 - 수면진정제: Etomidate 0.3 mg/kg or Ketamine 1.5-3 mg/kg or Propofol 0.5-2.0 mg/kg - 근이완제 : Rocuronium 1 mg/kg or Succinylcholine 1.5 mg/kg
기관내삽관 이후
호기말이산화탄소분압을 측정하여 즉시 기관내삽관 여부를 확인
15분 이상 평균동맥압이 65 mmHg 이하일 경우 즉시 승압제를 시작
지속적인 진정치료를 시작(중환자실 진정프로토콜을 활용)

　기관내삽관이 필요한 응급상황에서는 환자들이 혈역학적으로 불안정한 상황에 놓여있는 경우가 많다. 기관내삽관 과정에서 투여되는 진정제와 근육이완제 투여는 심장기능 저하 및 혈압 저하를 유발하기 때문에 환자의 혈역학적 상황이 더욱 나빠지는 경우가 흔히 나타난다. 체액량 과다의 증거가 없다면, 미리 수액을 투여하여 부족한 전부하(preload)를 보충하여 갑작스러운 혈압 저하를 예방하도록 한다. 또한 적극적인 산소 전처치를 통하여 환자의 저산소증 노출 시간을 최소화하도록 한다.

　기관내삽관이 이루어진 이후에는 즉시 호기말이산화탄소분압을 측정하여 신속하게 기관내삽관이 제대로 적절한 위치에 이루어졌는지 확인한다. 청진이나 간접적인 방법(가슴의 움직임, 기관내관의 습기 발생 등)은 부정확하고, 흉부방사선촬영은 시간이 소요되어 잘못된 기관내삽관을 빨리 발견하지 못하여 환자의 상태가 악화될 수 있다. 혈압 저하가 동반된 경우 적극적인 승압제 사용으로 혈역학적 상태를 안정시키도록 한다.

　이러한 일련의 지침의 적용을 통하여 기관내삽관의 실패를 줄이고, 관련된 합병증 발생을 감소시킬 수 있다.

윤상갑상막절개술(Cricothyrotomy)

　기관내삽관이 실패하고 백-밸브 마스크나 성문상기도유지기로 호흡이 유지되지 않는 경우 윤상갑상막절개술을 고려할 수 있다. 목의 해부학적 구조에 변성이 있는 경우, 목에 감염이 있는 경우, 혈액응고장애가 있는 경우에는 상대적 금기이다. 하지만 윤상갑상막절개술은 산소공급을 할 수 없는 위급한 상황에서 시행하는 구조 시술로, 필요하다면 어떠한 상황에서도 시도하여야 하며 절대적 금기는 존재하지 않는다.

　최근에는 셀딩거 기법(Seldinger technique)을 활용한 키트를 주로 사용한다. 만약 고전적인 개방 윤상갑상막절개술을 시행한다면 내경 6.0 mm의 기관절개관(tracheostomy tube)를 사용하도록 한다.

방법(그림 7-7)

(ㄱ) 시술자는 환자의 목 옆쪽에 위치한다. 시술의 편의를 위하여 시술자가 오른손잡이
일 경우 오른쪽에 왼손잡이일 경우 왼쪽에 위치한다.

(ㄴ) 손으로 윤상연골을 확인한 후에 윤상연골과 갑상연골 사이의 윤상갑상막을 검지손
가락으로 확인한다. 다른 손의 엄지와 세 번째 손가락을 이용하여 윤상연골과 갑상
연골을 감싸서 움직이지 않도록 고정한다.

(ㄷ) 칼날을 이용하여 수직으로 피부를 1–2 cm 정도 약간 절개한다.

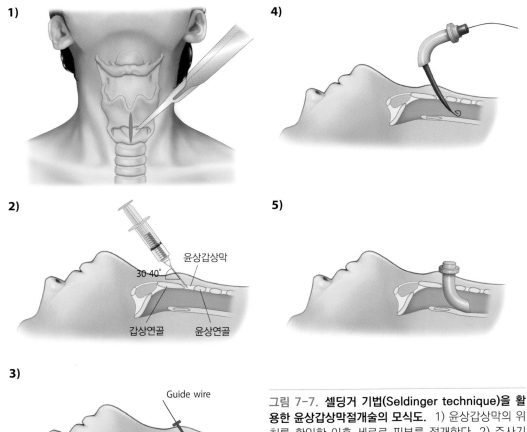

1)

2)

30-40°

윤상갑상막

갑상연골 윤상연골

3)

Guide wire

4)

5)

그림 7-7. **셀딩거 기법(Seldinger technique)을 활
용한 윤상갑상막절개술의 모식도.** 1) 윤상갑상막의 위
치를 확인한 이후 세로로 피부를 절개한다. 2) 주사기
를 이용하여 공기가 흡인되는 것을 확인한다. 3) 셀딩
거 기법을 이용하여 유도철사를 삽입한다. 4) 확장기를
이용하여 공간을 넓히면서 결합된 기관절개관을 삽관
한다. 5) 확장기를 제거한 이후 고정한다.

(ㄹ) 30-40도의 각도로 주사바늘 굽힌 후 주사를 흡인하며 기관내로 천천히 진입한다.

(ㅁ) 주사를 통하여 공기가 빠져나오면 주사바늘을 통하여 유도철사를 삽입한다.

(ㅂ) 유도철사가 기관 내로 들어가면 주사바늘을 빼고 칼날을 이용하여 확장기(dilator)가 잘 들어갈 수 있게 추가적인 절개를 시행한다.

(ㅅ) 확장기와 결합된 기관절개관을 유도철사를 따라서 기관으로 삽관한다.

(ㅇ) 유도철사와 확장기를 제거하고 적절하게 들어갔는지 확인한다.

셀딩거 기법이 아닌 외과적 방법을 이용하는 경우에는 피부를 수직으로 충분히(4 cm 이상) 절개한다. 손가락 혹은 작은칼(scalpel)의 손잡이를 활용하여 피하조직을 박리한 후 수평으로 윤상갑상막을 절개한다. 이후 기관절개관을 삽관한다. 기관절개관 삽관 시 기관내삽관에 사용하는 부지(bougie)를 유도철사와 같은 방법으로 활용할 수 있다(그림 7-8). 10장에서도 자세히 기술되어 있다.

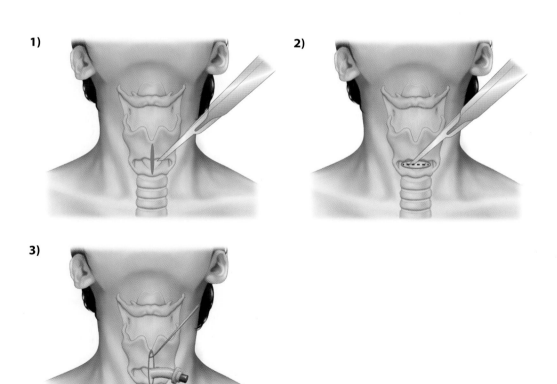

그림 7-8. **외과적 윤상갑상막절개술.** 피부는 세로로, 윤상갑상막은 수평으로 절개한다.

합병증

약 15%에서 합병증이 발생하는 것으로 알려져 있다. 정맥출혈이 가장 흔하며 대부분은 저절로 지혈된다. 동맥출혈의 경우 갑상샘 동맥이나 윤상갑상막 주변의 작은 동맥에서 발생할 수 있다. 동맥출혈이 있는 경우 일차적으로 압박지혈을 시행한다. 지속적으로 출혈이 있는 경우에는 국소지혈제를 사용하거나 혈관결찰을 시행하여 한다. 비만 환자의 경우 기관절개관이 후두 및 기관으로 들어가지 못하고 앞쪽에 위치하여 종격으로 진행할 수 있다. 이러한 상황에서는 환기가 이루어지지 않고, 심한 피하 기종이 생기게 된다. 의심된다면 즉시 관을 제거하여야 한다. 기관, 식도 및 되돌이후두 신경의 손상, 기흉도 드물지만 발생할 수 있다.

윤상연골과 갑상연골 사이는 좁은 공간으로 지속적으로 연골이 관에 의하여 자극과 손상을 받게 되어 장기적으로 기도협착, 누공형성 등의 부작용이 발생하게 된다. 따라서 지속적인 기도유지를 위하여는 기관절개술을 시행하여야 한다.

■ 참 고 문 헌 ■

1. Brown CA 3rd, Bair AE, Pallin DJ, et al. Techniques, success, and adverse events of emergency department adult intubations. Ann Emerg Med 2015; 65:363.

2. Corl KA, Dado C, Agarwal A, et al. A modified Montpellier protocol for intubating intensive care unit patients is associated with an increase in first-pass intubation success and fewer complications. J Crit Care. 2018;44:191-5.

3. Frerk C, Mitchell VS, McNarry AF, et al. Difficult Airway Society 2015 guidelines for management of unanticipated difficult intubation in adults. Br J Anaesth 2015; 115:827.

4. Jaber S, Jung B, Corne P, et al. An intervention to decrease complications related to endotracheal intubation in the intensive care unit: a prospective, multiple-center study. Intensive Care Med. 2010;36(2):248-55.

5. Lee A, Fan LT, Gin T, et al. A systematic review (meta-analysis) of the accuracy of the Mallampati tests to predict the difficult airway. Anesth Analg. 2006;102(6):1867-78.

6. Reed MJ, Dunn MJ, McKeown DW. Can an airway assessment score predict difficulty at intubation in the emergency department? Emerg Med J. 2005;22(2):99-102.

7. Schaumann N, Lorenz V, Schellongowski P, et al. Evaluation of Seldinger technique emergency cricothyroidotomy versus standard surgical cricothyroidotomy in 200 cadavers. Anesthesiology 2005; 102:7.

8. Walls RM, Brown CA 3rd, Bair AE, et al. Emergency airway management: a multi-center report of 8937 emergency department intubations. J Emerg Med 2011; 41:347.

9. Wang HE, Donnelly JP, Barton D, Jarvis JL. Assessing Advanced Airway Management Performance in a National Cohort of Emergency Medical Services Agencies. Ann Emerg Med 2018; 71:597.

CHAPTER

08 기관절개술 이외의 기도 확보(방법)

서울대학교 의과대학 소아청소년과 **서동인**

기관내삽관은 응급 상태에서 백–마스크 양압환기로 충분한 환기와 산소화를 유지할 수 없을 때 고려해야 하는 표준치료다. 진정 수준을 올리고 관을 제 자리에 위치시킨 뒤, 기낭을 부풀리고 양압을 적절히 제공하면 환자는 상태가 곧 안정된다. 안정상태가 잘 유지되면, 양압을 줄이고 기관내관을 제거하기 위한 순차적 단계에 들어간다. 깨운 상태에서 적절한 환기와 산소포화도가 유지 가능하다면 기도 부종을 예방하는 전처치를 시행한 뒤 발관을 시도할 수 있다. 2주 혹은 그 이상의 충분한 시간이 지나더라도 발관이 가능한 상태에 이르지 못할 것이 예상되거나, 발관 시행 후 수일 내 재삽관을 해야 할 정도로 기도 유지가 안 된다면 기관절개술을 통한 기관절개관 거치를 고려하는 것이 표준치료다. 그러나 임상에서는 여러가지 이유로 기관절개술 시행이 불가능하거나, 기관절개술에 대한 저항이 너무 커서 진행이 어려운 경우가 있다. 이 경우 시도해볼 수 있는 대안적 방법에 대해 살펴보고자 한다.

대안적 방법을 고려할 때 주의할 점

대안적 방법을 적용하기 전 환자는 기관내삽관, 진정, 양압 환기 적용 등으로 안정상태를 유지할 수 있어야 한다. 이것이 불가능하다면 대안적 방법을 고려하기보다는 삽관에 사용되는 도관을 특수제작하거나 체외막산소요법(Extra Corporeal Membrane Oxygenation,

ECMO)을 적용하는 등, 더 윗단계 치료를 시도해야 한다. 환자가 이미 기관내관이 제거된 상태라면, 백마스크 양압 환기로 안정상태를 유지할 수 있어야 한다. 이것이 어렵다면 대안적 방법을 고려하지 말고 기관절개술을 고려해야 한다. 다수의 대안적 방법은 사고의 위험이 있으며, 인지와 대처가 늦을 경우 환자가 심각한 뇌손상을 입거나 심지어 사망에도 이를 수 있다. 대안적 방법을 고려할 때는 환자와 보호자의 대처능력이 함께 고려되어야 한다. 모니터를 보며 위험신호를 일찍 인지하고 시기 적절하게 대응하도록 훈련되어야 한다. 마지막으로, 기관절개관은 대안적 방법이 불가능할 때 고려하는 술기가 아니다. 특히 비침습적 양압 환기는 도입과 유지에 많은 자원과 인력을 소모하므로, 기관절개술과 고려 대상에 동등하게 올려 놓고 장단점에 대해 논의해야 한다.

기관절개술을 고려하게 되는 상황

삽관을 오래하도록 만들거나 자주 반복하도록 하는 상황들은 표 8-1과 같고, 이럴 때 기관절개술의 적용을 고려하게 된다. 범주를 나누어 살펴보자면, 호흡개시 능력이 떨어질 때, 기도의 특정 부분이 심하게 좁아지거나 막힐 때, 기침 능력이 심각히 저하되거나 기도 분비물 청소가 원활히 이루어지지 않을 때, 그리고 폐실질의 손상이 심각하여 일반적인 기도 압력으로는 적절한 산소화가 이루어지지 않을 때 등이다(Wilmott et al, 2018). 임상에서는 사유별

표 8-1. 기관절개술을 고려하게 되는 상황

Category	Examples*
No respiratory drive	Congenital central hypoventilation syndrome, recurrent seizure, Hypoxic ischemic encephalopathy
Airway blockade by a collapsed segments of airways	Upper airway obstructive lesions (Pierre-Robin sequence), Severe tracheomalacia, Congenital tracheal stenosis, Subglottic stenosis, Subglottic hemangioma, Vocal cord palsy
Impaired cough or airway clearance	Brain damage, Neuromuscular diseases, Chiari malformation, Spinal cord injury, Diaphragmatic palsy
Need for persistent higher MAP	Bronchiectasis, Pulmonary fibrosis, Severe pulmonary hypertension

* 제시한 경우 외에도, 기타 다른 상황들이 단독 혹은 다른 상황과 복합적으로 함께 기관절개관 거치를 요하는 호흡부전 상태를 야기할 수 있음.

구분히 명확하지 않은 경우도 많다. 예컨대 키아리 기형(Chiari malformation)은 삼킴과 효율적인 기침을 방해하는 것과 동시에 호흡 중추의 기능을 떨어뜨리고, 결국 오랜 기간의 기관삽관으로 기관연화증 등도 일으킨다. 즉, 한 가지 상황이 여러가지 범주에 걸쳐서 문제를 일으키기는 경우가 빈번하다.

기관절개술을 도입하기 전 고려할 수 있는 대안적 방법들

기관절개술을 피하기 위해 시도할 수 있는 대안적 방법의 종류를 표 8-2에 제시하였다. 기관절개관을 고려하는 사유가 어느 단계의 문제에서 비롯되었느냐에 따라 중재 가능한 대안적 방법도 다르다. 개별 대안적 방법의 내용과 한계점에 대해 자세히 살펴볼 필요가 있다.

표 8-2. 기관절개술을 피하기 위해 시도할 수 있는 대안적 방법들

Nasopharyngeal airway (NPA)
Oropharyngeal airway (OPA)
Palatal lift prosthesis
Maxillary expansion orthodontic appliance
Tongue stabilizing device (TSD) or tongue retaining device (TRD)
Laryngeal mask
Tracheal button
Tracheal or bronchial stent
Sliding tracheoplasty
Tracheal reposition
Vascular reposition
High-Flow Nasal Cannula oxygen support
Non-Invasive Positive Pressure Ventilation (NIPPV):   Continuous Positive Airway Pressure (CPAP), bubble CPAP, Bi-level Positive Airway Pressure
Diaphragmatic pacing without tracheostomy
Medication for secretion control

구인두기도유지기와 비인두기도유지기
(Oropharyngeal airway and nasopharyngeal airway)

코와 입으로부터 성대에 이르는 상부 기도는 구조적 이상이나 기능적 부전으로 인해 심하게 좁아질 수 있다. 심한 경우, 자발 호흡이 존재함에도 불구하고 폐쇄성 무호흡이 발생하기도 한다. 미숙아나 뇌손상을 받은 아이들에서, 잘 때 심장 박동이 느려지거나 심한 저산소증이 발생할 수 있다. 이때 하악골을 당겨주고 그 상태를 유지하여 호흡곤란이 개선되는지 확인하는 것을 일차적으로 시도해 볼 수 있다(Hammoudeh et al, 2012). 영아 단계를 넘어선 경우에 비인두기도유지기나 구인두기도유지기는 기도 확보를 위해 기관절개관 도입 전에 가장 먼저 고려할 수 있는 선택지이다. 특히 Treacher-Collins Syndrome이나 Pirre-Robin Sequence처럼 하악골이 덜 발달하고 뒤로 밀리는 경우에, 비인두기도유지기나 구인두기도유지기는 좁은 부분을 관통하거나 좁아질 부분을 지지하여 기도 유지를 돕는다(Anderson et al, 2007). 혀가 너무 큰 경우, 경구개가 높이 위치한 경우, 연구개가 낮게 처져있는 경우, 편도나 아데노이드가 커서 심각한 수면무호흡을 일으키는 경우에 우선적으로 고려할 수 있다.

적절한 크기의 장치를 선택하는 것이 매우 중요한데, 너무 짧으면 효과적으로 기도를 유지할 수 없고, 너무 깊으면 관 끝이 구조물에 닿아 막히기 때문이다. 비인두기도유지기의 경우, 팁 끝이 혀뿌리를 지나 후두개 상방에 위치하는 정도가 가장 적절하다. 외부 구조물로 보면, 코 옆에 놓아 끝이 귓불에 이르는 것이 가장 적절하다. 구인두기도유지기의 경우는 한 끝을 입가에 놓아 끝이 하악각에 이르거나, 한 끝을 앞니에 위치하게 할 때 다른 끝이 하악각

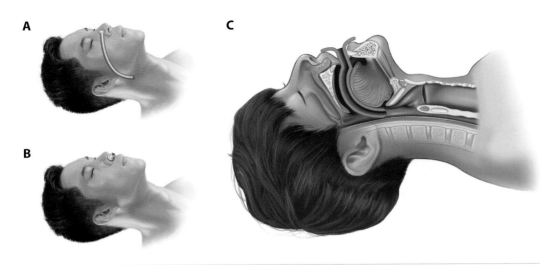

그림 8-1. 적절한 크기의 구인두기도유지기와 비인두기도유지기를 선택하는 방법

에 위치하는 것이 적절하다(Castro and Freeman, 2021). 구인두기도유지기는 효과적인 기도 확보 방법이지만, 의식이 있는 환자에서는 종종 심한 구역반사를 유발할 수 있다. 따라서 의식이 있는 환자에서 기도를 확보할 때는 비인두기도유지기 사용을 더 먼저 고려해야 한다. 장치의 특성상 후두개나 성대 자체, 그리고 성문하 협착이 있는 병변에서는 호흡부전 개선 효과가 미미하다는 한계가 있다. 거꾸로 협착음과 함께 호흡곤란을 호소하는 환자에서 좁아진 부위를 감별하기 위한 방법으로 우선 적용하고 개선 효과를 확인하기도 한다.

구강 내 치과 교정 장치들
(Palatal lift prosthesis, Maxillary expansion orthodontic appliance)

구강 내 기하학적 공간이 좁아서 공기의 흐름이 원활하지 못한 경우, 충분한 환기가 방해 받을 수 있다. 특히 신경근질환 환자나 근긴장도가 떨어지는 환자의 경우, 수면 시 기도폐쇄가 나타나고 심각한 저환기를 초래해, 결국 호흡부전에 이를 수 있다. 연구개 거상 장치 (palatal lift prosthesis)는 교정기를 개조한 것과 같은 형태로, 입에 끼고 있으면 끝 부위 돌출부가 연구개를 들어올려 숨길이 무너지는 것을 막아준다(그림 8-2)(Honda et al, 2007).

한편 상악골 팽창 기구는 경구개 아래에 위치하여 가로방향으로 압력을 가하는 구강 내 장치다(그림 8-3). 아직 연구가 많이 되지는 않았지만 경구개를 넓힘으로 인해 연결된 비강 기도를 더 넓히는 효과가 있는 것으로 추정된다(Giuca et al, 2021). 동시에 혀가 뒤로 말리지

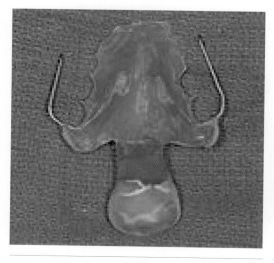

그림 8-2. **연구개 거상 장치**

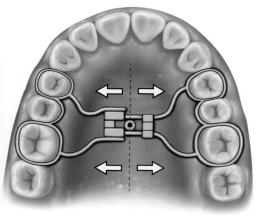

그림 8-3. **상악골 팽창 장비**

않고 정상적인 앞쪽에 위치하도록 도와주어 결과적으로 코로 숨 쉬기 편하게 돕는다. 비강 호흡을 방해하는 것을 막는 효과가 있을 것으로 생각된다. 두 장비 모두 어금니에 장치를 거치하고 힘을 받으며 유지하도록 설계되었기 때문에 너무 어린 연령의 아이들에서는 고려하기 어렵다는 한계가 있다.

혀 위치 고정 장치
(Tongue stabilizing device or tongue retaining device)

혀 위치 고정장치는 혀안정장치(tongue stabilizing device) 혹은 혀유지장치(tongue retainig device)라고 불리며, 잘 때 혀가 뒤로 밀리며 기도를 막는 것을 예방하는 장치다. 수면 무호흡이 심한 환자에서 주로 사용된다. 모양은 얼핏보아 성인용 공갈젖꼭지처럼 생겼으며, 반대쪽 끝에 혀를 넣는 형태로 단순하게 생겼다(그림 8-4). 물고 자면 수면 중 혀가 뒤로 말리는 증상을 경감시켜 수면 중 비강 내 공기흐름을 개선시켜주어, 실제로 수면다원검사 상 무호흡 지표를 개선시켰다는 보고가 있다(Kingshott et al, 2002).

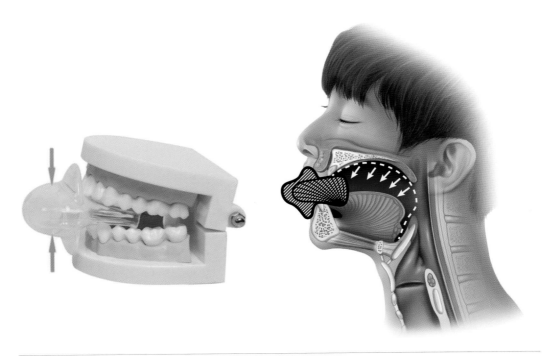

그림 8-4. **혀안정장치**

성문위 기도유지기
(Supraglottic airway device/laryngeal mask airway)

입안에 넣어 구강과 인두, 혀뿌리를 지나 후두부위를 통째로 덮는 장치이다(그림 8-5). 초기 모델은 기도내관과 유사한 가운데 끝부분이 공기주입에 따라 부풀어 오르는 모양으로 개발되었다. 연필 잡듯이 쥐고 입안에 끝까지 밀어넣은 후 연결된 밸브에 공기를 주입하면 부풀어 오르며 성대 주위를 밀봉하게 된다. 다만, 이 기구는 넣는 과정에서 구겨지거나 꼬이는 일이 종종 발생한다. 이 문제를 해결하기 위해 굵직한 형태로 개선된 모델이 개발되어 그림 8-5에 제시된 형태의 다양한 모델로 판매되고 있다(Somri et al, 2019). 이 장비는 응급상황에서 일시적으로 기도를 확보하거나 수술 시 일시적으로 기도를 확보하되 기관 내 구조물을 건드리지 않을 목적으로 사용될 수 있다. 다만 구역감과 거치의 불안정성으로 인해 의식 있는 환자에서 오랜기간 사용할 수 없고, 장기간 치료용으로 사용하기 어렵다. 상기도가 좁아서 호흡이 불안정하거나, 뇌손상 등으로 호흡개시가 어려운 환자에 대해 응급상황에 한시적 사용을 고려할 수 있다. 성대 아래의 기도가 좁아진 환자에서는 기도 접근은 가능할 지 모르나, 환기의 개선 효과는 뚜렷하지 않다.

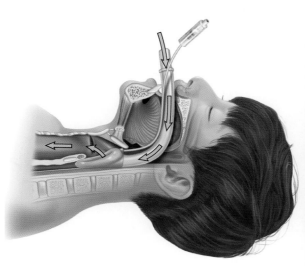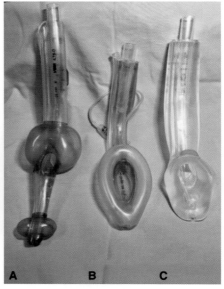

그림 8-5. 성문위 기도유지기의 거치 상태 모식도와 다양한 장비들. (A) The Intubating Laryngeal Tube Suction Disposable (iLTS-D). **(B)** The Ambu® AuraGain™ laryngeal mask. **(C)** The i-gel® airway

기관유지 장치: Tracheal retainer

기관절개관의 장점 중 하나는 기도에 직접적으로 접근이 가능하므로 기도 내 분비물을 효과적으로 제거할 수 있다는 점이다. 기관유지장치는 기관절개공을 유지한 가운데 기관절개관을 제거하는 중간 단계로 사용해볼 수 있는 장비이다. 기존의 장비가 stoma-flange-tube로 구성되어 있다면 이 장비는 stoma와 짧은 튜브로 구성되어 있다(그림 8-6). 장치 내 개방창을 통해 기관 내 흡인이 가능하며, 때로는 관을 통해 작은 튜브를 꽂거나, 관을 막고 발성을 연습할 수 있다.

일반적으로 기관절개관을 제거하면 피부를 포함한 입구가 금방 좁아져 응급상황에 기관절개관을 다시 삽입하는 것이 쉽지가 않다. 기관절개관 제거를 위해 기관유지 장치 사용단계를 반드시 거쳐야 하는 것은 아니지만, 기관유지 장치는 진입로를 유지시켜주기에 재삽관에 대한 위험 부담을 줄인 가운데 기관 제거의 중간단계를 연습할 수 있다(Okamoto et al, 2012). 호흡곤란이 심할 때 기관유지 장치만 거치한 가운데 양압 환기를 시도해 보면, 공기가 폐로 전달되는 대신 일부가 입으로 새며 충분한 압력이 걸리지 못하는 단점이 있다. 그럼에도 응급상태를 예방하며 시도해볼 수 있는 중간 형태의 장비로 활용이 가능하다.

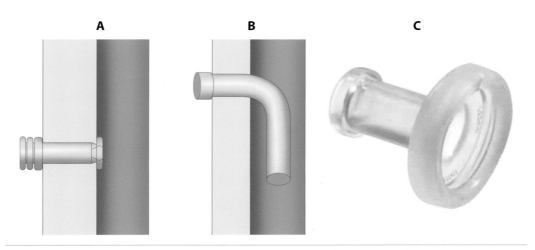

그림 8-6. **기관유지 장치와 기관절개관의 비교.** (A) 기관유지 장치, (B) 기관절개관, (C) 기관유지 장치의 예: TRACOE stoma button

기도 스텐트(Airway stent)

기도 안에 넣고 부풀려 좁은 기도를 넓히는 장비이다. 일반적으로 암환자에서 폐쇄된 기도를 열어 증상을 완화시키는 목적으로 주로 시행되어 왔으나 최근 적응증이 확대되고 있다. 수술이 불가능한 양성기도질환이나, 이식 후 좁아진 기도, 기도연화증이 있는데 추후에 기관성형술(tracheoplasty)을 앞둔 기도에 대해 사용을 고려해 볼 수 있다(Folch and Keyes, 2018). 충분한 힘을 가지고 주변과 반응을 일으키지 않으면서 모든 크기로 조정이 가능하고, 설치된 자리에서 이동하지 않으며 소정의 목적을 달성한 뒤에는 제거가 쉬우면 좋겠지만, 아직까지는 이런 이상적인 스텐트는 개발되지 않았다. 세 종류의 스텐트가 주로 사용되는데 메탈로 만들거나 실리콘, 혹은 hybrid 재료로 구성이 되어있다. 실리콘 스텐트는 주변 가래의 배출이 원활치 않다는 단점을, 메탈릭 스텐트는 기도 안으로 파묻혀 한번 설치 후 제거가 어려우며 성장에 따라 수시로 넓혀주어야 하는 한계점이 있다. 부작용으로 사망하는 경우가 드물지 않게 발생하므로 거치에 따른 이득과 위험의 균형을 고려하여 시행되어야 한다. 최근 생분해되는 물질로 만들어진 스텐트가 성공적으로 거치되어 심혈관기형과 동반된 기도협착에 성공적으로 사용된 증례가 소개된 바 있다(그림 8-7)(Vondrys et al, 2011). 그러나 분해과정 중인 스텐트에 의해 재시술이 필요할 수 있다는 한계가 있다. 최근 심혈관에 눌리거나 낭포성섬유종으로 인해 폐쇄가 된 기관지에서 사용되는 등 적응증을 넓히고 있다(Stramiello et al, 2020).

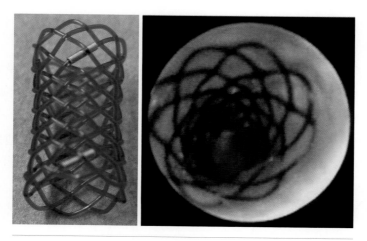

그림 8-7. 소아 기도협착 환자의 기도확장에 사용된 생분해 스텐트

수술적 치료

성문 주위 그리고 성문하 좁아진 부위에 의해 호흡곤란이 생기는 경우, 근치적 수술이 가능하다면 수술적 교정을 고려할 수 있다. 특히 성대 근처에 생긴 막 등으로 인해 기도가 좁아진 경우 풍선확장술같은 내시경적 중재를 고려할 수 있으며, 삽관의 병력이 있는 미숙아에서 성문하낭종이 생겨 호흡곤란이 심한 경우, 낭종제거술로 해결이 가능하다. 기도가 외부의 구조물에 의해 눌리거나, 내부에서 granulation 등이 자라서 내경이 좁아 호흡곤란이 발생하게 되면, 근치적 방법으로 외과적 교정을 고려할 수 있다.

기관연골이 C자가 아니라 O자로 존재하여 성장에 따라 더욱 좁아지는 선천성 기관협착(congenital tracheal stenosis)의 경우 활주 기관성형술(slide tracheoplasty) 등으로 넓히는 방법을 고려할 수 있으며, 혈관륜(vascular ring)으로 인해 기도가 심하게 눌리는 경우 기관절제 및 치환술(tracheal resection and reposition)이나, 대동맥 고정술(aortopexy)을 통해 기도가 눌리는 것을 완화시킬 수 있다. 이런 방법들은 기도 내경이 좁아지는 것에 대한 근본적 해결을 꾀하는 것으로, 수술이 성공적으로 이루어지는 경우, 기관절개를 할 필요 없이 충분한 호흡로 확보가 가능하도록 돕는다.

고유량 비강 캐뉼라: High-Flow Nasal Cannula oxygen support

고유량 비강 캐뉼라는 코에 꽂은 특수 캐뉼라를 통해 고유량의 산소를 체내로 전달하는 장비이다. 산소발생기에 연결한 기계로부터 온도와 산소분율(FiO₂), 유속을 정하면 일정한 산소분율의 공기가 비강을 통해 제공된다(그림 8-8). 유속이 매우 빨라 자발 호흡으로 섭취할 수 있는 공기보다 더 많은 양의 공기가 주입되므로, 주변 공기 조성이나 자발호흡의 노력 정도와 무관하게 일정량의 산소분율을 유지할 수 있다(Kwon, 2020). 정도가 크지는 않지만 일정 정도의 호기말양압을 유지하는 효과가 있어서 상기도의 기능적 폐쇄가 발생하는 질환에서 기도를 열어주는 효과가 있다. 만성 호흡기질환에 따른 호흡부전이 있어 일상적 호흡이나 비강캐뉼라를 통한 산소공급에 적절한 환기와 산소화가 유지되지 않는 경우, 절개관과 함께 양압환기를 시도해보기 전 고유량 비강 캐뉼라를 시도할 수 있다. 소아용 써킷은 20 L/min까지 성인용 써킷은 60 L/min까지 최대 유량 공급이 가능하다.

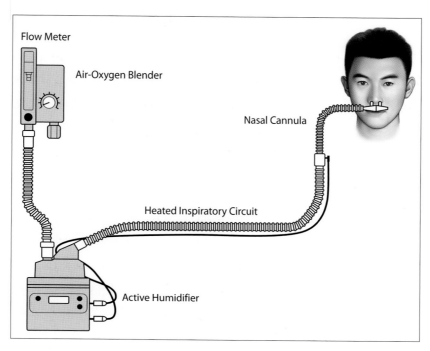

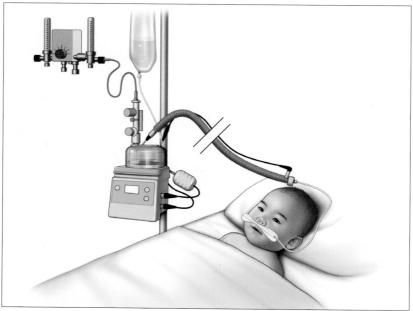

그림 8-8. **고유량비강캐뉼라의 구조와 적용 례**

비침습적 양압환기: CPAP, bubble CPAP, BiPAP

통상적 호흡은 흉강 내 음압을 만들어 외부의 공기가 폐 안으로 빨려들어가는 과정이다. 기관절개를 통한 환기로 확보는 좁아진 기도를 우회하여 숨길을 확보하게 되나 여전히 흉강 내 음압에 의존하게 된다. 그럼에도 충분한 환기가 이루어지지 않거나 폐 병변으로 인해 기도 내 양압이 필요한 경우, 외부에서 압력을 주는 양압 환기가 대안이 될 수 있다. 특히 상기도가 부분적으로 막히거나 흡기시 기능적으로 막히는 질환에서는 우회로 확보 대신에 더 큰 양압을 외부에서 제공하여 기도를 열어주어 환기를 도모할 수 있다.

지속적양압환기(Continuous Positive Airway Pressure, CPAP)은 평소 일정압력의 공기를 발생하여 상기도를 열어주어 호흡에 필요한 일(workload)을 줄여 호흡을 돕는다. 한편 좁아진 기도 위에 충분한 환기가 필요한 경우 흉강외 양압을 크게 만들어 압력차를 이용하여 호흡을 모방할 수 있는데 이때 사용되는 기계가 이단양압환기(Bilevel PAP, BiPAP)이다. 호흡주기에 맞추어 양압의 정도를 다르게하면 낮은 양압이 호기말 상태를 모방하고, 높은 양압이 흡기를 모방하게 되어 결국 호흡 활동을 원활하도록 모방하게 된다(그림 8-9). 호흡과정에서 압력의 급격한 변화를 줄이기 위해 물에 잠긴 호스를 통해 양압을 발생시키는 bubble CPAP 도 영아의 호흡보조에 사용될 수 있다(Wilmott RW et al, 2018).

이들은 보통 압력을 생성하여 공기를 밀어주는 인공호흡기 본체와 대상자가 착용하는 다양한 종류의 마스크, 그리고 이 둘을 연결하는 튜브로 구성이 된다. 마스크는 얼굴 전체를 덮는 것부터 입과 코를 막는 것, 코만 막는 것, 입에 무는 것 등 다양한 형태로 제공되고 있으며, 사용의 편리성에 따라 선택하며 경우에 따라 두 종류의 서로 다른 마스크를 번갈아 사용하기도 한다. 양압을 제공하는 방식에 따라 두가지 타입 즉 수동형 서킷(passive circuit)과 능동형 서킷(active circuit)으로 나뉜다. 수동형 서킷은 흡기의 공기만을 제어하는 한편 능동형 서킷은 호기 유량도 같이 모니터링한다. 수동형 서킷은 자가 호흡을 보다 민감하게 찾아내는 한편 가볍고 다루기 좋다는 장점이 있는 반면 능동형 서킷은 비해 착용자의 호흡저항에 대해 강제로 밀어주지 못하고 또 평소 더 시끄럽다는 단점이 있다.

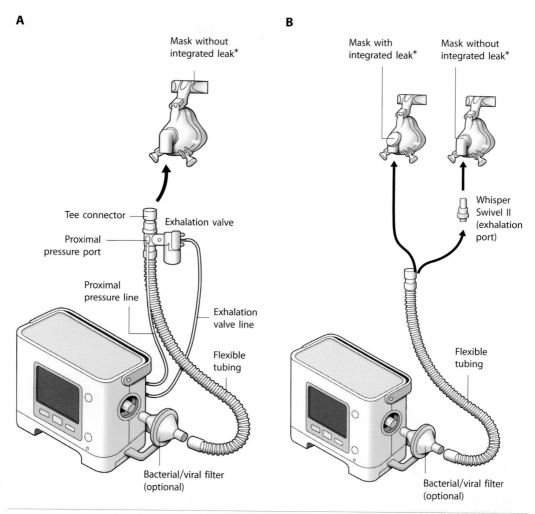

A

Mask without integrated leak*

Tee connector

Proximal pressure port

Exhalation valve

Proximal pressure line

Exhalation valve line

Flexible tubing

Bacterial/viral filter (optional)

B

Mask with integrated leak*

Mask without integrated leak*

Whisper Swivel II (exhalation port)

Flexible tubing

Bacterial/viral filter (optional)

그림 8-9. **비침습적 양압환기 시스템의 구조.** (A) 능동형 서킷(active circuit), (B) 수동형 서킷(passive circuit)

횡경막 자극(Diaphragmatic pacing system, DPS)

경추손상으로 인해 사지마비 상태가 된 환자는 호흡근이 마비되어 제한성 폐질환 상태에 이르게 되며, 꾸준히 재활을 받아야 하는 상태가 된다. 일반적으로 기관절개관 삽입 후 기계 환기로 호흡을 유지하나 적용 기간이 길어지면서 이후 합병증이 점차 생기기 시작한다. 최근 여러 호흡재활 전문가 그룹에서 횡격신경 조율(phrenic nerve pacing)과 횡격막 조율(direct diaphragmatic pacing)을 시도하여 성공적 결과를 이루어낸 바 있다(Garara et al, 2016). 이론적으로 적절히 조정하면 조율 장치를 이용하여 기침도 유발시킬 수 있다. 이는 매우 흥미로운 기술이지만, 척수손상 환자의 많은 수에서 횡격막 근육의 기능저하로 인해 조율 장치를 적용할 수 없는 경우가 많아 실제로 성공적으로 적용한 환자가 많지는 않다(Woo et al, 2020). 반면 중추신경계 감염 후 마비가 발생한 환자나(Edmiston et al, 2019) 선천성중심성 저환기증후군(Congenital Central Hypoventilation Syndrome, CCHS) 환자에게 양압기계환 기를 이탈하는데 횡경막 자극을 적용하는 시도가 대두되는 등 적응증이 점차 확대되고 있다 (Diep et al, 2015). 따라서 환자가 처한 임상 상황에 맞는 개별화된 접근이 필요하다.

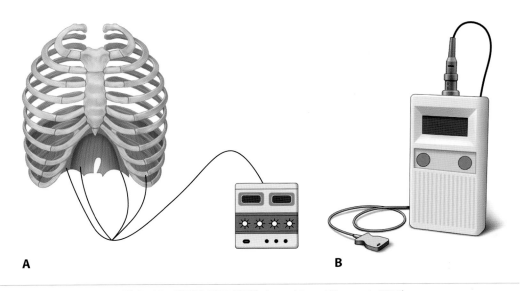

그림 8-10. 횡경막 자극 장치(adopted from Woo et al, 2020)

기타 대안적 방법들: vocal cord paralysis, 침중단하는 법

공기의 원활한 흐름을 방해하는 그 밖의 요인들로는 성대가 마비되어 벌어지고 닫히는 일이 원활하지 못한 경우, 어린 아이들에서 침분비가 너무 많은 가운데 삼킴이 원활히 이루어지지 않아 고인 침이 숨길을 막는 경우 등이 있다. 이러한 문제들은 시기적절하게 원활히 해결되지 않으면 간헐적으로 극심한 산소포화도 저하가 나타나고 대처가 늦으면 심폐소생술이 필요할 정도의 극심한 호흡곤란이 발생할 수 있다. 양측성 성대 마비가 생겨 성대가 잘 열리지 않는 경우, 윤상갑상근에 보톡스를 주입하면 개방 상태를 잘 유지할 수 있으며(Daniel and Cardona, 2014), 침분비를 막기위해 침샘에 보톡스를 주입하거나 약제로 스코폴아민이나 글리코피롤레이트, 혀 밑 아트로핀을 사용하기도 한다(Miranda-Rius et al, 2015). 최근 저압흡인 장비를 가지고 침을 지속적으로 천천히 뽑아내는 장비를 개발하기도 하고 적용하기도 하며, 이를 적용한 뒤로 심각한 산소포화도 저하가 사라져 기관절개관 도입을 유예하는 사례가 종종 생기고 있다.

기관절개후 기관절개관 삽입은 호흡부전 상태의 환자에게 안정적으로 기도를 확보하고 적절한 환기와 산소화를 이루기 위해 필요한 표준 치료이다. 그러나 위에 언급한 방법들이 대안으로 제시되고 있으니 환자가 처한 상황과 치료의 지향점에 따라 일부를 적용해볼 수 있을 것으로 생각된다.

■ **참 고 문 헌**

1. Anderson KD, Cole A, Chuo CB, et al. Home management of upper airway obstruction in Pierre Robin sequence using a nasopharyngeal airway. Cleft Palate Craniofac J 2007 May;44(3):269-73.

2. Castro D, Freeman LA. Oropharyngeal Airway. 2021 Aug 1. In: StatPearls [Internet]. Treasure Island (FL): StatPearls Publishing; 2021. PMID: 29261912.

3. Daniel SJ, Cardona I. Cricothyroid onabotulinum toxin A injection to avert tracheostomy in bilateral vocal fold paralysis. JAMA Otolaryngol Head Neck Surg 2014 Sep;140(9):867-9.

4. Diep B, Wang A, Kun S, et al. Diaphragm Pacing without Tracheostomy in Congenital Central Hypoventilation Syndrome Patients. Respiration 2015;89(6):534-8.

5. Edmiston TL, Elrick MJ, Kovler ML, et al. Early use of an implantable diaphragm pacing stimulator for a child with severe acute flaccid myelitis-a case report. Spinal Cord Ser Cases 2019 Jul 17;5:67.

6. Folch E, Keyes C. Airway stents. Ann Cardiothorac Surg 2018 Mar;7(2):273-83.

7. Garara B, Wood A, Marcus HJ, et al. Intramuscular diaphragmatic stimulation for patients with traumatic high cervical injuries and ventilator dependent respiratory failure: A systematic review of safety and effectiveness. Injury 2016 Mar;47(3):539-44.

8. Giuca MR, Carli E, Lardani L, et al. Pediatric Obstructive Sleep Apnea Syndrome: Emerging Evidence and Treatment Approach. ScientificWorldJournal 2021 Apr 23; 2021:5591251.

9. Hammoudeh J, Bindingnavele VK, Davis B, et al. Neonatal and infant mandibular distraction as an alternative to tracheostomy in severe obstructive sleep apnea. Cleft Palate Craniofac J 2012 Jan;49(1):32-8.

10. Honda K, Urade M, Kandori Y. Application of a specially designed palatal lift prosthesis to a patient with velopharyngeal incompetence due to severe brain injury. Quintessence Int 2007 Jun;38(6):e316-20.

11. Kingshott RN, Jones DR, Taylor DR, et al. The efficacy of a novel tongue-stabilizing device on polysomnographic variables in sleep-disordered breathing: a pilot study. Sleep Breath 2002 Jun;6(2):69-76.

12. Kwon JW, High-flow nasal cannula oxygen therapy in children: a clinical review. Clin Exp Pediatr 2020 Jan;63(1):3-7.

13. Miranda-Rius J, Brunet-Llobet L, Lahor-Soler E, et al. Salivary Secretory Disorders, Inducing Drugs, and Clinical Management. Int J Med Sci 2015 Sep 22;12(10):811-24.

14. Okamoto M, Nishijima E, Yokoi A, et al. Strategy for surgical treatment of congenital subglottic stenosis in children. Pediatr Surg Int 2012 Nov;28(11):1115-8.

15. Somri M, Matter I, Gaitini LA, et al. Fiberoptic-Guided and Blind Tracheal Intubation Through iLTS-D, Ambu Auragain, and I-Gel Supraglottic Airway Devices: A Randomized Crossover Manikin Trial. J Emerg Med 2019 Nov 16:S0736-4679(19)30829-7.

16. Stramiello JA, Mohammadzadeh A, Ryan J, et al. The role of bioresorbable intraluminal airway stents in pediatric tracheobronchial obstruction: A systematic review. Int J Pediatr Otorhinolaryngol 2020 Dec;139:110405.

17. Vondrys D, Elliott MJ, McLaren CA, et al. First experience with biodegradable airway stents in children. Ann Thorac Surg 2011 Nov;92(5):1870-4.

18. Wilmott RW, Bush A, Deterding RR, et al. Kendig's disorders of the respiratory tract in children E-Book, 9th ed. Elsevier. 2018: 382-90.

19. Woo A, Tchoe HJ, Shin HW, et al. Assisted Breathing with a Diaphragm Pacing System: A Systematic Review. Yonsei Med J 2020 Dec;61(12):1024-33.

기관절개술

단국대학교 의과대학 이비인후과학교실 **정필상, 이상준**

CHAPTER 09 기관절개술의 결정 및 적응증
The Decision and Indications of Tracheostomy

기관절개술은 목의 앞부분에 절개를 가하고 기관에 작은 구멍을 만들어 환자가 구강 및 비강 같은 상기도를 통하지 않고 직접 기관으로 외부의 공기를 흡입해서 숨을 쉴 수 있도록 하는 수술이다. 기도폐쇄가 임박한 경우를 제외하고 기관절개술은 일반적으로 수술할 준비를 갖춘 다음 정규로 시행된다. 기관절개술은 이비인후과 의사라면 숙지해야 할 기본 술기로서 기관절개술의 적응증을 알아야 하고 적절한 시기에 대한 고려가 필요하다.

기관절개술의 일반적인 적응증

기관절개술의 적응증을 크게 세부류로 나누면 첫째, 외상, 이물, 감염, 선천성기형, 종양, 기도자극물질, 성대마비 등으로 인한 기도폐쇄(airway obstruction) 둘째, 흡인(aspiration)이 심하거나 기침 반사가 없고 객담배출을 잘 못하여 기관지에 분비물이 저류되는 경우(secretary retention) 셋째, 중추신경계나 근육질환, 의식저하로 인하여 호흡부전(respiratory insufficiency)이 있는 경우이다. 기관절개술의 적응증은 표 9-1과 같다(Kraft and Shindler, 2015). 20세기 후반기부터 중환자치료(critical care) 의학이 발달하면서 현재에는 지속적인 기계환기(prolonged mechanical ventilation)가 기관절개술의 가장 흔한 적응증이 되었다(Goldenberg et al, 2002). 중환자실에 입원 중인 삽관 환자의 약 2/3가 기관절개술을 받게

표 9-1. **기관절개술의 적응증**

기도폐쇄	후두개염, 상후두염
	종양
	양측성대마비
	혈관부종
	이물
	경부외상
지속적인 인공호흡기 사용	호흡기계질환
	근신경계질환
	의식저하로 인하여 기도보호 불가능
과도한 폐분비물 제거	
수술보조	두경부암 재건수술
	광범위한 상악안면골절

된다. 또한 현재 기관절개술은 중환자에게 가장 많이 시행되는 수술 중의 하나이다(Scurry and McGinn, 2007).

상기도 폐쇄

역사적으로 상기도 폐쇄는 기관절개술의 주된 적응증이었다. 그러나 기관내삽관(endo-tracheal intubation) 방법의 발달과 기도관리방법의 개선 등으로 인해 현재는 그 빈도가 상대적으로 감소하고 있는 추세이다. 상기도의 폐쇄를 일으키는 원인은 매우 다양하다(표 9-2). 이물에 의해 기도가 막혀 있을 때 당장 이물을 배출시키거나 제거할 수 없는 경우에는 기관절개술이 호흡을 가능하게 하여 환자를 살릴 수 있는 유일한 방법이다. 응급기관절개술(emergency tracheostomy)은 환자를 수술장으로 옮기는 데 지체되는 시간이 생명을 위협할 것으로 판단되는 경우에 국한하여 시행되어야 한다. 호흡곤란으로 공황상태인 환자에게 시행이 되는 응급기관절개술은 적절한 조수, 조명, 장비, 흡입기를 갖춘 상태에서 진행하는 선택적 기관절개술(elective tracheostomy)보다 합병증이 발생할 확률이 훨씬 높기 때문이다. 기관절개술을 응급으로 시행해야 하는 경우는 기도 이물이나 기도 외상, 구인두 부종, 후두기관분리(laryngotracheal separation), 악안면외상, 악안면종양, 후두외상, 심한 상기도 출혈

표 9-2. 급성 상기도 폐쇄의 원인

의식소실
마취유도 중 후두 경련
혈관신경성 부종
안면부, 상기도 외상
상기도 이물
상기도 주위 감염, 예) Ludwig's angina, 급성후두개염
후두주위 열화상
경부 수술후 혈종

등의 기관내삽관이 곤란한 응급질환을 들 수가 있다. 그러나 이러한 상황으로 응급실에 도착하였더라도 조기에 적절히 상태를 진단한다면 환자를 수술장으로 옮겨 기관절개술을 시행할 수 있다(Fagan et al, 1997). 기도폐쇄로 인해 선택적 기관절개술을 하는 경우는 위에서 기술하였던 응급기관절개술을 하는 경우보다 적응증이 넓다. 혈종, 부종, 농양으로 인해 기도 확보가 필요한 경우에도 기관절개술을 고려할 수 있다. 이러한 경우 기관절개술의 시행 시기는 의사가 기관절개술을 할 필요가 있다고 생각되었을 때 바로 결정하는 것이 좋다. 환자가 호흡곤란이 느끼더라도 호흡횟수가 증가하고 호흡을 크게 하면 혈중 산소포화도가 바로 감소되지 않을 수 있다. 이러한 상태가 유지되다가 보상적 호흡으로 감당이 되지 않을 때 갑작스러운 혈중 산소포화도의 감소를 보이는 점을 유념해야 한다.

장기간 인공호흡기 유지

기관절개술은 인공호흡기를 장기간 적용해야 할 경우에도 적응이 된다. 이러한 환자들은 대부분 폐나 신경계의 질환을 가지고 있다. 일차적으로는 기관내삽관이 시행이 되는데 인공호흡기를 장기간 유지해야 할 필요가 있을 때에는 기관절개술로 전환이 필요하다. 기관절개술로 전환을 하는 시기는 일반적으로 삽관 후 2주 이상 경과된 경우에 시행되는데 아직 시기에 대한 논란은 많다. 기관분비물이 다량으로 쌓이거나 삽관으로 인한 환자의 불편감이 큰 경우 기관절개술로의 전환을 조기에 하기도 하고 인공호흡기의 사용 기간이 짧을 것으로 예상될 때는 기관내삽관을 유지하고 기관절개술로의 전환을 늦출 수 있다.

기관 내 분비물 배출

폐렴, 기관지확장증, 기타 폐의 염증성 질환에서 다량의 기관지 분비물을 효과적으로 제거하기 위해 기관내삽관보다 기관절개술이 선호된다. 비슷한 이유로 중추신경계 손상, 만성흡인(chronic aspiration)환자에서 기관절개술이 필요한 경우가 흔히 있다(Fagan et al, 1997). 점액 전색(mucus plugging)과 기관내관의 긴 장경은 기도의 적절한 관리를 어렵게 한다. 호흡의 보조 및 장기간의 삽관이 필요한 환자에서 기관절개술은 폐의 위생을 유지하기 위한 중요한 요소이다.

사강(dead space)의 제거

해부학적 사강은 기도 내에서 가스의 교환에 이용되지 못하는 공간을 포함한다. 산소와 이산화탄소의 효과적인 가스교환은 주로 폐포(alveoli)와 세기관지(bronchiole)에서 일어나며 기관지와 상기도에서는 가스교환이 거의 이루어지지 않는다. 호흡과정에서 비강과 구강, 인두, 후두, 기관은 흡입한 공기로 차있다. 따라서 일회호흡량(tidal volume)이 모두 가스교환에 이용되지 못한다. 일회호흡량이 500 mL라면 150 mL정도는 사강에서 나온 공기이므로 실질적으로 신선한 공기는 350 mL정도라고 할 수 있다. 정상성인에서 사강의 대략적인 부피는 파운드(lb)로 표시한 몸무게 정도이다. 예를 들어 몸무게가 150 lb (68 kg)인 경우 사강의 부피는 150 mL정도로 어림할 수 있다. 중추신경계 호흡억제나 구속성폐질환(restrictive lung disease) 같은 질환에서는 일회호흡량이 매우 낮게 고정되어 있다. 기관절개술은 해부학적 사강의 약 절반을 줄일 수 있다(Fagan et al, 1997).

특정 상황에서 기관절개술의 적응증

소아 기관절개술

소아에서 기관절개술은 다양한 상황에서 생명을 구하는 술식으로 그 적용범위가 점차 확대되고 있다. 특히 장기간에 걸쳐 인공호흡기를 사용하는 경우가 증가하고 미숙아 및 기형아의 생존율이 점차 증가하여 적용대상이 늘어나고 이들 환자의 기도 확보의 필요성 증가로

표 9-3. 소아에서 기관절개술의 적응증

상기도 폐쇄	성문하부 협착
	기관연화증
	기관협착증
두개안면증후군	Pierre-Robin 증후군
	CHARGE 증후군
	Treacher-Collins 증후군
	Backwith-Wiedemann 증후군
두개안면 및 인후두 종양	낭림프관종, 혈관종
양측성 성대마비	뇌수종
	Moebius 증후군
폐쇄성 수면무호흡증	두경부암 재건수술
인후두 외상	화상, 골절
장기간의 인공호흡	
만성 폐질환	기관지폐이형성증
	호흡부전을 동반한 척추측만증
선천성 심장질환	
근신경계 질환	Duchenne형 근이완증
	제1형 척추근위축증

인해, 최근 소아에서 기관절개술이 시술되는 사례가 늘고 있는 추세이다(Carron et al, 2000, Ward et al, 1995). 그 적응증은 표 9-3에 요약되어 있다. 보다 자세한 내용은 11장에 기술되어 있다.

중환자실에서 기관절개술

일반적으로 중환자실에서 의식이 없는 환자에서 기관내삽관을 장기간 유지해야 할 경우 기관절개술을 시행하게 된다. 그 적응증은 표 9-4에 요약되어 있다.

표 9-4. **중환자실에서 기관절개술의 적응증**

인공호흡기 이탈(weaning)의 지연
급성 혹은 만성 근신경계 질환
심폐기능의 저하
연수기능부전
뇌손상
상기도 폐쇄

악안면외상

교통사고의 증가로 인하여 악안면외상에 의한 기도 손상이 증가하고 있으며 이 중 기관절개술이 필요한 경우는 다음과 같다(Zachariades et al, 1983).

① 상기도 폐쇄
② 하악결합골절을 동반한 양측관절돌기골절로 인한 혀의 후방편위
③ 심한 중간안면 골절, Le Fort형의 골절
④ 구인두와 후두의 부종
⑤ 상악골의 전위
⑥ 경추손상
⑦ 상악하악고정장치(maxilla-mandibular fixation, MMF)를 해야 하는 상황에서 재삽관이 필요한 경우
⑧ 구강저와 혀의 다발성 열상
⑨ 만성적인 폐질환 혹은 기도흡인이 지속적으로 필요한 환자
⑩ 지속적인 인공호흡기의 사용이 필요할 것으로 예상되는 환자
⑪ 병원에 내원 시 응급 윤상갑상막절개술을 받은 환자
⑫ 골절 치료 시 술자의 편의

두경부 수술

두경부 수술 후 일시적인 성대부종과 흡인의 관리를 목적으로 시행하거나 두경부 악성종양 수술 시 또는 그 수술의 전신마취를 위해 시행할 수 있다. 두경부 수술 직후 발생하는 흡

인을 예방할 수 있고 두경부암 환자의 경우에서는 수술로 인해 상기도에서 기도가 차단된 경우 또는 수술 직후 수술부위의 부종으로 인해 정상적인 호흡이 이루어지지 못하는 경우에 영구적 혹인 일시적인 기관절개술을 시행할 수 있다. 특히 양측 경부절제술을 한 경우에는 술 후 일시적 호흡곤란을 예방하기 위하여 기관절개술을 고려하여야 한다.

수면무호흡증

폐쇄성 수면무호흡증을 가진 환자는 기관절개술 적응증의 특별한 경우에 해당한다. 활동 시에는 정상기도이지만, 수면시에는 하인두의 근육이 이완되면서 기도폐쇄가 발생한다. 그리고 수면무호흡증 환자는 장기간의 기도유지가 필요할 수 있기 때문에 영구적인 기관공 (permanent stoma)을 만드는 것이 좋다. 수면무호흡증은 크게 중추성, 혼합성, 폐쇄성으로 나눌 수 있는데 기관절개술은 폐쇄성이나 혼합성 수면무호흡증에서 적응증이 될 수 있다. 기관절개관에 구멍이 뚫려 있는 유창 기관절개관을 사용하면 수면 시에만 구멍을 열고, 평상시에는 구멍을 막으면 발성이나 식이 시에 불편감을 줄일 수 있다. 영구적인 기관공을 만들더라도 필요하다면 언제든지 다시 기관공을 막는 시술을 할 수 있다.

뱀독(venom)

뱀독 등에 의한 중독이 발생할 경우 조기에 해독제를 투여하고 대증적인 치료를 한다. 이때 특히 안면이나 입술, 혀 등에 부종이 발생하게 되면 기도가 급작스럽게 막힐 수가 있기 때문에 기도의 유지가 필요하다. 조기에 예방적으로 기관내삽관을 시행해야 하지만, 심한 경우에는 기관절개술 혹은 응급상황에서는 윤상갑상막절개술(cricothyroidotomy)이 필요할 수도 있다(Lewis and Portera, 1994).

약물에 의한 기도 손상

부식성 물질의 섭취 시 시간이 경과함에 따라 반흔과 섬유화가 진행되어 협착과 폐쇄를 유발한다. 이 결과로 발성장애와 호흡곤란이 일어나고 기관절개술이 필요하게 된다.

흡입 화상

사고로 증기열이나 뜨거운 공기를 흡입하면 성대가 반사적으로 폐쇄되고 기관까지 내려오는 동안 열기가 식어 손상은 주로 성문상부의 기도에서 일어나며 기관은 비교적 손상을 덜 입게 된다. 열손상에 의하여 초기에 성문 상부 점막에 홍반, 궤양, 부종 등이 생길 수 있고 심각한 부종이 생길 경우에는 호흡곤란, 천명, 청색증 등의 기도 폐쇄 증상이 생길 수 있으며 시간이 지난 후 협착이 발생할 수 있다. 따라서 이런 경우에는 상부호흡기의 점막을 보호하기 위하여 기관절개술이 우선적으로 고려되어야 한다(Shikowitz et al, 1996).

기관내삽관술보다 기관절개술이 일차적으로 필요한 경우

기관내삽관 후 기관절개술로 전환하는 것보다 일차적으로 기관절개술로 기도를 확보해야 하는 경우는 표 9-5와 같다. 특히 흡입 화상의 경우 후두 부위의 점막손상이 많아 기관내삽관을 시행하여 후두 점막에 심각한 손상을 주기 보다는 기관절개술을 시행하여 차후에 발생할 수 있는 성문하협착이나 후성문협착을 예방하는 것이 더 바람직하다.

표 9-5. 기관내삽관의 상대적인 금기증

경추 골절	
후두 외상	
심한 인두 외상	개구불능
	출혈
	점막 파열(생명을 위협할 수 있는 식도주위 파열)
흡입 화상	

기관내삽관술에 비해 기관절개술이 갖는 장점

갑작스러운 기도폐쇄로 인한 경우를 제외하고 기관절개술은 일반적으로 선택적으로 시행된다. 기관내삽관술에 비해 기관절개술이 갖는 장점은 표 9-6과 같다. 기관내삽관의 경우 수일 내에 후두부종, 육아종형성, 궤양 병변이 후두부, 주로 후교련부(posterior commissure)에 나타난다. 오랫동안 방치되면 후두협착으로 진행될 수 있다. 일단 성문협착이 발생하면 교정이 어려울 뿐만 아니라 발성 및 연하기능이 저하된다. 기관절개술은 후두를 우회함으로써 후두부종을 감소시키고 후두협착의 위험성은 낮춘다(McWhorter, 2003). 다른 이점으로는 장기간의 인공호흡기가 필요한 환자에서 진정(sedation)의 필요성을 감소시킨다. 이러한 이유는 기관절개술이 기관내삽관보다는 환자가 더 편하기 때문으로 생각된다(Blot et al, 2008). 그리고 기관절개술은 기관내삽관술에 비해 경구섭취와 의사소통을 조기에 가능하게 할 수 있다.

표 9-6. 기관내삽관술에 비해 기관절개술이 갖는 장점

환자이동의 편리성
더 안전한 기도확보
환자의 편안함
기도관리의 편리성
직접적인 후두손상의 최소화
경구 식이의 편리성
발성이 쉬워 의사소통 용이
인공호흡기 적용중인 환자에서 일반병동으로 조기 전동가능
인공호흡기에서 자발호흡으로 전환이 용이(ventilator weaning)
의인성 폐렴의 가능성을 낮춤

기관절개술의 시기

기관내삽관으로 기도가 일단 확보된 후 기관절개술로 전환하는 적응증은 기관내삽관에 따른 후두 손상과 기관절개술의 위험성, 그리고 이후의 합병증을 고려하여 대개 기관내삽관 이후 약 2주가 경과된 시기에 시행하여 왔다. 기관내관의 개선과 기도관리 기술의 향상으로 인하여 후두 손상이 과거보다 줄어들었으나 기관내삽관 후 장기적으로 추적 관찰한 연구에서는 합병증이 약 1-19% 정도에서 발생하는 것으로 보고되어 있다(Colice et al, 1989). 기관절개술의 시기에 관해서는 인공호흡기와 관련된 폐렴(ventilator-associated pneumonia, VAP)의 빈도를 줄이고, 인공호흡기 사용기간을 줄이고 중환자실 재원기간을 줄이기 위해 조기에 기관절개술을 시행하는 것에 대한 관심이 높다(Durbin, 2010). 기관절개술의 시기에 대한 여러 가이드라인은 아직 범위가 넓다. 1989년 American College of Chest Physicians은 인공호흡기의 사용이 10일 이내의 경우에는 기관내삽관을 유지하고 21일을 초과하는 경우에는 기관절개술을 권고하였다(Plummer and Gracey, 1989).

악안면외상환자에서 1주 이내에 조기에 기관절개술을 하는 것이 1주이후로 늦게 기관절개술을 하는 것을 비교하였을 때 생존율, 인공호흡기와 관련된 폐렴의 발생빈도, 인공호흡기 사용기간, 중환자실 입원기간에 유의한 차이는 없었지만 인공호흡기 사용기간과 중환자실 입원기간이 심한 뇌손상 환자에서는 감소되는 경향성을 보였다(Dunham and Ransom, 2006).

장기간의 기관내삽관이 필요한 뇌출혈, 지주막하출혈, 허혈성 뇌졸증 환자에서 기관절개술의 시기에 따라 비교하였을 때 17일 이내에 조기에 기관절개술을 하는 경우와 18일째 평균적인 기관절개술을 하는 경우로 나누어 비교하였을 때 중환자실 입원기간의 차이는 없었으나 진정제와 마약제의 사용이 유의하게 낮았다(Bosel et al, 2012).

심장수술 환자에서 기관절개술은 기관분비물로 인한 흉골부위의 창상감염의 위험, 종격동염의 가능성으로 인하여 논란이 있다. 관상동맥우회수술이나 심장판막수술 후에 10일 이전에 조기 기관절개술을 한 경우와 2주에서 한달 사이에 기관절개술을 한 경우를 비교하였을 때 조기에 기관절개술을 한 경우에 사망률 및 중환자실 입원기간이 짧았으며 흥미롭게도 흉골부위의 창상감염도 조기 기관절개술을 한 경우에 더 낮았다(Devarajan et al, 2013). 창상감염의 경우에는 상반되는 결과도 있다. 심혈관수술 후 1.4%의 환자가 호흡부전으로 기관절개술을 받았는데, 흉골염증이 기관절개술을 받은 경우가 받지 않는 경우보다 유의하게 높았다(Ngaage et al, 2008).

후향적 연구에서는 5,095명의 심장수술환자의 1.1%에서 기관절개술이 시행되었는데 종격동염은 1례에도 발생하지 않았으며 기관절개술과 흉골염증의 관련성도 없었다(Gaudino et al, 2009). 비슷한 연구에서는 총 2800명의 심상수술환자 중 252명에서 호흡부전이 발생하였으며 108명이 기관절개술을 받았다. 흉골염증의 비율은 기관절개술을 받은 경우와 받지 않은 경우에 차이가 없었다(Rahmanian et al, 2007).

여러 가지 복합적인 요인으로 중환자 치료를 받는 환자에서 조기 기관절개술와 늦게 기관절개술을 하는 경우를 비교하였을 때 조기 기관절개술을 한 환자들이 인공호흡기의 사용기간과 중환자실 재원기간이 짧았다(Griffiths et al, 2005). 기관절개술 시기를 7일을 기준으로 나누었을 때 조기 기관절개술이 인공호흡기의 사용시간을 45% 줄였고, 중환자실 재원기간을 34% 감소시켰다고 보고하였다(Tong et al, 2012). 하지만 다른 연구에서는 조기 기관절개술이 사망률, 폐렴의 발생률, 인공호흡기와 진정제의 사용을 감소시키지 못하였다(Wang et al, 2011).

상기 내용을 고려한다면 기관절개술을 시행하는 데 있어서 환자 개개인에 대한 개별적인 접근이 필요하다는 것을 알 수 있다. 환자 개개인의 기저질환에 따른 임상 경과와 예후를 고려하는 것이 적절한 기관절개술의 시기를 결정하는 데 중요하다(Koh et al, 1997). 만일 삽관 상태가 지속될 것이 예상되는 경우에는 조기에 기관절개술을 시행할 수 있다. 특히 한달 이상 장기간의 기관절개술이 필요한 경우에는 기도협착을 방지하고 기관공의 안전하고 청결한 관리를 위하여 기관개창술(tracheal fenestration)을 시행하기도 한다.

기관절개술의 금기증

기관절개술에 대한 절대적인 금기증은 없으며 상대적인 금기증으로는 기도를 폐쇄하고 있는 것이 암종으로 예상이 될 때이다. 기도확보를 위해 기관절개술을 시행하는 과정에서 암종을 부분적으로 절개를 가하게 되면 암종을 주위조직으로 전이시킬 수가 있으므로 주의해야 한다. 이와 같은 경우에는 가능한 한 기관내삽관을 우선적으로 고려하는 것이 좋다. 특히 진행된 후두암 환자에서는 기관절개술을 피하여야 하고 부득이 기관절개술을 시행한 경우에도 48시간 이내에 후두절제수술을 시행해야만 기관공이나 피부에서의 재발 확률을 낮출 수 있다.

기관절개술을 고려해야 함에 있어 유념할 사항들을 아래와 같이 정리할 수 있다.
① 응급 기관절개술은 가능한 한 시행하지 않는 것이 좋다.
② 기관절개술의 장점으로는
　　- 기관내삽관으로 인한 상기도 자극이 없다.
　　- 진통제나 안정제, 근이완제의 사용을 줄일 수 있다.
　　- 기관분비물의 제거와 구강위생관리에 용이하다.
　　- 경구식이가 가능하다.
　　- 상기도 저항과 사강을 줄여 환기를 원활하게 한다.

　　－ 인공호흡기를 조기에 제거하는 데 도움을 줄 수 있다.

③ 장기간의 기관내삽관 후 기관절개술로 전환하는 것보다 일차적으로 기관절개술을 시행하는 것이 더 유익한 경우도 있다.

④ 기관절개술은 환자에 대한 개별적인 평가와 기관절개로 얻을 수 있는 환자의 실질적인 이점 등을 충분히 고려하여 결정해야 한다.

■ 참고문헌

1. Blot F, Similowski T, Trouillett JL, et al. Early tracheotomy versus prolonged endotracheal intubation in unselected severely ill ICU patients. Intensive Care Med. 2008;24:1779-87.

2. Bosel J, Schiller P, Hacke W, et al. Benefits of early tracheostomy in ventilated stroke patients? Current evidence and study protocol of the randomized pilot trial SETPOINT (Stroke-related Early Tracheostomy vs Prolonged Orotracheal Intubation in Neurocritical Care Trial). Int J Stroke. 2012; 7:173-82.

3. Carron JD, Derkay CS, Strope GL, et al. Pediatric tracheotomies: Changing indications and outcomes. Laryngoscope. 2000;110:1099-104.

4. Colice GL, Stukel TA, Dain B. Laryngeal complications of prolonged intubation. Chest. 1989;96:877-84.

5. Devarajan J, Vydyanathan A, Xu M, et al. Early tracheostomy is associated with improved outcomes in patients who require prolonged mechanical ventilation after cardiac surgery. J Am Coll Surg. 2012; 214:1008-16,

6. Dunham CM, Ransom KJ. Assessment of early tracheostomy in trauma patients: a systematic review and meta-analysis. Am Surg. 2006;72:276-81.

7. Durbin CG, Jr. Tracheostomy: why, when and how? Respir Care. 2010;55:1056-68.

8. Fagan JJ, Johnson JT, Stool SE, et al. Tracheotomy. In Continuing Education Program, Alexandria, American Academy of Otolaryngology-Head and Neck Surgery, 3rd ed. 1997.

9. Gaudino M, Losasso G, Anselmi A, et al. Is early tracheostomy a risk factor for mediastinitis after median sternotomy? J Card Surg. 2009;24:632-6.

10. Goldenberg D, Golz A, Netzer A, et a.: Tracheotomy: changing indications and a review of 1130 cases. J Otolaryngol. 2002;31:211-5.

11. Griffiths J, Barber VS, Morgan L, et al. Systematic review and meta-analysis of studies of the timing of tracheostomy in adult patients undergoing artificial ventilation. BMJ. 2005;330:1243.

12. Koh WY, Lwe TW, Chin NM, et al. Tracheostomy in a neuro-intensive care setting: indications and timing. Anaesth Intensive Care. 1997;25:365-8.

13. Kraft SM, Schindler JS. Tracheotomy. In: Flint PW, Francis HW, Haughey BH, et al. Cummings Otolaryngology Head & Neck Surgery. 6th ed. Elsevier. 2015;96-7.

14. Lewis JV, Portera CA Jr. Rattlesnake bite of the face: case report and review of the literature. Am Surg. 1994;60:681-2.

15. McWhorter A. Tracheostomy: timing and techniques. Curr Opin Otolaryngol Head Neck Surg. 2003; 11:473-9.

16. Ngaage DL, Cale AR, Griffin S, et al. Is post-sternotomy percutaneous dilatational tracheostomy a predictor for sternal wound infections? Eur J Cardiothorac Surg. 2008;33:1076-9.

17. Plummer AL, Gracey DR. Consensus conference on artificial airways in patients receiving mechanical ventilation. Chest. 1989;96:178-80.

18. Rahmanian PB, Adams DH, Castillo JG, et al. Tracheostomy is not a risk factor for deep sternal wound infection after cardiac surgery. Ann Thorac Surg. 2007;84:1984-91.

19. Scurry WC, Jr, McGinn JD. Operative tracheotomy. Oper Tech Otolaryngol Head Neck Surg. 2007;18:85-9.

20. Shikowitz MJ, Levy J, Villano D, et al. Speech and swallowing rehabilitation following devastating caustic ingestion: techniques and indicators for success. Laryngoscope. 1996;106(2 Pt 2 Suppl 78):1-12.

21. Tong CC, Kleinberger AJ, Paolino J, et al.: Tracheotomy timing and outcomes in the critically ill. Otolaryngol Head Neck Surg. 2012;147:44-51.

22. Wang F, Wu Y, Bo L, et al. The timing of tracheotomy in critically ill patients undergoing mechanical ventilation. Chest. 2011;140:1456-65.

23. Ward RF, Jones J, Carew JF. Current trend in pediatric tracheotomy. Int J Pediatr Otorhinolaryngol. 1995;32:233-9.

24. Zachariades N, Papavassiliou D, Papademetriou I, et al. The role of tracheostomy in fractures of the facial skeleton. Oral Surg Oral Med Oral Pathol. 1983;55:558-9.

CHAPTER 10

성인 기관절개술

서울대학교 의과대학 이비인후과 **안순현**

기관절개술은 이비인후과 수련과정 중 1년차에 습득하여야 할 술기로 분류되어 있어서 이비인후과 의사라면 가장 기본적으로 숙지하여야 할 수술이다. 그러나 장기적으로 환자가 기관절개관을 가지고 편하게 지낼 수 있게 하기 위해서는 세심한 고려가 필요하다. 따라서 단순히 기도에 기관절개공을 만들어서 기관절개관을 집어넣는 것이 수술의 목표라기 보다는 추후에 합병증이 발생하지 않도록 기관절개공을 만드는 것이 중요하다. 이 장에서는 주로 기도삽관이 되어 있는 환자에서 예정된 기관절개술을 시행할 때의 술기를 위주로 설명하고, 각 단계에서의 주의점에 대해서 이야기하고자 한다.

환자의 자세

환자의 어깨에 수술방포를 넣어서 목이 신전되도록 한다. 최근에는 대부분의 선택적 기관절개술은 수술방에서 진행되고 있으므로 문제가 되지 않지만, 필요에 따라서는 중환자실에서 바로 시행할 수밖에 없는 경우가 발생한다. 중환자실의 침대는 에어매트리스 등을 사용하는 경우가 많아 어깨받침이 적당히 작용하지 못하는 경우가 있어서, 중환자실에 비치되어 있는 환자 이송용 받침대 혹은 CPR 받침대를 환자아래에 깔고 시행하는 것도 도움이 된다. 그러나 경추에 문제가 있는 경우는 신전을 주의하여야 하며, 진행된 후두암에서 종양이 커서 기도삽관이 어려운 경우, 혹은 개구장애로 기도삽관이 불가능한 환자 등에서 수술 전 기도확보를 기관절개로 하는 경우는 수술 전 환자의 상태를 파악하여, 바로 누워서 10-20분을 유지하기 어려운 경우는 fowler position으로 환자의 상체를 비스듬하게 하고 시행하기도 한다.

소독 및 마취

일반적인 선택적 기관절개술은 기관내삽관이 되어 있는 상태에서 시행되는 경우가 일반적이므로, 수술방에서 시행하는 경우는 전신마취가 되며, 중환자실에서 시행되는 경우도 해당 주치의와 의논하여 적절한 진정 약물과 필요에 따라서는 근이완제를 사용하여 전신마취에 준하는 상태에서 시행한다. 그러나 기도삽관이 불가능한 환자에서 기관절개술을 시행하는 경우는 부분마취로 시행이 되므로, 주의를 요하며 특히 다른 수술을 위한 기관절개술인 경우는 마취과의 도움을 받아서 환자의 상태를 모니터링하는 것이 중요하다.

소독은 일반적인 두경부수술에 준해서 준비하면 되며, 피부절개 위치에 1:100,000 에피네프린을 섞은 1% 리도카인을 주사한다. 마취와 혈관수축 작용이 나타나는 시간을 고려하여 피부절개는 주사 후 어느 정도의 시간이 지나고 시작한다. 저자에 따라 5분 이상을 기다리라고 하는 경우도 있다.

피부절개

저자의 경우는 횡절개(horizontal incision)를 이용하여 기관절개술을 시행한다. 횡절개가 다른 경부의 수술과 같이 진행될 때 절개선이 원래 수술의 절개선과 평행하게 될 수 있기 때문이다. 저자에 따라서는 종절개(vertical incision)를 선호하는 경우가 있으며 그 이유에 대해서 2007년 발행된 기관절개술 책에서는 기관절개창의 높이를 조정하기 쉽고, 연하 시 기관절개관의 상하 움직임이 자유롭다는 점, 피부절개와 혈관의 주행이 평행하고, 피대근의 방향과 일치하여 박리와 출혈의 예방에 좋다는 등의 장점을 이야기하기도 하였다. 저자의 경우는 소아의 경우 아주 작은 절개로 기도절개를 시행하는 경우는 종절개의 유리함이 있을 수도 있다고 생각하나 성인에서는 어느 정도의 절개를 시행하고 충분한 시야를 가지므로 일

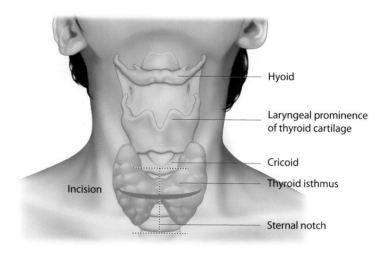

Hyoid

Laryngeal prominence
of thyroid cartilage

Cricoid

Thyroid isthmus

Incision

Sternal notch

그림 10-1. **목의 중요 랜드마크.** 일반적으로는 윤상연골과 흉골상절흔 중간 정도에 절개를 가하나, 목이 긴 사람의 경우는 윤상연골을 기준으로 3-4 cm 하방에 시행한다.

반 수술에서 익숙한 횡절개를 더 선호하고 있다.

피부절개는 기관 절개술에서 가장 중요한 부분이기도 하다. 피부절개와 기관공은 최단 거리로 만들어져야 한다. 기관절개공은 일반적으로 제2-3 기관륜에 시행하므로 이 위치를 예상하여 피부절개를 시행한다. 윤상연골(cricoid cartilage)과 흉골상절흔(suprasternal notch)의 위치를 촉지로 확인하고, 그 중간 혹은 목이 길어서 공간이 넓은 경우는 윤상연골에서 3-4 cm 하방에 위치하게 한다. 윤상연골을 촉지할 때는 설골과 갑상연골의 후두융기(laryngeal prominence)를 모두 촉지하여 위치를 확인하는 것이 중요하며, 경우에 따라서 갑상선 협부를 윤상연골로 잘못 생각하는 경우도 있으므로 주의를 요한다(그림 10-1).

박리 및 갑상선 협부의 처리

피부절개가 정중앙에 시행되므로 일반적으로 두경부 피판거상의 기준이 되는 광경근(platysma muscle)은 없는 경우가 많다. 따라서 갑상선 수술과 유사하게 피대근을 싸고 있는 근막을 확인하고 그 위로 피판을 거상하게 되며, 이 경우 전경정맥은 위치확인을 위한 중요한 구조이며, 전경정맥의 위로 피판을 들어 위아래로 피대근을 노출한다. 양측 흉골설근

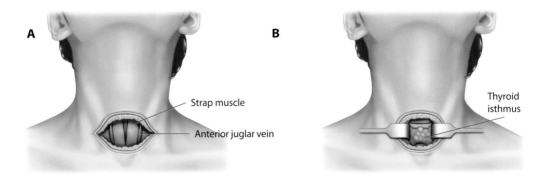

그림 10-2. 피대근의 확인 및 갑상선협부의 확인. (A) 피부피판을 들어올려 피대근을 확인하고 이때 전경정맥을 확인하여 출혈이 발생하지 않도록 한다. (B) 피대근의 가운데를 박리하여 좌우로 견인하여 갑상선 협부를 확인한다. 갑상선 협부가 피부절개 선 상에서 확인이 되는 것이 적절한 높이이다.

(sternohyoid muscle)사이의 공간을 확인하고 박리하면서 흉골설근을 양쪽으로 견인하면 갑상선의 협부가 확인된다. 흉골설근의 견인을 위해 일반적으로 사용되는 것은 Senn retractor인데, 술자는 조수의 견인기 위치를 수시로 확인하여 지나치게 깊이 견인기를 위치시키지는 않는지, 좌우 견인 힘이 차이가 나지 않는지 등에 대한 체크가 필요하다. 지나치게 깊이 견인기를 위치시키는 경우 기도가 한 쪽으로 견인되거나 좌우 힘이 차이가 많아서 수술 필드를 측경부로 유도하는 경우에 경동맥을 기도로 오인하는 사고도 가능하다(그림 10-2).

갑상선의 협부가 확인이 되면 협부의 아래쪽을 박리하여 기관의 전벽을 확인한다. 이는 기관륜의 구조를 확인하여 시행할 수도 있고, 빈 10 cc 주사기로 찔러서 plunger를 후퇴시켜 공기가 barrel에 차는 것으로 확인할 수도 있다. 그 후에 협부를 기관에서 박리하고, 기구의 구성에 따라서 Senn retractor나 towel clip 등으로 협부를 상측으로 견인하면 기관공을 만들어야 하는 기관을 노출시킬 수 있다. 저자의 경우는 기관절개관을 오래 가지고 있을 확률이 높은 경우는 협부를 절단하고 기관절개공을 만들며, 이렇게 시행하는 경우가 피부에서 기관공까지의 거리도 짧아지고, 기관절개관의 위치가 좋아지면서 기관절개관에 의한 기관벽의 자극으로 생기는 합병증들을 예방하는 것에 유리하기 때문이다. 협부의 절단은 최근에는 에너지 디바이스를 이용하는 경우가 많으나, 준비가 되지 않은 경우는 2-0 실크를 이용하여 봉합결찰(suture ligation)하는 것이 출혈 예방을 위해 필요하다(그림 10-3).

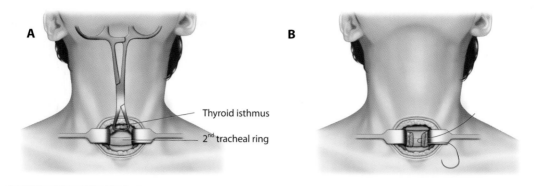

그림 10-3. **협부의 처리.** (A) Towel clip 등을 이용하여 위쪽으로 협부를 견인하여 2, 3번째 기관연골을 노출시킨다. (B) 협부를 절제하고 2-0 nylon 등을 이용하여 봉합결찰을 시행한다. 최근은 에너지 디바이스로 대체하기도 한다.

기관공 형성

기관에 절개를 가하면 혈액이 흡인이 되므로 특히 전신마취상태가 아니고 기관내삽관이 되어 있지 않은 경우는 기침을 많이 할 수밖에 없다. 따라서 부분마취로 진행하는 경우는 주사기를 이용하여 공기의 흡인도 확인하고 리도카인을 기관 내에 소량 분사하여 기관 내 점막을 마취시키는 것도 유용한 방법이다. 전신마취 하에서는 반드시 마취과의사에게 기관이 열릴 것임을 알려서 삽입되어 있는 기관내관을 제거할 준비와 기관절개 과정에서 기관내관의 기낭이 터져서 환기가 잘 되지 않을 가능성에 대해서 준비하여야 한다. 또한 적절한 기관절개관을 준비하여 기낭의 작동이 정상적인지 확인하여 준비를 한다. 이상적인 기관절개관의 크기는 기관 지름의 2/3에서 3/4정도로 알려져 있으며, 일반적으로 남자 성인은 ID 7.0-8.0, 여자 성인은 ID 6.0-7.0 정도를 선택하게 되는데, 기관공이 작을 경우 기관절개관을 넣기가 어려운 상황이 발생할 수 있으므로 한 사이즈 작은 관을 함께 준비시키는 것이 좋다. 기관공은 2-3번째 기관륜에 만들어지는 것이 이상적이다. 그러나 환자의 상태에 따라서 후두전절제술을 시행하여야 하는 후두암 혹은 하인두암 환자에서는 1-2번째 기관륜에 만들기도 하는데, 이는 후두전절제술 후에 기관이 많이 남을수록 기관공을 만들기가 쉽기 때문이다. 기관절개공의 위치와 피부절개는 가장 단거리로 만들어져야 한다. 기관공의 위치가 피부절개보나 높으면 기관의 뒷벽이, 피부절개보나 낮으면 앞벽에 미란이 생기며, 기관의 정면이 아닌 측면에 기관공이 만들어져도 반대쪽 기관벽에 미란을 만들고, 이는 계속적인 가피와 출혈 등의 문제를 만들어, 환자가 기관절개관으로 불편해하는 상황이 발생한다. 특히

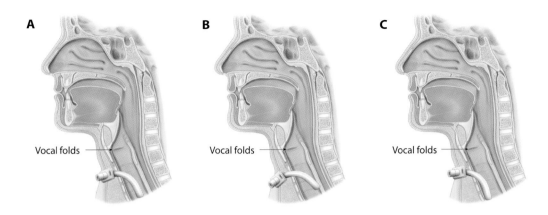

그림 10-4. **피부절개와 기관절개공의 위치에 따른 문제점.** (A) 정상적인 위치, (B) 기관절개공이 피부절개보다 높은 경우. 기관 후벽의 손상이 발생. (C) 기관절개공이 피부절개보다 낮은 경우. 기관의 전벽에 손상이 발생하며, 심한 경우 무명동맥의 누공이 발생가능하다.

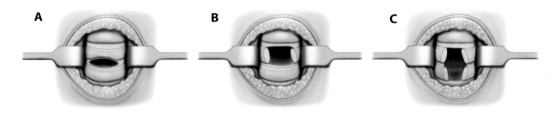

그림 10-5. **기관공의 형태.** (A) 2-3번째 기관연골 사이에 수평의 절개, (B) 2번째 기관연골의 일부를 제거, (C) 2-3번 기관연골에 원형의 기관공 형성

기관공을 피부절개보다 너무 아래쪽으로 만들면 기관절개관이 불안정하게 거치되면서 예상치 못하게 기관절개관이 빠지는 사고가 발생하기 쉽고, 기관절개루가 형성되기 전에 빠지는 경우 다시 기관공을 찾아서 넣기가 힘들어 저산소뇌손상과 같은 의료사고가 발생할 수 있다(그림 10-4). 기관공을 만드는 방법은 교과서마다 다양한 방법들을 소개하고 있다. 기관공은 지나치게 크게 만들면 기관의 구조가 약해지므로 발관 후 기관협착 등이 발생할 수 있으므로 주의를 요하고, 지나치게 작은 경우는 기관절개관의 삽입도 어렵고, 주변 기관 연골이 눌려서 괴사가 되면서 발관하기가 어려운 상황이 발생할 수 있다. 따라서 발관 후에 기도협착이 발생하지 않도록 기관연골의 손상을 최소화하면서 적절한 크기의 기관공을 만드는 것

이 기본원칙이다. 저자의 경우는 짧은 기간만 기관절개관이 필요한 경우는 2, 3번째 기관연골 사이에 수평절개만 넣고 기관절개관을 삽입하기도 하나, 대부분은 2번 기관륜을 1/3정도를 절제하는 방법으로 기관공을 만들고 있다. 필요에 따라서는 2, 3번 기관연골의 일부를 제거하여 원형의 기관공을 만들기도 한다(그림 10-5).

기관개창술(Tracheal fenestration, mature suture)

기관개창술은 병원에 따라서 시행여부가 차이가 있다. 저자의 경우는 매우 짧은 시간만 기관절개관이 필요한 환자를 제외하고는 모든 기관절개술에서 개창술을 시행하고 있다. 개창술을 시행하는 경우는 거짓통로가 만들어지는 것을 예방하므로 기관절개관의 삽입이 쉽고, 예기치 않게 기관절개관이 빠지더라도 다시 삽입하는 과정에 문제가 발생할 확률이 낮다. 단점은 발관 후 절개공이 닫히는 데 시간이 오래 걸리고 경우에 따라서는 기관절개공을 닫기 위한 수술을 추가로 하여야 할 경우도 있다는 점이다. 기관개창술을 시행할 경우는 기관공을 만들 때 튜브를 약간 깊게 위치시키면 기낭이 터지지 않고 환기도 정상적으로 되는 상태에서 여유를 가지고 시행할 수 있다.

기관절개관 삽입 및 고정

기관공이 적절히 만들어지고 지혈 등이 이루어지면, 수술방에서 시행하는 경우는 마취과 의사에게, 중환자실에서는 담당의에게 구강으로 삽입되어 있는 기관내관을 만들어진 기관공을 지날 정도로 천천히 빼달라고 하며, 만약의 경우를 대비하여 완전히 제거하지는 않고 성대를 통과한 상태로 기관공의 직상방에 튜브의 끝을 유지하고 기관절개관을 기관공으로 집어넣는다. 기관개창술을 한 경우는 거짓통로로 들어가서 문제가 발생하는 일이 적지만, 그렇지 않은 경우는 반드시 기관절개관을 통해서 환기가 제대로 되는 지를 확인하여야 한다. 기관절개관의 삽입 후 자극에 의한 기침 등이 있으므로 기관절개관을 통해서 공기가 잘 환기되고 가래나 피가 배출되는 것으로 위치를 확인할 수 있고, 의심이 되는 경우는 굴곡형 내시경을 이용하여 확인할 수도 있다. 기관절개관이 정상적으로 삽입되었음을 확인한 후 삽관된 기관내관을 완전히 제거하고 기관절개관을 같이 제공되는 고정끈을 이용하여 고정한다. 환자의 어깨받침을 제거하고 경부를 전굴시킨 상태에서 단단히 매어야 예상치 못한 발관을 예방할 수 있다. 또한 끈을 묶을 때는 풀리지 않도록 완전히 결찰하는 것이 좋고, 풀리기 쉬운 리본형 매듭은 피하는 것이 좋다.

윤상갑상막절개술

후두암이나 구인두암이 심각한 경우 기관내삽관이 없이 기관절개술을 시행하는 경우가 있으나, 이런 경우는 환자의 의식이 명료하고, 수술 중 환자가 호흡을 문제없이 시행할 수 있는 경우이다. 그러나 인두의 출혈, 상후두의 감염, 알레르기 등으로 발생한 갑작스러운 부종 등으로 기도가 폐색되어 심폐소생술을 시행하고 있는 상황에서는 윤상갑상막절개술을 최우선으로 고려하여야 한다. 기관내삽관은 시도는 할 수 있으나, 대개는 기도를 노출시키기가 어려우므로 시도는 해보고 안되면 바로 다음 단계로 넘어가야 한다. 응급기관절개술은 가능은 하나, 저산소뇌손상을 예방할 정도로 빠르게 하기는 쉽지 않다.

응급상황에서 시행되는 윤상갑상막절개술은 촉지를 통하여 윤상연골의 위치를 정확히 확인하는 것이 가장 중요하다. 갑상연골의 후두융기(laryngeal prominence), 설골을 모두 확인하여 윤상갑상막의 위치를 표시한다. 저자의 경우는 10번 메스를 수평으로 찔러서 피부부터 윤상갑상막까지 한 번에 통과시킨 후 메스를 90도 돌려서 공간을 만들고, 모스키토 등의 겸자로 공간을 확보한 후 기관내관을 삽입하는 것을 선호한다. 기관절개술에 사용되는 기관절개관은 끝이 편평하게 되어 있으며, CPR 상황에서는 목끈의 고정 등이 쉽지 않은 점을 고려할 때, 끝이 비스듬하게 되어 있는 기관내관이 좁은 틈으로 넣기도 편하고, 충분히 길이가 있어서 빠지지 않을 수 있도록 약간 깊게 위치시킬 수 있는 장점이 있다. 술자에 따라서는 수평으로 절개를 가할 경우 전경정맥의 손상이 흔하므로 출혈이 있어서 수직절개를 선호하는 경우도 있으며, 이는 술자의 편의에 따라 결정할 수 있다.

최근 응급실에는 응급 윤상갑상막절개를 위한 키트를 비치해 놓은 경우가 많으며, 다양한 형태의 제품이 있어 이를 이용하여 좀 더 편하게 시행할 수 있다. 다만 키트를 선택할 때 삽입하는 튜브의 길이가 충분히 긴 세트를 이용하는 것이 좋다. 튜브가 작고 짧은 경우는 삽입은 편하지만 이후 환자가 움직일 때 쉽게 빠질 수 있으므로 의료사고의 가능성이 높아서 주의를 요한다(그림 10-6).

응급상황이 해결된 후에도 기도의 확보를 위해 튜브의 유지가 필요한 경우는 앞에 기술한 바와 같이 선택적 기관절개술의 술식을 시행하여야 한다. 윤상갑상막절개는 오래 유지할

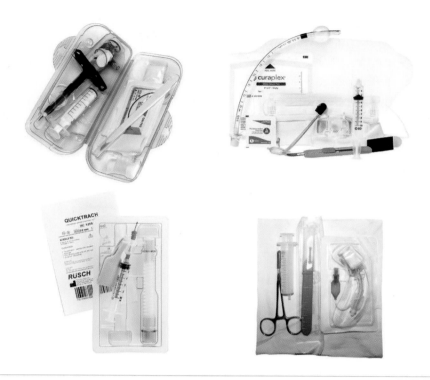

그림 10-6. **다양한 윤상갑상막절개 키트**

경우 성문하 부위의 손상이 가능하므로 지나치게 오래 유지하지 않도록 한다.

기관절개술은 이비인후과의 가장 기본적 술기이지만 장기적으로 문제가 없고 환자가 편안하게 기관절개관을 가지고 생활할 수 있도록 적절하게 시행하는 것은 많은 고려와 경험이 필요하다. 특히 기관절개관을 가지고 있는 환자가 불편해할 때 반드시 굴곡형 내시경을 이용하여 기관절개관을 통해서 기관절개관의 끝부분이 기관에 적절하게 위치하여 기관벽을 자극하고 있지 않은지, 기관절개관을 빼고 기관벽에 기관절개관으로 인한 미란이 발생하지 않았는지에 대한 평가가 중요하고, 그런 경우 뒤에 나올 다양한 기관절개관 중에서 이런 문제를 해결할 수 있는 제품이 있는지에 대한 고려가 장기적인 관리에 반드시 필요하다.

■ 참고문헌 ■

1. 권택균. 윤상연골절개 및 연골이식. In: 대한갑상선두경부외과학회 편. 갑상선 두경부외과학. 범문에듀케이션. 2014. pp. 645-650

2. 박헌수, 박준욱. 기도확보술. In: 대한이비인후과학회 편. 이비인후과학 두경부. 군자출판사. 2018. pp. 1075-1091

3. 우주현, 기관절개술과 기관개창술. In: 대한갑상선두경부외과학회 편. 갑상선 두경부외과학. 범문에듀케이션. 2014. pp. 625-631

4. 최승호, 기관절개술의 술기. In: 김광현 편, 기관절개술, 한국의학원, 2007, pp. 89-99

서울대학교 의과대학 이비인후과학교실 **권성근**

CHAPTER 11

소아 기관절개술
Pediatric Tracheostomy

소아 후두 및 기관의 해부

후두는 후방으로 두개저(skullbase)에 인두괄약근(pharyngeal constrictor)으로 연결되고 전방으로 설골 및 하악에 갑상설곤근(thyrohyoid muscle), 이복근(digastric muscle), 경돌설골근(stylohyoid muscle) 등으로 연결되어 매달려 있는 형태로 존재한다. 소아의 후두는 경부의 상부에 위치하여 있어서 유아의 경우 흉골상절흔(sternal notch) 상부에 위치한 기관륜의 개수가 10개 정도가 된다. 유아의 후두는 3–4번 경추 위치에 존재하며 2세 이후부터 나이가 들어가며 후두의 위치는 아래쪽으로 내려오게 된다(그림 11-1). 청소년기에는 경부에 후두가 6–7번 경추 위치로 하강하여 대략 6–8개의 기관륜이 경부에 존재하게 된다. 또한, 소아에서는 갑상설골막이 짧아 갑상연골이 설골의 바로 아래 위치하게 되어, 많은 수의 경부 기관륜과 더불어 소아의 기도협착 수술을 조금 더 용이하게 해주는 해부학적 특징을 보이게 된다.

A　　　　　　　　　　　　　**B**

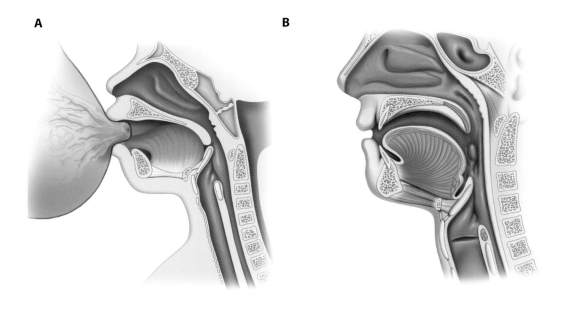

그림 11-1. 소아와 성인의 후두의 위치 및 경부 기관륜 개수의 차이

　　소아의 갑상연골은 V자 모양의 성인과 다르게 동그란 형태이어서 기관내관에 의한 손상에 취약하다. 전체적으로 유아의 경우 성인 후두의 약 1/3정도 크기로 작으나 후두 내 성대에서 연골부(cartilaginous portion)이 1/2정도로 상대적으로 크며 이 비율은 3세 이후에 작아져 성인에서는 연골부가 전체 성대 길이의 약 20%로 작아진다. 소아의 후두 점막은 쉽게 부종이 발생할 수 있어 주변 조직 손상에 영향을 많이 받을 수 있다. 후두 및 기관의 연골은 성인에 비해 더 부드럽고 유연한 특징을 가지고 있다. 나이가 듦에 따라 연골의 석회화가 진행되면 전체적인 연골의 성상은 다소 단단해진다. 소아의 기관은 성인과 비교하여 전체적인 모양과 기관륜의 개수는 동일하나 크기만 작으며 출생 후부터 청소년 후기까지 전체 기관의 길이는 약 2배로 길어지고, 직경은 3배로 커져 단면적은 약 6배로 증가한다. 다만 각각의 기관륜의 개수는 일정하게 16-20로 유지되고, 기관 후방의 막성부의 섬유탄성조직 및 근육조직도 크기만 증가하며 그대로 유지된다.

　　후두는 상갑상동맥(superior thyroid artery) 및 하갑상동맥(inferior thyroid artery)에서 혈류를 공급받는다. 상후두동맥(superior laryngeal artery)은 상갑상동맥에서 기원하며 상후두신경과 함께 외측갑상설골인대 바로 앞쪽의 갑상설골막을 뚫고 후두 내로 진입하여 성문

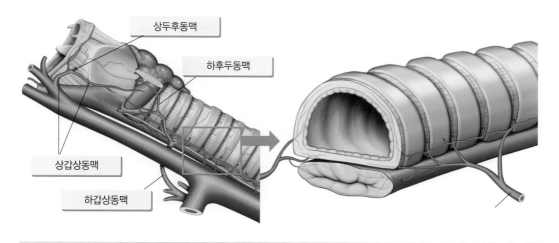

그림 11-2. 후두와 기관의 혈관 분포

부와 성문상부의 혈류 공급을 담당한다. 하후두동맥(inferior laryngeal artery)는 하갑상동맥의 분지로, 성문부, 성문하부 및 하인두괄약근(inferior constrictor muscle), 윤상갑상근(cricothyroid muscle)에 혈류를 공급하며, 성문부 주위에서 상후두동맥의 혈류와 문합을 이룬다. 상갑상동맥이 경부 기관에 직접적인 분지를 내지는 않지만, 갑상선 주위에서 하갑상동맥과 문합을 이루어 갑상선 피막에서 기원하는 작은 영양 혈관을 통해 간접적으로 기관 상부에 혈액을 공급한다. 경부 기관은 주로 하갑상동맥에서 혈류를 공급받고 흉부 기관은 무명동맥 혹은 쇄골하동맥에서 혈류를 공급받는다(그림 11-2).

소아 기도 수술에서 중요한 것은 혈류를 공급하는 동맥 자체보다는 기관 주위 동맥의 분절화된 혈류 공급이다. 하갑상선동맥은 양쪽의 경동맥 피복의 후방으로 주행하며 대부분 되돌이후두신경의 앞뒤로 기관식도협곡에 세 개 정도의 분지를 낸다. 이 분지들은 후방으로 식도 분지를 내고, 전방의 기관 분지를 내어 약 3-4개의 기관륜 사이에서 이 분지들이 연결되어 완벽한 문합을 만든다(그림 11-2). 각각의 기관 분지들은 연골과 연골 사이를 통과하여 기관 내부 점막하로 진입하여 풍부한 모세혈관 문합을 형성하고 기관륜의 연골은 이렇게 형성된 문합으로부터 혈류를 공급받는다. 이는 후방 막성 연골의 혈류와는 분리된 것으로 기관 내부 점막 압박 등으로 인한 기관 점막하 혈류 공급 차단은 기관 연골의 괴사를 일으킬 수 있다. 흉부 기관의 혈관 분포는 경부 기관의 분절화된 혈류 공급과 유사한 형태이다.

소아 기관절개술의 적응증

1960년대 초 이전에는 급성 감염(후두염, 인두농양 또는 후두기관–뇌염) 또는 외상(이물)으로 인한 기도 폐쇄 질환이 기관절개술의 주요 적응증이었다. 내시경과 소아중환자실의 기술 발전으로 기도 폐쇄 환자에서 안전하게 기도 확보를 할 수 있는 다양한 방법이 개발되어 의학적인 문제가 해결될 때까지 기관 삽관을 유지할 수 있게 되어 기관절개술의 빈도가 낮아지게 되었다(Campisi and Forte, 2016).

현재 기관절개술의 60% 이상은 1세 미만의 유아에서 시행되고, 이들 유아의 치료 기간은 수 주, 수개월 및 수년 이상으로 매우 긴 특징이 있다. 주요 적응증에는 선천성 또는 후천성 후두 기관 협착, 일정 기간 이상의 장기간의 인공호흡기 의존, 신경계통 문제로 인한 지속적인 흡인 환자에서 정기적인 가래배출 등이 포함된다(표 11-1). 기관절개술 시행 전 기관내삽관의 권장 기간은 보고마다 다양하며 환아의 질환이 갖는 성격과 예후, 동반 질환 유무에 따라 사례별로 결정해야 한다. 특히 미숙아의 경우 기도를 이루는 연골이 부드러워 장기간의 기관내삽관 이후에도 기도 협착 등의 빈도가 높지 않아 기관절개술 시행을 늦출 수 있다. 심각한 전방 경부 화상, 경부의 혈관 이상, 기흉/기종을 유발할 수 있는 높은 호흡기압의 필요성은 모두 기관절개술의 금기사항이다(Adly et al, 2018).

표 11-1. 소아 기관절개술의 적응증

기도 폐쇄 질환	두개골안면기형
	후두기관 협착
	양측 성대마비
	수면무호흡 관련 비구인두 폐쇄
	후두연화증
	기관연화증
	후두열(Laryngeal cleft)
	종양
환기 보조	호흡 곤란 증후군
	중추신경계 질환
	신경근육질환
가래 배출 (toileting)	인두후두부조화로 인한 흡인
	후두열(Laryngeal cleft)
	기관식도루

수술 전 계획

소아 기관절개술 시행이 환아 및 가족에게 의학적, 경제적 영향 등을 미치는 점을 고려하여 시술 시행 여부 결정은 매우 신중해야 한다. 비단 병원 내에서의 관리뿐만 아니라 가정에서 기관절개술 환아를 양육하고 보호하는 일은 일반적인 보호자들이 견뎌 내기 매우 어려운 수준일 수 있기 때문이다(21장 기관절개 환자의 간호관리, 22장 기관절개 환자의 가정 관리 참고).

수술 시행에 있어 매우 중요한 점은 다른 모든 기도 관련 수술이 그러하듯 마취과의사와의 원활한 의사소통이다. 환아의 기저 질환에 따라 기관내삽관의 어려워지는 경우가 많은데, 하악형성부전(mandibular hypoplasia), 대설증(macroglossia), 인두 혹은 후두기관 종괴 등의 환자에서는 수술 시행 전 환아의 상태에 대한 정확한 평가가 필요하고, 수술 등의 과거력 파악과 함께 후두내시경 혹은 기관지내시경이 가능하도록 준비되어야 한다. 따라서, 기관절개술은 적절한 조명과 수술 기구, 상기 기술된 기구들이 모두 준비된 수술실 내에서 시행되는 것이 가장 좋다. 환아의 연령 및 체중, 기관의 크기에 따른 여러가지의 기관절개관이 준비되어야 한다. 응급 상황에서도 최대한 기도를 확보할 수 있는 술기를 시행 후 기관절개술을 시행해야 하며, 경우에 따라 윤상갑상막절개술(cricothyroidotomy)를 시행할 수 있으나 이러한 응급 시술은 최대한 피하는 것이 바람직하다. 윤상갑상막절개술을 시행한 경우는 성문하 협착을 방지하기 위해 최대한 빠르게(24시간 내) 기관절개술을 시행하여 기관절개공을 아래로 내려주는 것이 필요하다. 경우에 따라서는 내경이 큰 주사 바늘을 이용하여 산소 공급을 하여 응급 상황을 피한 뒤 바로 기관내삽관술이나 기관절개술을 시행하는 경우도 있다.

수술 술기

수술은 기관내삽관 혹은 경우에 따라 환기형 기관지경술 하 전신 마취 상태에서 주로 시행된다. 성문하 협착이 있는 환아에서는 기관 삽관이 어려운 경우가 있을 수 있는데, 이러한 경우에는 고유량 비강 캐뉼라(High Flow Nasal Cannula) 혹은 성문위 기도유지기(Laryngeal Mask AIrway)를 통해 산소를 공급하여 산소포화도를 유지하면서 진행할 수 있다. 아주 응급한 상황이 아니라면 경구강 풍선확장술을 시행하여 협착 부위를 넓힌 뒤, 기관내삽관을 시도하면 수월하게 삽관할 수 있다. 협착 정도가 심한 경우, 제트 환기나 마스크 환기 등을

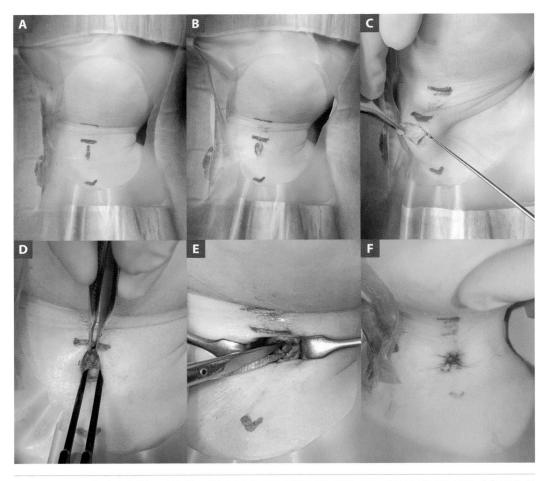

그림 11-3. 소아 기관절개술. (A&B) 피부 종절개. **(C)** 피하 지방 제거. **(D)** 갑상선 협부의 분리. **(E)** 기관 연골링 사이 횡절개. **(F)** 기관개창술.

거치한 상태에서 수술을 진행할 수도 있다(Ji et al, 2020).

환아의 자세는 앙와위로 어깨 밑에 받침 등을 두어 경부가 신전되도록 한다. 수술을 위한 경부의 해부학적 중요 위치는 정중선에 위치한 설골, 갑상절흔(thyroid notch), 윤상연골(cricoid cartilage), 흉골절흔(sternal notch) 등이다(그림 11-4). 연령이 어릴수록 지방층이 두껍고 연골 등이 부드러워 이러한 해부학적 중요 구조가 잘 안 만져질 수 있고, 특히 설골, 갑상절흔 등이 성인과 비교하여 상부에 위치하고 있음을 기억해야 한다. 신생아에서 갑상절흔은 설골 위치에 같이 있기 때문에 만져지는 경우가 없고, 결과적으로 잘 만져지는 구조는 설골과 윤상연골이다. 때로는 윤상연골 하방으로 갑상선 협부가 촉지되기도 한다. 신생아에서

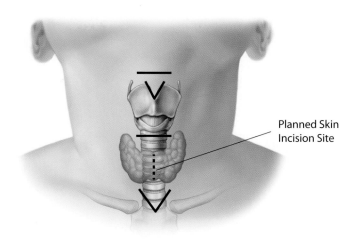

Planned Skin
Incision Site

그림 11-4. 해부학적 주요 구조 및 피부 절개 위치

도 설골 하방으로 촉지되는 구조물은 윤상연골이거나 갑상선 협부가 된다. 미용적인 이유로 피부 횡절개가 선호되나 유아의 경우 종절개를 하는 것이 더 유리할 수 있다. 이는 나이가 어릴수록 피부 절개 길이가 작아져 노출이 어렵고, 기관절개술의 노출은 좌우보다는 상하 노출이 중요하기 때문이다. 피부 절개의 위치는 갑상선협부(thyroid isthmus) 혹은 그보다 조금 아래쪽에 약 1 cm 길이로 시행한다. 너무 아래쪽에 절개를 하는 경우 피하 지방 층이 두꺼워 기관의 위치를 정확히 파악하기가 어려워지고, 기관이 원위부로 갈수록 후방으로 진행하여 피부로부터 기관과의 거리가 멀어진다.

피부 절개 후 피하 지방을 제거하여 피대근까지 노출을 시킨다. 유아의 경우 기관절개관을 교환할 때 협조가 어렵고 위험할 수 있기 때문에 기관절개창(tracheal fenestration)을 만들어 주어야 하고, 기관절개창을 만들기 위해서 피하 지방을 절제해 주는 것이 유리하다. 유아의 경우 피부 절개가 작게 이뤄지기 때문에 피하 지방을 절제해주는 것이 수술 부위 노출에도 매우 도움을 준다(그림 11-3D). 피대근을 노출하기 전까지 전기소작기를 이용하여 지방 층을 분리하거나 절제할 수 있는데, 이 경우 피부가 손상되지 않도록 매우 주의해야 한다. 나이가 어릴수록 출혈이 많이 일어나지 않기 때문에 전기소작기 대신 메스나 수술용 가위와 같은 기구를 이용해도 큰 문제가 없다. 피대근을 노출하기 전까지 지속적으로 촉진하면서 정중선을 파악하는 것이 중요하다. 피대근의 정중선을 확인하고 이를 분리할 때도 지속적으로 촉진하여 정중선을 벗어나지 않는 것이 매우 중요하다. 피대근의 정중선을 분리하여 갑상선 협부나 그 아래쪽을 노출하고 이를 전기소작기를 이용하여 분리하면 기관을 노출

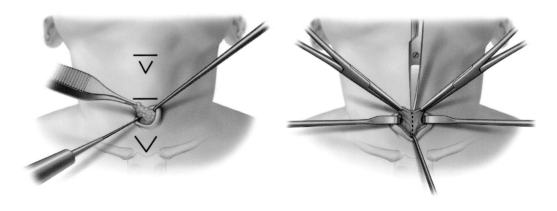

그림 11-5. 피하 지방 제거 및 피대근 분리

시킬 수 있다(그림 11-5). 나이가 어릴수록 전기소작기만으로 출혈없이 진행이 가능하나, 나이가 많은 경우 갑상선 내부나 아래쪽의 정맥 출혈이 발생할 수 있으므로 주의해야 하고 이경우 갑상선 협부나 해당 정맥과 연부조직을 실을 이용하여 결찰해주는 것이 좋을 수 있다. 피대근이나 갑상선 협부를 분리하여 좌우 절개를 진행할 때 필요이상으로 많이 진행할 경우 수술 후 피하기종이나 기흉 등이 발생할 수 있으므로 좌우 절개는 최소화하여 기관을 노출해야 한다.

기관 절개는 여러가지 방법이 있으나 방법에 따른 수술 합병증 등의 결과는 큰 차이가 없으나, 어떤 방식이 더 좋은지에 대한 논쟁은 여전히 진행 중이다(Arcand and Granger, 1988). 기관 절개 방법에는 수평, 수직, H형 절개 및 비요크 피판이 있다(Korean Bronchoesophagological Society Guideline Task et al, 2020) (그림 11-6). 기본적으로 기관륜을 많이 포함하는 경우 합병증이 증가할 수 있기 때문에 기관륜을 최대한 적게 해야 하며 저자는 나이가 어릴수록 횡절개만으로 충분하다고 생각한다.

지지봉합(stay suture, 그림 11-7)은 추후 기관절개관을 교환할 때 기관절개공을 잘 보기 위해 비흡수성 봉합사를 이용해 시행할 수 있다. 이는 또한 기관절개관이 사고로 빠지는 경우에도 유용하게 사용할 수 있다.

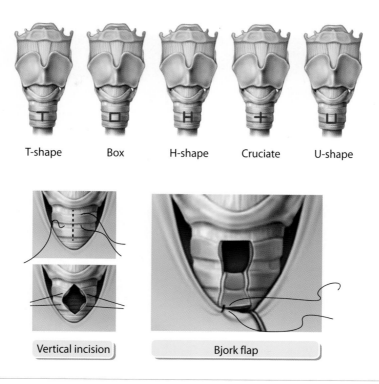

T-shape   Box   H-shape   Cruciate   U-shape

Vertical incision

Bjork flap

그림 11-6. **다양한 기관 절개 방법**

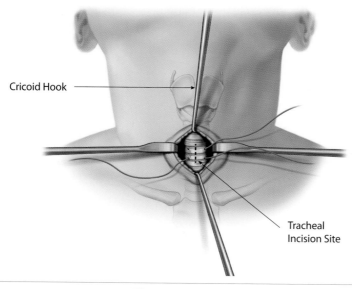

Cricoid Hook

Tracheal
Incision Site

그림 11-7. **지지봉합(stay suture)**

표 11-2. **연령에 따른 기관절개관의 적정 크기**

Patient age	Bronchoscope		Oesophagoscope	Tracheostomy tube ISO	ETT ID
	size	OD (mm)			
Premature	2.5	4.2	4	2.0/2.5	2.5
Term newborn	3.0	5.0	4-5	3.0/3.5	3.0/3.5
6-12 months	3.5	5.7	5-6	3.5/4.0	3.5/4.0
1-2 years	3.7	6.4	6	4.0	4.0/4.5
2-3 years	4.0	6.7	6-7	4.0/4.5	$\dfrac{Age + 16}{4}$
3-4 years	4.5	7.3	7	5.0	
4-5 years	5.0	7.8	8	5.0/5.5	

    기관절개관이 기관 앞쪽이나 좌우의 연부 조직으로 잘못 삽입되는 경우가 있는데 이러한 합병증을 줄이기 위해 예방법으로 지지봉합(stay suture), 기관개창술(Maturation suture), Bjork flap을 사용할 수 있다.

    미국 소아 이비인후과 회원들에게 설문조사한 결과 약 50%에서 지지봉합 단독으로 시행하거나 약 45%에서 지지봉합과 기관개창술을 같이 사용한다고 답변하였으나(Pedrom et al, 2020), 저자의 경우 기관개창술만으로도 충분하다고 판단한다. 기관개창술은 소아의 경우 기관과 절개선의 크기가 크지 않으므로 기관 절개된 위쪽에 3개, 아래쪽에 3개 정도의 봉합으로 충분하다. 이후 수술용 드랩을 제거한 뒤 마취과에서 경구강 삽관 튜브 끝을 기관공 직상부까지 빼 준 뒤 기관절개관을 삽입하여 수술을 종료하게 된다. 연령에 따른 적절한 기관절개관의 크기는 표 11-2에 기술되어 있다.

    기관절개관의 위치는 대개 나이 및 무게별로 정해진 것을 사용하면 큰 문제가 되지 않는다. 특히 기관공을 만들고 삽입되어 있는 기관내관과 기관의 크기를 비교하여 삽입될 기관절개관을 조절할 수 있다 있다. 기관절개관의 위치를 정확히 파악하기 위해서는 굴곡형 내시경을 넣거나 흉부 X선을 시행하여 기관분기부(carina)에서 떨어진 거리를 확인하면 된다. 수술 후 시행하는 흉부 X선은 기흉이나 기종격을 확인할 수 있으므로 반드시 촬영해야 한다. 기관절개관의 끝이 무명동맥 박동과 일치하는 경우 기관무명동맥루(tracheoinnominate fistula)가 생길 우려가 있으므로 기관절개술을 일반적인 위치보다 높이 하던지 기관절개관의 길이 조절이 필요할 수 있다. 짧은 길이가 필요한 경우는 기관절개관의 끝을 잘라 사용할 수도 있으나 너무 짧게 재단하는 경우 쉽게 빠지거나 기관의 후벽을 자극할 가능성이 높으므로 주의하여야 한다. 목이 두껍거나 비만인 환자 등에서 길이가 긴 기관절개관이 필요한 경우는 길이 조절이 가능한 기관절개관을 사용하거나 기관내관을 재단하여 사용할 수도 있다. 예를 들어 기관협착이 있어 협착 부위를 통과해서 튜브를 거치해야 하는 경우에 술자가 직접 튜브를 재단하여 사용할 수 있다(Lee et al, 2013). 최근에는 튜브 내에 코일이 감겨 있어(reinforced cannula) 기관의 모양에 기형이 있는 환자에서도 길이를 조절하여 적절한 위치에 기관절개관을 거치할 수 있다. 이에 대한 자세한 사항은 13장에 기술되어 있다.

수술 후 관리

수술 직후 발생한 객담, 수술 부위 출혈 등으로 인해 기관절개관이 막히는 경우가 있고, 이 경우 급격하게 환아의 상태가 안 좋아져 응급 상황이 발생할 수 있다. 이를 예방하기 위하여 가습을 충분하게 해주어 기관절개관 내에 이물이 쌓이는 것을 방지해야 한다. 소아의 경우 기관절개관의 내경이 작아 작은 이물에도 내경이 보다 쉽게 좁아질 수 있으므로, 수술 후 1-2일은 의료진의 적극적인 관찰이 필요하다.

기관절개관 내부와 기도 내의 분비물과 혈전(blood clot)을 제거하기 위하여 흡인을 하게 되는데, 너무 과도하게 오래 흡인을 하지 않도록 유의해야 하며, 만약 흡인이 잘 되지 않는다면 기관절개관 내부로 생리식염수를 소량 넣은 뒤 다시 흡인을 진행해 볼 수 있다. 만일 기관절개관 내경이 좁아진 것이 의심되고 상황이 악화되는 경우 이비인후과 전문의료진이 도착하기 전 기관절개관을 제거할 수 있고, 이 경우 기관절개공이 호흡 압력에 의해 닫혀버리는 경우가 생기므로 손가락을 이용하여 기관절개공 주변의 피부를 넓게 열어주어 기관절개공이 잘 유지되도록 하며 관찰해야 하며 같은 직경의 새 기관절개관으로 교체해 준다.

기관절개관의 교환은 반드시 밝은 조명아래에서 응급 시 도와줄 인력과 기구를 확보한 뒤 시행해야 한다. 특히 일반적인 기관절개관 교환이 아닌 기관협착 등에서와 같은 특수한 상황에서는 병동에서 기관절개관을 교체할 때 주의해야 하며, 필요한 경우 수술장에서 응급 상황에서 대비한 상태에서 교환할 수 있다. 저자의 경우 영유아 기관절개술 후 2시간 뒤에 기관절개관을 교체하여 기관절개관 내부가 객담이나 혈전으로 막히는 것을 예방하고 있다. 기관개창술을 적절히 해 두었다면 2시간 뒤에 교체 시 기관절개공이 잘 유지되어 교체에 큰 무리가 없다. 기관개창술이나 지지봉합을 적절히 하지 않은 환아에서 수술 후 2시간에 기관절개관을 교체하는 것은 매우 위험할 수 있다. 이런 경우 피부에서 기관까지 기관절개루가 형성된 이후 교체하여야 한다. 장기간 기관절개관을 사용하는 환아에서 교환시기에 대해 논란이 있으나 대개 1주일에 1회 정도 교환하면 적당하다.

만약 기관절개관을 교체할 준비가 전혀 되어 있지 않은 상황에서 갑작스럽게 기관절개관이 빠졌을 경우 환아의 경부를 신전시키고, 기관절개공 위아래 부위의 피부를 한 손으로 벌려서 구멍이 잘 관찰되는 상태에서 다른 한 손으로 윤활제를 바른 기관절개관을 삽입하도록 한다. 만약 잘 들어가지 않는다면 평소 사용하던 기관절개관보다 하나 작은 사이즈를 넣는다. 만약 이 방법도 실패하면 백 마스크 환기나 구강호흡법을 통해 공기를 환아 기도에 불어넣어 인공호흡을 실시하면서 도움을 청하거나 응급실로 이송해야 한다.

소아 기관절개술은 해부학적으로 작은 구조 및 특징으로 적절한 랜드마크가 만져지지 않을 수 있고, 작은 기관절개공/기관절개관으로 수술 중, 수술 후에 언제나 응급상황이 발생할 수 있다. 적절한 술기와 관리로 응급상황에 대한 준비가 필요하며 이를 위해서는 이비인후과 전공의, 병동 간호사, 마취통증의학과 전문의 등의 전문적인 지식이 필수적이다.

■ 참 고 문 헌 ■

1. Adly A, Youssef TA, El-Begermy MM, Younis HM. *Timing of tracheostomy in patients with prolonged endotracheal intubation: a systematic review.* Eur Arch Otorhinolaryngol 2018;275:679-90.

2. Arcand P, Granger J. *Pediatric tracheostomies: changing trends.* J Otolaryngol 1988;17:121-4.

3. Campisi P, Forte V. *Pediatric tracheostomy.* Semin Pediatr Surg 2016;25:191-5.

4. Ji JY, Kim EH, Lee JH, Jang YE, Kim HS, Kwon SK. *Pediatric airway surgery under spontaneous respiration using high-flow nasal oxygen.* Int J Pediatr Otorhinolaryngol 2020;134:110042.

5. Korean Bronchoesophagological Society Guideline Task F, Nam IC, Shin YS *et al. Guidelines for Tracheostomy From the Korean Bronchoesophagological Society.* Clin Exp Otorhinolaryngol 2020;13:361-75.

6. Lee DY, Seok J, Cha W *et al. Customized tracheostomy cannula as a therapeutic adjunct in tracheal stenosis.* Case Rep Otolaryngol 2013;2013:921365.

7. Sioshansi PC, Balakrishnan K, Messner A *et al. Pediatric tracheostomy practice patterns.* Int J Pediatr Otorhinolaryngol. 2020 ;133:109982.

경피적 기관절개술
Percutaneous Tracheostomy

서울대학교 의과대학 호흡기내과 **조영재**

경피적 기관절개(Percutaneous Tracheostomy)은 1957년 Sheldon 등에 의해 Seldinger 법으로 처음 알려지게 되었고(Shelden et al, 1957), 이후 1985년 Ciaglia등이 확장법을 도입한 이후 대중화되기 시작하였다(Ciaglia et al, 1985). 간단히, 경피적 확장 기관절개술(Percutaneous Dilatational Tracheostomy, PDT)은 변형된 Seldinger 법을 통해 기관 전벽, 이상적으로는 제2−3기관 고리 사이에 가이드와이어를 삽입하고 특별히 고안된 확장기를 통해 충분히 넓어질 때까지 확장한 다음 최종적으로 기관절개관을 삽입하는 시술이다. 현재는 상용화된 Ciaglia Blue Rhino® (Cook Critical Care, Bloomington, IN, USA)와 같은 말단의 친수성 코팅을 포함한 단일 원추형 확장기가 주로 사용되고(그림 12-1)(Marx et al, 1996), 대부분 기관지내시경의 보조 혹은 유도를 받아서 시행되고 있다. 경피적 확장 기관절개술은 중환자실 환자에서 전통적인 수술적 기관절개술(surgical tracheostomy)과 비교했을 때 그 유효성 및 안전성이 확인됨은 물론(Delaney et al, 2006; Shin et al, 2019), 특히 국내에서는 2019년부터 재료에 대한 보험 급여도 적용되면서 비용 효율적인 대안으로 이미 자리잡은 상황이다(신의료기술평가위원회, 2010). 특히, 적절한 중환자 이송 시스템이 대부분 제대로 갖춰져 있지 않은 국내 병원 내 중환자실 환경에서 대부분 인공호흡기를 적용 중인 중환자를 수술장으로 옮기지 않고 시술을 할 수 있다는 측면에서도 장점이 있다.

여기에서는 경피적 확장 기관절개술의 일반적인 내용 대신, 현재 국내뿐만 아니라 전세계적으로 가장 널리 사용되는 Ciaglia Blue Rhino®를 활용하여 기관지내시경 유도 하에 시행되는 경피적 기관절개술의 구체적인 방법 및 관련된 최신 지견을 주로 다루고자 하였다.

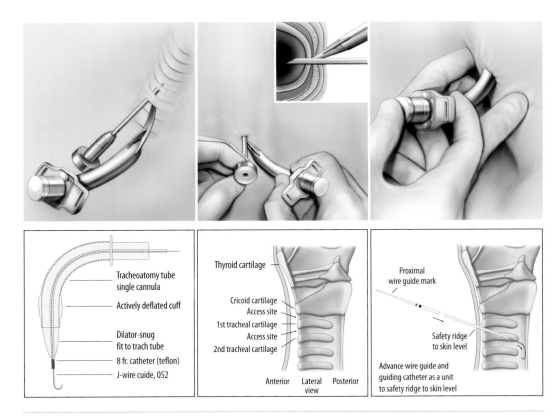

그림 12-1. 경피적 기관절개술의 최초 소개 그림 및 현재 대중화된 Ciaglia확장기

시술 방법

시술 전

적응증과 금기증(Singh and Sing, 2019)

경피적 방법으로 적용한다는 것 외에 기존의 수술적 기관절개술의 적응증과 경피적 확장 기관절개술의 적응증이 다를 이유는 없다. 경험이 증가함에 따라 실제로 그 동안 상대적으로 금기증으로 간주되어 왔던 비만으로 인한 짧고 뚱뚱한 목으로 흔히 언급되는 해부학적 비정상, 출혈 경향, 혹은 인공호흡기의 높은 보조 수준 등은 과거와 달리 점점 더 경피적 방법으로도 가능한 사례들이 되어가고 있다. 특히 인공호흡기의 보조 수준이 높더라도 최근 중증 호흡부전 환자들에게 체외막산소요법(Extracorporeal membrane oxygenation)이

표 12-1. **경피적 기관절개술의 절대적, 상대적 금기증**

절대적 금기	상대적 금기
• 소아 (연령은 문헌마다 차이) • 급성 기도 폐색 및 손상으로 인한 응급 기도 접근의 필요성 • 다음으로 인한 목 해부학적 제한* – 혈종 – 종양 – 연조직 감염 – 갑상선 비대 – 높은 무명 동맥의 위치	• 목의 구조물을 가리는 짧은 목을 가진 비만환자 • 의학적으로 교정할 수 없는 출혈 • 프로트롬빈 시간 또는 활성화된 부분 트롬보플라스틴 시간 1.5배 초과, 출혈 시간 10분 초과 • 혈소판 수 50,000/mL 미만 • 높은 호기말 양압이 필요한 경우 (> 20 cm H$_2$O)

* 문헌에 따라 상대적 금기로 기술하기도 함.

적용이 되는 경우는 더 이상 인공호흡기로 환자의 호흡을 보조하지 않고 적절한 항응고치료의 수준과 시기를 조절함으로써 비교적 조기에 경피적 확장 기관절개술을 성공적으로 시행한 사례들도 다수 보고되고 있다(Dimopoulos et al, 2019). 하지만 수술 부위 연조직 감염, 종양, 혈관 등이 이미 자리잡고 있는 경우는 현실적으로 경피적 방법을 적용하기는 어렵고 소아 환자에 있어서도 기관지내시경의 보조가 쉽지 않을 가능성이 높으므로 여전히 경피적 방법의 금기가 된다(표 12-1)(Singh and Sing, 2019).

시기

인공호흡기를 적용 중인 중환자에서 기관절개술의 최적 시기에 대한 합의는 여전히 없으며 관련 연구 결과들도 아직은 이질적이다. 총 1,977명의 환자를 대상으로 한 8건의 연구를 포함하는 코크란 리뷰 평가에서는 기관절개술의 시기를 인공호흡기 적용 이후 10일을 기준으로 조기(10일 이내)와 후기(10일 초과)로 구분하여 비교하였는데 조기 시행 그룹에서 위험비 0.83 (95% CI, 0.70 – 0.98, P=0.03)로 사망률이 낮았지만(Andriolo et al, 2015), 여전히 조기 시행이 사망률에 있어 이점이 없음을 입증한 다른 연구들도 많이 있다. 대표적으로 2,434명 환자 13건의 연구를 대상으로 한 메타 분석에서 조기(7일 이하의 기계 환기) 기관 절개술을 받은 환자에서 그렇지 않은 군 대비 사망률이 유의하게 낮지 않은 것으로 나타나기도 하였다(Siempos et al, 2015). 그 외 인공호흡기연관 폐렴, 인공호흡기 적용 일수 등에서도 시기에 따른 차이가 있다는 뚜렷한 연구결과는 현재까지 없다.

이러한 논란과 달리 특히 중환자실 환자에서 경피적 방법의 적용을 통해 과거와 달리 확실히 조기 시행이 현실적으로 가능해진 측면이 있으므로 경피적 확장 기관절개술 논의에 조기 기관절개술이 함께 거론되는 것은 일면 당연하기도 하다. 하지만 앞에서 살펴본 내용대로 아직은 어떤 방법으로 기관절개술을 시행하든 그 시기에 따른 뚜렷한 이점이 없기 때문에 기관절개술 시행 시기와 관련된 임상적 결정은 중환자의 생존 여부를 포함한 예후, 동반 질환 및 기관내삽관과 관련된 장기 위험을 고려해서 결정해야 한다.

시술 중

방법

경피적 기관절개술 방법으로 지금의 Ciaglia Blue Rhino®를 활용하는 방법 이외에 비교적 다양한 방법들이 도입되었고 실제로 적용되었던 적이 있었다. 이미 지난 교과서에도 Rapitrach를 사용한 방법, Guidewire Dilating Forcep을 사용한 방법, Fantoni의 방법, PercuTwist를 사용한 방법들이 고찰된 적이 있었지만, 현재 더 이상 사용되지 않아 해당 재료가 단종되었거나 실제로 국내에서도 이제 거의 시행되고 있지 않다. 또한 2010년 건강보험심사평가원 산하 신의료기술평가위원회에서 발간한 보고서에서도 Ciaglia Blue Rhino® 제품의 유효성 및 안전성이 확인된 바 있다(신의료기술평가위원회, 2010).

수술적 기관절개술과 비교했을 때 이미 경피적 확장 기관절개술은 중환자에서 낮은 합병증 발생률로 안전하게 시행될 수 있다. 환자 1,608명, 총 22건의 연구에 대한 메타 분석에서 두 시술법 사이의 사망률, 수술 중, 수술 후 출혈의 비율에 유의미한 차이가 없음을 보여주었고(Johnson et al, 2016), 또 다른 메타 분석에서는 잠재적으로 생명을 위협하는 사건의 발생 위험에도 유의미한 차이가 없음을 확인하였으며(Klotz et al, 2018), 다른 대규모 메타 분석에서도 거짓 내강 통과 또는 성문하 협착증 등의 합병증 발생에도 유의한 차이가 없었다고 알려진 바 있다(Higgins and Punthakee, 2007).

오히려 경피적 확장 기관절개술은 수술적 기관절개술에 비해 몇 가지 이점을 제공할 수도 있는데, 경피적 확장 기관절개술은 상처 감염의 발생률이 낮고(Klotz et al, 2018), 시술 시간도 짧으며 일부에서는 비용이 절감된다는 보고도 하였다(Higgins and Punthakee, 2007). 한 전향적 관찰 연구에서는 수술적 기관절개술과 비교하였을 때 경피적 확장 기관절개술을 적용했을 때 기관 튜브 폐쇄(1.0% vs. 3.6%, P=0.007) 및 변위(1.3% vs. 4.8%, P=0.002) 발생이 유의하게 낮음을 확인하였다(Barbetti et al, 2009). 또한 경피적 확장 기관절개술을 시행 후 좋지 않은 흉터가 생길 확률이 더 낮다는 보고도 있다(Brass et al, 2016).

결론적으로 경피적 확장 기관절개술은 이제 기관절개술이 필요한 중환자에서 응급이 아닌, 정규 수술에 다름없는 절차로 간주되어야 한다.

시행 과정(Cho, 2012; Ghattas et al, 2020)

현재 가장 널리 쓰이고 있는 Ciaglia Blue Rhino® 확장기는 Dr. Ciaglia가 기존 경피적 접근 방식을 수정한 것으로, 여러 개의 직렬 확장기를 친수성 코팅이 된 하나의 길고 유연한 원추형 확장기로 교체한 것이다. 이렇게 함으로써 확장 과정을 한 단계로 단축하고 주요 출혈 및 후막 손상의 위험을 최소화하였다(Byhahn et al, 2002). 그럼에도 불구하고 실제 시술 과정에서는 다양한 변형이 있을 수 있음을 감안하고, 현재 필자가 시행하고 있는 경피적 확장 기관절개술 절차를 기술하면 다음과 같다(Cho, 2012).

① 준비

먼저 환자가 기관절개술에 적합한 대상인지 다시 한번 더 확인하고 시술 전 준비를 완료해야 한다. 혈액응고, 일반혈액검사 결과에서 출혈성 경향 여부를 한번 더 확인한다. 많은 중환자들이 응고장애를 동반하고 있기 때문에 이에 대해서는 추가적인 논의가 있을 수 있지만 여기에서는 다루지 않는다. 진정진통제 및 근이완제를 사전에 투여하고 인공호흡기를 제어 방식을 확인한 후 산소분율을 적정 수준으로 올려 사전에 환자를 충분히 산소화해 둔다. 적절한 두께의 시트 등을 어깨 아래에 놓고 목을 최대한 신전시킨다(그림 12-2).

경피적 확장 기관절개술 시술의 특성상 충분한 경부 신전은 실제로 시술에서 중요한 요소이나 이때 목 신전의 금기 사항이 있는지도 동시에 확인해야 한다. 기관지내시경 시행 준비를 하고 필요시에는 출혈에 대비하여 전기 소작을 준비하면서 그 외 수술에 필요한 도구, 기관절개 세트 및 경피적 확장 기관절개술 세트를 준비한다(그림 12-3). 환자에게 적합한 크기의 기관절개관을 준비하고, 경피적 확장 기관절개술 시행 후 인공호흡기에 연결할 어댑

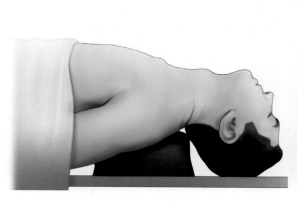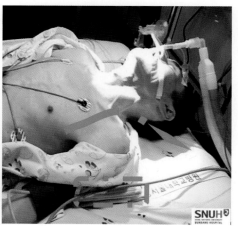

그림 12-2. 경피적 확장 기관절개술 시행을 위해 목을 신전한 모습

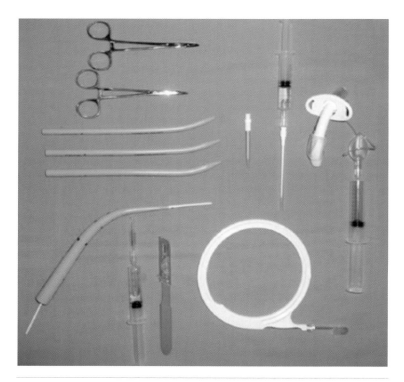

그림 12-3. Ciaglia Blue Rhino® 세트

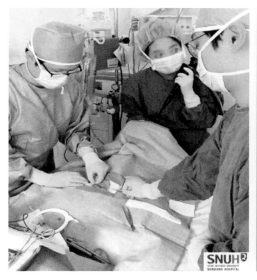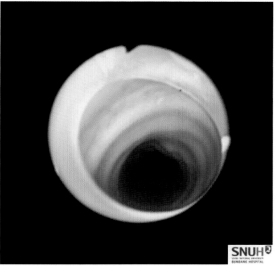

그림 12-4. 기관지내시경 준비 모습

터도 미리 준비한다. 적절한 조명은 필수 요소이며, 나중에 기관지내시경을 통해 천자 부위를 확인할 때 기관지내시경의 팁 조명을 더 잘 볼 수 있도록 침대 위의 조명은 꺼둘 준비가되어 있어야 한다. 또한 시술에 참여하는 모든 인원은 일반 수술에 준한 멸균가운, 장갑, 모자, 마스크를 착용하여야 하며, 수술에 필요한 무균 영역은 수술용 드레이프를 사용하여 확보하여야 한다(그림 12-4).

② 확인

시술자는 사전에 발생할 수 있는 잠재적인 상황에 대비해야 한다. 경추 X선 촬영(전후방향 및 측방향)을 미리 시행하여 만약에 발생할 수술적 기관절개술을 대비한다. 대부분의 환자가 흉부 컴퓨터 단층촬영을 이미 시행 받았을 가능성이 높기 때문에 사전에 영상검사결과가 있다면 포함된 목 부위를 사전 확인해서 갑상선의 위치나 기관무명동맥의 주행경로와 위치를 미리 확인하는 것이 도움이 된다. 실제 절개 부위는 일반적으로 윤상갑상막에서 손가락 마디하위, 흉골 절개에서 1.5 또는 2 손가락 마디 상위이나 환자에 따라 달라질 수 있다. 실제 천자 위치는 첫 번째 기관 고리와 두 번째 기관 고리 사이 또는 두 번째 기관 고리와 세 번째 기관 고리 사이가 해당할 것을 감안해서 절개 부위를 결정한다. 이러한 해부학적 위치와 정중선을 수술용 펜으로 미리 표시하는 것은 특히 초심자에게 유용할 수 있다. 사실 이 부위에 위치 가능한 구조물 중 출혈과 관련된 구조물은 대부분 전경정맥인데 이 전경정맥이 주로 수직방향으로 주행하기 때문에 경피적 확장 기관절개술시 출혈을 피하기 위해 수직 절개를 시도하는 이유가 될 수 있다. 절개 방향에 대해서는 뒤에서 다시 추가적으로 다룰 예정이다.

③ 마취

일반적으로 국소 피부 마취와 크게 다르지 않다. 절개하기 전에 경피적 확장 기관절개술 세트의 준비 상태를 다시 한 번 확인하고 14 Fr의 짧은 확장기와 친수성 코팅이 된 단일 원추형 확장기를 미리 식염수에 적셔둔다. 단일 확장기를 사용한 후 기관절개관의 즉각적인 삽입을 위해 세트에 포함된 윤활제를 사용하여 적절한 크기에 맞는 loader에 기관절개관을 사전 장착해 둔다. 크기의 조합이 적합하지 않을 경우 최종 절차가 완료된 후 loader를 꺼내지 못할 수 있으므로 이에 대해서는 사전에 각별한 주의가 필요하다(그림 12-5).

④ 절개

절개는 해부학적 위치를 확인한 후 시작한다. 필요한 경우 지혈을 적절하게 시행하기 위해 전기 소작술을 적용할 수 있지만 국내와 달리 대부분의 해외 시행 영상을 보면 별도의

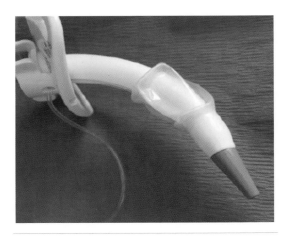

그림 12-5. **적절한 loader와 T-tube의 삽입 준비 상태**

전기소작술은 시행하지 않는 것을 기본으로 하는 경우가 더 많다. 피하 박리의 깊이는 일반적으로 수술적 기관절개술을 시행하는 것과 같이 기관륜이 노출될 정도로 깊을 필요는 없으며, 기관지내시경 말단의 조명 위치를 외부에서 육안으로 확인할 수 있고 확장기 삽입 시 피부나 피하조직이 방해되지 않을 정도면 충분하다. 앞서 출혈과 관련해서는 세로 절개가 더 낫다고 언급하였고 실제로 경피적 확장 기관절개술이 첫 기술된 Dr. Ciaglia 논문에서도 (Ciaglia et al, 1985) 수직 절개로 명시되어 있지만 실제로 경피적 확장 기관절개술 시행 시 적절한 절개 방향에 대한 한 연구결과에 따르면 오히려 수평 절개가 수직 절개에 비해 더 낫다는 결과를 보여준 연구 결과도 있다. 이는 결국 봉합을 전혀 하지 않는 경피적 확장 기관절개술 시술의 특성상 시술 당시의 출혈의 발생 가능성을 줄이고, 견인의 용이성, 천자 위치 선택 등의 측면 때문에 수직 절개를 시행하는 것보다 수평 절개를 하면 장기간 상처 회복에 더 용이하는 결과인데 결국 시술 당시의 여러 가지 우려는 결국 시술자의 숙련도에 따라 충분히 회피가 될 수 있는 부분이므로 필자는 최근 거의 모든 절개는 수평으로 시행하고 있으며 실제로 이후 그림(그림 12-7)에서 보는 바와 같은 상처 부위의 문제는 거의 발생하지 않았다.

⑤ 천자

기관 내로 가이드와이어를 넣기 위한 바늘을 삽입하는 것은 경피적 확장 기관절개술 전 과정에 있어 가장 중요하고 정확성을 필요로 하는 부분이다. 피부 절개가 끝나면 기관지내 시경 가이드 하에 천자 위치 바로 위에 기관내관이 위치하도록 조절하고 이때 주변 조명을 끄고 손가락으로 촉진을 하면서 위치를 확인하면 도움이 된다. 이후 바늘로 먼저 천자를 시도하기 전에 수술도구를 활용하여 기관지내시경을 보면서 실제로 시도할 천자의 위치를 사전에 한번 더 확인한다. 가능하면 12시 방향으로 천자를 할 수 있도록 위치 선정을 하고(11시-1시 정도는 수용이 가능하나 그보다 벗어나게 되면 나중에 확장을 할 때 제대로 힘을 받지 못해 시술을 실패하거나 합병증을 초래할 위험이 크다.) 실제 바늘로 천자하기 전 시뮬레이션을 해 보면 위치 선정에 도움이 된다. 실제 천자 과정에서도 출혈이 있을 수 있지만 당황하지 않고 반대쪽 손가락 및 거즈로 압박하면서 빠르고 정확하게 1차 천자를 마무리 하는 것이 더 중요하다. 천자 자체의 과정은 일반적인 Seldinger 법과 동일하고, 일단 천자가 되고 나면 가이드와이어를 삽입하는데 이때 가이드와이어 J자 모양의 둥근 면이 기관 후벽에 위치하도록 하면서 기관분기부(carina)쪽, 아래 방향으로 가이드와이어가 내려가고 있는 것이 맞는지 확인을 한다.

⑥ 확장

연조직의 첫 번째 확장은 14 Fr의 짧은 확장기를 사용하여 먼저 시행한다. 이 과정을 거친 후 흰색 지지대를 포함한 단일 원추형 확장기를 가이드와이어를 통해 삽입한다. 이때 가이드와이어에 사전에 딱 맞추어 표식된 흰색 지지대 길이를 확인하면 확장기가 적절하게 위치하고 있음을 알 수 있고 실제 확장을 시행할 준비가 된 상태가 된다. 단일 확장기를 만곡 방향을 따라 아래쪽으로 일정한 압력으로 약간의 저항감을 느끼며 천천히 진행하면 단일 확장기 말단에 코팅된 친수성 필름에 의해 조직이 쉽게 확장되는 느낌이 받게 된다. 조급하지 않게 단일 확장기의 굵은 검은색 선이 표시된 위치까지 부드럽게 삽입과 후퇴를 반복하면서 연조직의 확장을 시행한다. 이때 주의해야 할 점은 확장기가 삽입된 경우 거의 기도 폐색인 상황으로 환기가 유지되지 않고, 확장기를 빼는 과정에서는 일부 공기가 기관절개술 시행한 위치 쪽으로 누출이 발생, 일회 호흡량이 감소할 수도 있는데, 중요한 것은 그러한 상황에 당황해 하지 말고 환자의 활력 징후와 산소포화도를 살피면서 다음 삽입에 문제가 없는 정도로 충분히 확장을 시행하는 것이다(그림 12-6).

⑦ 삽입

확장기를 제거하고 미리 기관절개관을 장전한 loader를 삽입한 후, 기관절개관을 제외한 가이드 와이어, 지지대, loader를 동시에 제거한다. 이후 기관절개관의 기낭에 공기를 주입하고 기관내관에서 인공호흡기를 분리, 기관절개관으로 옮겨 일회 호흡량이 잘 들어가고 산소포화도에 문제가 없는지 확인한다. 기관내관을 발관하기 전 기관지내시경으로 경피적 확장 기관절개 부위를 평가함과 동시에 기관 연골의 골절(tracheal ring fracture)과 같은 합

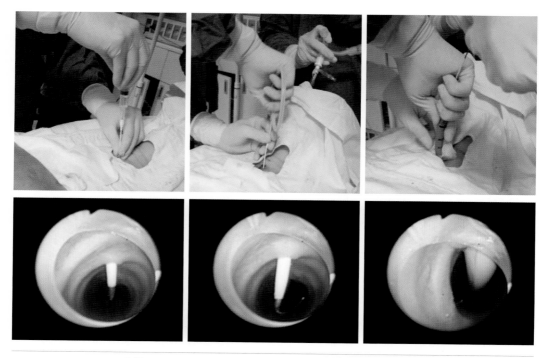

그림 12-6. 경피적 확장 기관절개술 시행 중 천자 및 확장 과정

병증의 유무를 확인한다. 이후 다시 기관지내시경을 기관절개관을 통해 삽입, 기관분기부의 위치 및 수술 후 출혈 등의 합병증은 없는지 확인하고 필요시 추가적으로 분비물 등을 제거한다. 마지막 단계로 기관내관을 발관하고 기관절개 부위를 소독 후 드레싱을 시행하면 시술이 마무리 된다. 최근에는 기관절개관 부위용 전용 폼 드레싱 제품들도 다양하게 나오고 있어 이를 이용하면 편리하다. 만에 하나 발생할 수 있는 기관절개관의 우발적 이탈을 방지하기 위해 봉합사로 피부에 고정을 할 수도 있으나 시술이 숙련되고 시술 후 간호에도 경험이 쌓이게 되면 실질적으로 거의 필요하지 않다.

⑧ 종료

이상의 모든 절차가 완료되면 환자의 활력 징후와 인공호흡기 모니터에서 그래프를 확인한다. 또한 신체 검진으로 기흉의 유무 및 경피적 확장 기관절개술 주변 시술 부위에 피하 기종이 발생하지 않았는지 살펴보고, 이후 흉부 X선 영상으로 시술의 최종 결과를 확인한다.

절차 중에 흔히 발생하는 어려움은 초기 피부 절개가 너무 작거나, 경부 신전이 불충분하거나, 확장이 충분히 않거나, 기관절개관 크기를 잘못 선택하거나, 기관절개관을 거치할 때 윤활이 부족한 경우 등으로 통상적으로 10-20회 이상의 시술을 경험한 이후부터는 이러한 문제들에 대한 대처 역시 조금씩 수월하게 느낄 수 있게 된다.

기관지내시경 유도

기관지내시경은 대부분 기관내관을 가진 중환자에서 실시간 시각적 안내를 제공하며 중환자실에서 시행되는 경피적 확장 기관절개술의 80% 이상에서 사용되고 있다. 특히, 기관 주위 천자 및 기관 후벽 손상의 위험을 줄이는 것으로 나타났으며 시술 이후 기관절개관의 적절한 위치 확인에도 용이하다(Winkler et al, 1994). 한 연구에서 기관지내시경 유도 경피적 확장 기관절개술은 우발적 발관, 기종격동, 기흉 및 거짓 통과의 낮은 비율과 관련이 있었다(Kost, 2005). 또다른 연구에서는 기관지내시경 안내 유무에 따른 수술 전후 합병증 발생률의 차이는 없었지만, 기관지내시경 안내를 받지 않은 군에서 긴장성 기흉으로 인한 사망 및 기관 후벽의 천공 사례가 있었다. 다른 후향적 연구에서 기관지내시경 유도 여부에 따른 합병증 비율은 차이가 없는 대신 기관지내시경을 사용하지 않았을 경우 당연히 적은 비용이 들었다는 결과도 보고된 바 있으나, 기관지내시경 유도가 기도 손상을 완전히 피할 수는 없더라도 합병증을 조기에 발견하는 데 도움이 되는 것은 분명한데, 특히 해부학적 구조가 어렵거나 제한된 목 신전 또는 비만이 있는 환자에서 천자 부위의 기관지내시경 투과 조명을 통해 갑상선 협부 및 전방 경정맥과 같은 주요 혈관 구조를 피하는 데에도 도움이 될 수 있기 때문이다(Bhatti et al, 2007).

경피적 확장 기관절개술이 주로 시행되는 기도삽관 된 중환자에서 기관지내시경의 사용은 필연적으로 내시경에 의한 기관내관 내강의 부분 폐쇄를 야기하고 이로 인한 환기 장애 및 그에 따른 일시적 호흡성산증 발생은 자명하다. 따라서 적절한 인공호흡기 설정 변경, 가능하다면 더 작은 직경의 내시경 사용, 기관지내시경이 기관내관 내 머무르는 시간의 최소화 등을 통해 환기 장애에 따른 나쁜 영향을 줄여야 한다. 다만 일반적으로 대부분의 환자가 일시적 고탄산혈증을 견딜 수 있지만, 이 산증으로 인해 두개내압 상승 및 뇌관류압 감소로 이어질 수 있는 두개내 손상/수술 환자에게는 특별한 주의를 기울일 필요가 있다(Reilly et al, 1997). 또한 요구되는 산소 분율이 높고 호기말양압 설정 또한 높은 인공호흡기 적용 중인 심한 저산소증 환자의 경우(FiO$_2$ >0.6, PEEP >10-12 cmH$_2$O)에도 이러한 시술 중 기관지내시경 유도가 어려울 수 있고, 기관절개술 시행 자체가 불가피하다면 최대한 짧은 시간의 내시경 유도를 하는 것이 안전하다. 이런 경우 천자 유도 방법으로 초음파로 대신하거나 환자 상황이 허락하는 경우 기관내관의 내경이 기관지내시경의 외경보다 최소 2.0 mm 이상 큰 것으로 교체하면 보다 안전하게 시술을 하는 데 도움이 될 수 있다 (Lawson et al, 2000).

초음파 유도

최근 중환자실 영역에서 현장 초음파 시행이 보편화되면서 경피적 확장 기관절개술 시행에서도 시술 전 평가, 수술 중 사용 및 시술 후 합병증 평가를 위해 초음파가 유용한 보조 수단으로 자리매김하고 있다. 특히 초음파는 비침습적인 도구인 동시에 시술의 안전성을 향상시킬 수 있다는 측면에서 앞으로 더 중요하게 사용될 전망이다.

수술 전에는 경부 초음파를 통해 기도 전반에 대한 평가를 통한 천자 부위의 선택 뿐만 아니라 주변의 비정상적인 혈관 구조를 파악함으로써 예기치 못한 손상을 방지할 수 있다. 주로 선형 탐촉자를 사용하고, 갑상선 및 윤상 연골, 기관륜, 갑상선 자체, 경동맥 및 경정맥을 쉽게 사전에 식별할 수 있다. 추가적으로 유도 바늘의 정확한 삽입 위치를 확인하고, 피부에서 기관까지의 거리 추정하는 데에도 도움을 줄 수 있다(Rudas, 2012). 한 소규모 연구에서 경피적 확장 기관절개술 전 초음파 사용을 평가했는데 24%의 환자에서 피하 혈관 손상을 피하기 위해 계획된 천자 부위를 변경했다고 보고하기도 하였다.

수술 중 사용과 관련해서 전통적 해부학적 표지 유도 방법과 비교한 무작위 대조 시험에서 초음파를 실시간으로 사용한 결과 정확한 기관 천자 비율(87% vs. 50%, P=0.006)과 1차 통과 성공률(87% vs. 58%, P=0.028)에서 더 높은 결과를 보여준 바 있다(Rudas et al, 2014). 기관지내시경 유도와 초음파 유도 경피적 확장 기관절개술을 비교했던 다른 전향적 무작위 연구에서 초음파 유도 군 15%의 환자에서 시술 위치가 변경되었고, 낮은 출혈(2.5% vs. 20%, P=0.014) 및 짧은 시술 시간(7.92±1.00 vs. 10.0±1.41분, P=0.001)을 보여준 연구 결과도 있었다(Saritas and Kurnaz, 2017). 결론적으로 현재까지의 연구 결과에 따르면, 초음파 유도 경피적 확장 기관절개술은 기관지내시경 유도 경피적 확장 기관절개술과 비교했을 때는 비슷한 합병증의 비율을, 해부학적 표지 유도 경피적 확장 기관절개술과 비교했을 때에는 상대적으로 적은 합병증의 비율을 보여주고 있다(Gobatto et al, 2020).

그러나 실제 수술 중 사용에 있어서 기관 내 공기로 인해 기관 후벽을 시각화할 수 없기 때문에 여전히 후막 손상을 피하기는 어렵고 실제로 필자가 직접 경험을 해 본 바에 의하면 천자 위치를 찾기 위해 기관내관을 조정하는 과정이 기관지내시경 유도에 비해서는 상대적으로 더 어려우며 중환자들에서 안전한 시술 유도하려면 충분한 초음파 소견을 확보하는 것이 중요하나 실제로 목의 움직임 혹은 탐촉자의 해부학적 위치 선정이 어려운 경우가 대부분이어서 아직까지 수술 중 적용은 상대적으로 제한적인 경우가 많았고, 반면 수술 전 평가에는 더 큰 유용성이 있을 것으로 생각된다.

시술 후

● 일반적으로 수술적 기관절개술 후 흉부 X선 영상을 시행하는 것은 이전에 일반적인 관행이었고 이는 경피적 확장 기관절개술의 경우에도 동일하다. 한 체계적 고찰 연구에 따르면 1,271건의 사례가 포함된 7건의 개별 연구에 대해 검토한 결과, 성인 대상 경피적 확장 기관절개술 후 시행한 흉부 X선 영상에서 무기폐(n=24), 기흉(n=6), 피하 기종(n=6), 기종격동(n=3), 기관절개관 위치 이상(n=1) 등 40예(3.2%)에서 시술 후 합병증이 확인되었으나 중재가 필요한 환자는 22명(1.8%)에 불과했다. 하지만 기관지내시경 유도하 경피적 확장 기관절개술의 경우, 여전히 상당히 낮은 합병증 비율이 보고된 바 있어(1.6% vs. 9.3%), 이러한 경우 일상적인 흉부 X선 검사는 고위험 환자나 어려운 해부학적 요인을 가지고 있었거나 긴급히 기관절개술을 받은 환자에게 주로 고려할 수 있을 것이다(Yeo et al, 2014).

● 기관절개술 이후 발생하는 욕창(post tracheostomy−related acquired pressure ulcers, TRAPUs)(그림 12-7)(O'Toole et al, 2017)은 드문 일이 아니며 여러 요인이 관여하는데, 알려진 일부 위험 요소로는 중환자실 환자들의 제한적 거동 및 불량한 영양 상태가 알려져 있다. 실제로 기관절개관 아래에 닿은 절개 부위에 장기간 압력이 가해지는 경우도 욕창을 유발할 수 있는데, 수술적 기관절개술을 시행한 경우 일반적으로 기관절개관을 고정하고 이탈을 방지하기 위해 봉합사로 사용하지만 이와 관련해

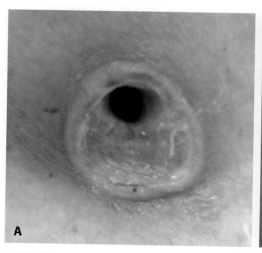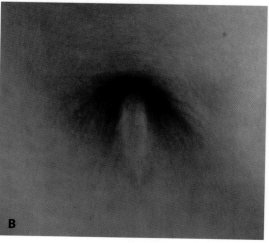

그림 12-7. 기관절개술 시행 이후 발생하는 욕창(A)과 회복된 상태 (B)

서 욕창이 덜 생겼다는 연구는 거의 없다. 하지만 경피적 확장 기관절개술의 경우 초기 절개 방식에 따라 수평 혹은 수직 절개에 따른 합병증 발생을 비교한 후향적 연구가 있었는데, 흥미롭게도 수평 절개를 한 경우 이러한 욕창 발생이 현저히 감소하였다는 연구결과가 발표된 바 있어 주목할 만하다(Lim et al, 2018). 그 밖에도 시술 후 소독 방법에 따라서도 이러한 욕창의 발생을 줄일 수 있었다는 연구 결과들도 보고된 바 있다.

● 첫 교환 시기에 대해서는 제대로 된 좋은 연구가 많지 않고 기관마다 다른 프로토콜을 가지고 있을 수 있는데 일반적으로 수술적 기관절개술에 비해서는 다소 긴 편으로 보통 7일을 기준으로 한다(Singh and Sing, 2019). 특히 첫 번째 기관절개관 교환 때에는 원칙적으로 경험이 충분한 의사가 반드시 함께 시행해야 하고 기본적으로 기관절개술에 필요한 제반 준비가 즉시 시행 가능해야 하고 한 단계 작은 크기의 기관절개관도 같이 준비가 되는 것이 바람직하다. 기관마다 다를 수 있겠지만 해외에서는 기관절개술을 시행한 환자들의 침상 위에 별도의 표식을 해 둠으로써 정보를 공유하고 환자 안전을 도모하는 경우도 있어 참고할만하다.

중환자 치료에 대한 증가된 수요 및 고령화, 그 치료수단의 발전에 따라 과거와 달리 생존하는 중환자가 늘어나면서 기관절개술의 필요성은 점점 더 늘고 있고, 기관지내시경의 도움 및 잘 고안된 확장기를 이용하여 중환자 내 환자 병상 옆에서 시행되는 경피적 기관절개술은 이제 기존 수술적 기관절개술 대비 안전하고 유효한 시술로 자리를 잡았다. 여전히 기계환기 중인 중환자에서 기관절개술의 시행 시기는 불분명하며 개별화되어야 하지만 경피적 방법을 통해 기존 방법 대비 접근성이 높아진 만큼 향후 이에 대한 전향적 연구가 기대될 수 있고, 또한 현재까지 적응증이 되지 못했던 대상자에서의 경피적 방법의 적용 사례들 또한 점점 더 늘고 있다. 기관지내시경 보조 외에도 최근 중환자실에서 널리 사용되고 있는 현장 초음파의 보완 혹은 대체는 경피적 기관절개술의 새로운 장을 열게 될 것으로 기대되며 앞으로 이러한 술기에 대한 적절한 교육을 통해 중환자에서 안전하게 기관절개술이 시행될 수 있도록 해야할 것이다.

■ 참 고 문 헌

1. 신의료기술평가위원회. 경피적 확장 기관절개술. 신의료기술평가보고서. 2010.

2. Andriolo BN, Andriolo RB, Saconato H, Atallah AN, Valente O. Early versus late tracheostomy for critically ill patients. Cochrane Database Syst Rev. 2015;1:CD007271.

3. Barbetti JK, Nichol AD, Choate KR, Bailey MJ, Lee GA, Cooper DJ. Prospective observational study of postoperative complications after percutaneous dilatational or surgical tracheostomy in critically ill patients. Crit Care Resusc. 2009;11(4):244-9.

4. Bhatti N, Mirski M, Tatlipinar A, Koch WM, Goldenberg D. Reduction of complication rate in percutaneous dilation tracheostomies. Laryngoscope. 2007;117(1):172-5.

5. Brass P, Hellmich M, Ladra A, Ladra J, Wrzosek A. Percutaneous techniques versus surgical techniques for tracheostomy. Cochrane Database Syst Rev. 2016;7:CD008045.

6. Byhahn C, Westphal K, Meininger D, Gurke B, Kessler P, Lischke V. Single-dilator percutaneous tracheostomy: a comparison of PercuTwist and Ciaglia Blue Rhino techniques. Intensive Care Med. 2002;28(9):1262-6.

7. Cho YJ. Percutaneous dilatational tracheostomy. Tuberc Respir Dis (Seoul). 2012;72(3):261-74.

8. Ciaglia P, Firsching R, Syniec C. Elective percutaneous dilatational tracheostomy. A new simple bedside procedure; preliminary report. Chest. 1985;87(6):715-9.

9. Delaney A, Bagshaw SM, Nalos M. Percutaneous dilatational tracheostomy versus surgical tracheostomy in critically ill patients: a systematic review and meta-analysis. Crit Care. 2006;10(2):R55.

10. Dimopoulos S, Joyce H, Camporota L, Glover G, Ioannou N, Langrish CJ, et al. Safety of Percutaneous Dilatational Tracheostomy During Veno-Venous Extracorporeal Membrane Oxygenation Support in Adults With Severe Respiratory Failure. Crit Care Med. 2019;47(2):e81-e8.

11. Ghattas C, Alsunaid S, Pickering EM, Holden VK. State of the art: percutaneous tracheostomy in the intensive care unit. Journal of Thoracic Disease. 2020;13(8):5261-76.

12. Gobatto ALN, Besen B, Cestari M, Pelosi P, Malbouisson LMS. Ultrasound-Guided Percutaneous Dilational Tracheostomy: A Systematic Review of Randomized Controlled Trials and Meta-Analysis. J Intensive Care Med. 2020;35(5):445-52.

13. Higgins KM, Punthakee X. Meta-analysis comparison of open versus percutaneous tracheostomy. Laryngoscope. 2007;117(3):447-54.

14. Johnson-Obaseki S, Veljkovic A, Javidnia H. Complication rates of open surgical versus percutaneous tracheostomy in critically ill patients. Laryngoscope. 2016;126(11):2459-67.

15. Klotz R, Probst P, Deininger M, Klaiber U, Grummich K, Diener MK, et al. Percutaneous versus surgical strategy for tracheostomy: a systematic review and meta-analysis of perioperative and postoperative complications. Langenbecks Arch Surg. 2018;403(2):137-49.

16. Kost KM. Endoscopic percutaneous dilatational tracheotomy: a prospective evaluation of 500 consecutive cases. Laryngoscope. 2005;115(10 Pt 2):1-30.

17. Lawson RW, Peters JI, Shelledy DC. Effects of fiberoptic bronchoscopy during mechanical ventilation in a lung model. Chest. 2000;118(3):824-31.

18. Lim SY, Kwack WG, Kim Y, Lee YJ, Park JS, Yoon HI, et al. Comparison of outcomes between vertical and transverse skin incisions in percutaneous tracheostomy for critically ill patients: a retrospective cohort study. Crit Care. 2018;22(1):246.

19. Marx WH, Ciaglia P, Graniero KD. Some important details in the technique of percutaneous dilatational tracheostomy via the modified Seldinger technique. Chest. 1996;110(3):762-6.

20. O'Toole TR, Jacobs N, Hondorp B, Crawford L, Boudreau LR, Jeffe J, et al. Prevention of Tracheostomy-Related Hospital-Acquired Pressure Ulcers. Otolaryngol Head Neck Surg. 2017;156(4):642-51.

21. Reilly PM, Sing RF, Giberson FA, Anderson HL, 3rd, Rotondo MF, Tinkoff GH, et al. Hypercarbia during tracheostomy: a comparison of percutaneous endoscopic, percutaneous Doppler, and standard surgical tracheostomy. Intensive Care Med. 1997;23(8):859-64.

22. Rudas M, Seppelt I, Herkes R, Hislop R, Rajbhandari D, Weisbrodt L. Traditional landmark versus ultrasound guided tracheal puncture during percutaneous dilatational tracheostomy in adult intensive care patients: a randomised controlled trial. Crit Care. 2014;18(5):514.

23. Rudas M. The role of ultrasound in percutaneous dilatational tracheostomy. Australas J Ultrasound Med. 2012;15(4):143-8.

24. Saritas A, Kurnaz MM. Comparison of Bronchoscopy-Guided and Real-Time Ultrasound-Guided Percutaneous Dilatational Tracheostomy: Safety, Complications, and Effectiveness in Critically Ill Patients. J Intensive Care Med. 2017:885066617705641.

25. Shelden CH, Pudenz RH, Tichy FY. Percutaneous tracheotomy. J Am Med Assoc. 1957;165(16):2068-70.

26. Shin H-I, Jang K-I, Kim K-M, Nam I-C. Comparison of Surgical Tracheostomy and Percutaneous Dilatational Tracheostomy in Intensive Care Unit Patients. Korean J Otorhinolaryngol-Head Neck Surg. 2019;62(5):288-93.

27. Siempos, II, Ntaidou TK, Filippidis FT, Choi AMK. Effect of early versus late or no tracheostomy on mortality and pneumonia of critically ill patients receiving mechanical ventilation: a systematic review and meta-analysis. Lancet Respir Med. 2015;3(2):150-8.

28. Singh J, Sing RF. Performance, Long-term Management, and Coding for Percutaneous Dilational Tracheostomy. Chest. 2019;155(3):639-44.

29. Winkler WB, Karnik R, Seelmann O, Havlicek J, Slany J. Bedside percutaneous dilational tracheostomy with endoscopic guidance: experience with 71 ICU patients. Intensive Care Med. 1994;20(7):476-9.

30. Yeo WX, Phua CQ, Lo S. Is routine chest X-ray after surgical and percutaneous tracheostomy necessary in adults: a systemic review of the current literature. Clin Otolaryngol. 2014;39(2):79-88.

서울대학교 의과대학 이비인후과학교실 **정우진**

CHAPTER 13 기관절개관의 종류와 적용
Types and Application of Tracheostomy Cannula

기관절개술은 응급한 상황뿐 아니라, 장기간 기계환기를 요하는 환자들에게는 비교적 흔하게 적용되는 술기이다. 기관절개술은 일시적인 조치로 시행되거나 혹은 영구적인 조치로 시행하게 되는데, 수술 자체의 위험과 합병증을 최소화하는 것도 중요하지만 수술 후 관리가 적절하게 이루어져야 한다. 따라서, 기관절개공을 통한 환기를 유지하고 합병증을 예방하기 위해서는 적절한 기관절개관을 선택하고 적용하는 것이 기관절개술의 성공여부를 가늠하는 데에 있어 중요하다(Campisi and Forte, 2016).

기관절개관의 적용 시 고려할 점

적절한 기관절개관을 결정하기 위해서는 환자의 상태와 예후를 우선 고려해야 하며, 다양한 기관절개관의 고유한 특성을 아는 것이 중요하다. 또한, 같은 환자에서도 상태가 변화함에 따라 다른 종류의 기관절개관을 적용할 필요가 있기 때문에, 환자의 상태를 지속적으로 파악해야 하며, 기관절개관을 적용하는 적절한 계획을 수립하는 것을 권장한다.

기관절개관은 소재, 내경(inner diameter), 길이와 곡률, 기낭(cuff), 내관의 유무, 관의 개창(fenestration) 유무 등의 요소로 그 종류가 구분된다. 내경 및 외경이 큰 절개관은 환기량을 증가시키고 기계환기를 적용하는 환자에서 공기 누출을 막을 수 있는 장점이 있는 반면, 기관 내의 점막을 손상시킬 수 있기 때문에 기관 점막을 잘 보존하기 위해서는 더 작은 크기의 절개관이 유리하다. 또한, 기낭은 폐로의 흡인을 방지하고 환기량의 누출을 막아주는 데에 효과적이나, 기낭의 압력이 높을 경우 점막 괴사를 야기할 수 있고 발성을 방해할 수 있다(Flanagan and Healy, 2019). 이처럼 기관절개관의 구성요소들을 결정함에 있어서는 기도의 모양, 기계환기 적용 여부, 보행 및 활동성, 발성여부 등 임상적인 고려와 함께 기관절개관의 재질, 제조사, 다른 보조기구와의 호환성 등의 기술적인 부분들까지 종합적으로 고려해야 한다(Lewarski, 2005). 일부 특수한 상황에 따라 길이가 긴 기관절개술을 적용하거나 몽고메리 T 튜브와 같은 특수한 절개관을 적용해야 하는 경우도 있기 때문에, 이들의 대해서도 반드시 숙지하고 있어야 한다.

기관절개관은 기도의 모양에 적합하게 변형될 수 있는 어느 정도의 연성을 지니고 있으나 내관이 막힐 정도로 변형이 심하게 이루어지지 않아야 하고, 가급적 재질은 기관 내 점막에 염증을 최소한으로 일으킬 수 있는 것이 이상적이나, 현실적으로 이상적인 재질은 존재하지 않는다(Fraga et al, 2009). 또한, 각각의 기관절개관의 특성은 장점과 단점이 공존하기 때문에 절개관의 종류를 결정할 때에는 절대적인 권고사항은 없고, 환자를 담당하는 의사의 판단과 기관의 사정을 고려하여 최선의 결정을 내릴 수밖에 없다.

기관절개관의 구조

기관절개관의 가장 기본적인 구조는 그림 13-1에서 제시된 바와 같고, 대부분 이 기본적인 디자인에서 크게 벗어나지 않는다. 목 날개(neck flange)는 기관절개관의 몸통관(tube shaft)이 기도 내부로 삽입되는 깊이를 고정해주면서 환자의 목에 안정적으로 거치되게 하며, 목끈을 거치하는 역할을 한다. 몸통관은 기도에 자연스럽게 삽입될 수 있도록 활형으로 만들어지며, 단일관 혹은 이중관으로 구성될 수 있다. 그림 13-1에서는 이중관의 외관(outer cannula)과 내관(inner cannula)이 제시되었고, 외관은 기관절개관이 중장기적으로 안정으로 위치하도록 하는 뼈대의 역할을 하며, 내관은 외관 내에 삽입하고 수시로 교체할 수 있게 설계되어 있다. 내관에 부착되어 있는 연결부(connector)는 기계환기나 발성밸브(speaking valve) 등의 외부 장치와 연결할 수 있는 부위이다. 기낭이 장착된 기관절개관의 경우, 공기를 넣고 빼기 위해 공기 주입부에 단방향밸브(one-way valve)가 달려있는 길잡이풍선(pilot balloon)이 있으며, 이 풍선은 기낭의 압력을 표지해주는 역할을 한다. 기관절개관을 처음

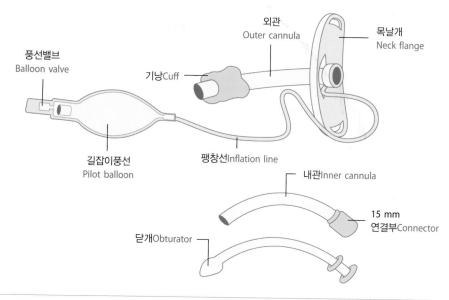

그림 13-1. 기관절개관의 기본 구조(이중관)

삽입할 때 닫개(obturator)를 관 내부에 거치하여 절개관의 삽입과정을 더 수월하게 진행할 수 있다. 기관절개관 삽입 이후에는 즉시 닫개를 제거하여야 한다.

성인 기관절개관의 종류 및 적용

기관절개관의 크기

일반적으로 기관절개관의 크기는 외경과 내경 그리고 관의 길이를 기준으로 결정한다. 기관절개관의 외경은 지나치게 크거나 작지 않은 적절한 범위에서 결정되어야 하는데. 기도 점막의 손상을 방지하는 등 장기적인 합병증을 예방하기 위해 기관 내경의 2/3–3/4을 넘지 않도록 하는 것이 중요하다. 특히, 호흡재활을 고려하는 환자에게는 기낭이 없는 상태에서 상기도를 통한 환기를 유도하기 위해 적당히 작은 외경이 유리하다. 반면, 너무 작은 외경을 사용할 경우 기낭에 과도한 압력이 가해져서 점막의 괴사를 일으킬 우려가 있다. 일반적으로 임상에서 대부분의 남성은 11 mm의 외경이 적합하며, 여성은 10 mm 정도를 적용할 수 있다(Bodenham et al, 2014).

기관절개관의 내경이 클수록 환기 시에 부담되는 공기 저항이 적고, 환자가 호흡에 사용하는 에너지가 감소하게 되어 대부분의 경우 내경이 클수록 환자에게 더 유리하다. 이때 내경의 크기는 대개 외경에 비례하여 늘어나기 때문에 적절한 외경을 고려하여 크기를 선택해야 한다. 기관절개관 몸통관의 길이는 너무 길 경우 기관 점막을 과도하게 자극할 수 있고, 환기 시 공기의 저항이 커진다는 단점이 있다. 반면, 몸통관이 너무 짧으면 사고로 인한 발관의 가능성이 높아지고, 기관절개관이 잘 고정되지 않아 관의 끝이 막히는 위험이 높아진다(Hess, 2005). 따라서, 적절한 기관절개관의 길이는 기관분기부(carina)에서 수 cm가량 상부에 위치하는 정도가 권장된다.

기관절개관의 기낭(cuff)

기낭이 있는 기관절개관은(그림 13-2)는 점액성 분비물로 인한 폐흡인(aspiration)을 방지하거나 기계환기 적용 시 압력을 유지하고 공기의 누출을 막기 위해 필요한 장치이다. 하지만, 기낭의 과도한 팽창으로 인해 기관 점막에 가해지는 압력이 클 경우 점막의 괴사(necrosis)나 성문하협착(subglottic stenosis)을 야기할 수 있다. 따라서, 기낭은 공기의 누출을 최소화할 수 있는 최소한의 부피, 즉, 최소폐쇄부피(minimal occlusive volume)가 유지되도록 관리해야 한다. 기낭의 압력은 주로 20-30 cmH$_2$O 범위에서 유지되어야 하며, 기관 점막의 손상과 폐흡인의 위험을 동시에 방지하기 위해서는 이 범위 내에서 가급적 낮은 수치로 유지하는 것이

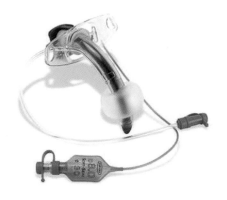

그림 13-2. **기낭이 있는 기관절개관**(Portex Blue Line Ultra® Suctionaid tracheostomy tube)

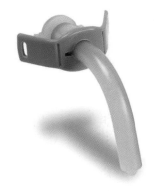

그림 13-3. **기낭이 없는 기관절개관**(Portex Blue Line® plain uncuffed tracheostomy tube)

권고된다(Hess and Altobelli, 2014). 기관절개관의 외경이 너무 작거나 기관 내에서 위치가 적절하지 않을 경우 기낭의 과도한 팽창을 야기하는 원인이 될 수 있어 주의를 요한다.

기낭이 없는 기관절개관(그림 13-3)은 스스로 점액성 분비물을 관리할 수 있는 환자에게 적용할 수 있다. 기낭이 없는 기관절개관은 기관 점막의 손상 위험이 적으며 발성과 연하 재활에 도움이 될 수 있어서 주로 일반병동에 재원중인 환자 혹은 외래를 통해 진료를 보는 환자에게 적용할 수 있다.

기관절개관의 개창(fenestration)

기관절개관의 개창(그림 13-4)은 주로 관의 몸통에서 구부러진 부분 위에 형성되어 있는데, 이 절개관은 주로 상기도의 폐쇄가 없거나 기계환기의 이탈 과정에 있는 환자들에게 적용된다. 이 기관절개관을 사용하면 개창을 통해서도 환기가 이루어지기 때문에, 호흡운동에 소요되는 부담을 줄일 수 있고, 개구부를 막으면 발성을 할 수 있다. 특히, 개창이 있는 기관절개관 개구부(15 mm connector)에 캡(cap)을 적용하면 개구부를 찾아서 막지 않더라도 발성을 하는데 용이하다. 하지만, 기관절개술을 비교적 최근에 시행한 환자들은 절개창 주변의 상처가 완전히 아물지 않은 상태이기 때문에, 양압 호흡장치와 함께 절개창이 있는 기관절개관을 사용하게 되면 경부의 기종(emphysema)를 유발할 수 있으므로 권장되지 않는다(Fikkers et al, 2004).

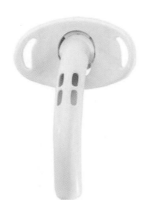

그림 13-4. **개창이 있는 기관절개관**(Shiley® uncuffed fenestrated tracheostomy tube)

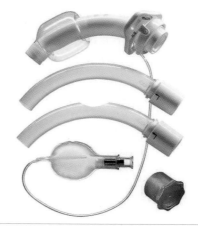

그림 13-5. **이중관 캐뉼라**(Tracoe® Twist double lumen fenestrated cuffed tracheostomy tube)

이중관 캐뉼라(double lumen cannula)

이중관 캐뉼라(그림 13-5)는 외관을 제자리에 유지한 채, 내관만 교체할 수 있도록 구성되어 있다. 이때, 내관은 비교적 쉽게 스스로 교체할 수 있으며, 교체하는 과정에서 절개창에 가해지는 외상이 적기 때문에 장기간 기관절개관을 유지해야하는 환자들에게 적합하다(Bodenham et al, 2014). 특히, 혈전이나 가피화된 점액분비물로 인해 기관절개관이 막히는 응급 상황에서도 신속하게 내관을 제거할 수 있다는 것이 장점이다. 이중관 캐뉼라는 같은 외경을 가진 단일관 캐뉼라에 비해 내경이 상대적으로 작기 때문에, 다소 호흡에 다소 부담이 커질 수 있어 신중하게 적용해야 한다(Hess, 2005). 일반적으로 이중관 캐뉼라는 외관에 개창이 형성되어 있고, 개창 여부에 따라 다른 색으로 구성된 두 종류의 내관을 사용하기 때문에, 반드시 잘 구분해서 사용해야 한다. 특히, 흡인의 위험이 높은 환자들에게 절개창이 있는 내관을 사용하는 것은 금기이다.

기관절개관의 재질(material)

기관절개관은 다양한 재질이 사용될 수 있어, 환자의 상황에 맞게 각각의 재질이 가진 특성을 활용할 수 있다. 과거에는 은(silver)이나 스테인리스강(stainless steel)으로 제작된 금속절개관을 사용하기도 하였는데, 금속은 재질의 지속성(durability), 미생물의 성장이 억제되는 점, 그리고 기도 점막에 염증반응을 적게 일으킨다는 장점이 있다. 그러나, 금속의 경직성, 기낭이 부착되기 어려운 점, 기계환기와 연결이 어려운 점으로 인해 현재는 거의 사용되지 않는다(Hess and Altobelli, 2014).

현재 임상에서 가장 흔하게 이용되는 기관절개관의 재질은 폴리염화비닐(polyvinyl chloride) (PVC)와 실리콘(silicone)이다. 폴리염화비닐은 체온과 습도에 따라 재질이 유연하게 변하기 때문에 인체의 구조에 맞게 변형될 수 있어, 기도 내에서 기관절개관이 중앙에 적절하게 위치하는데 도움이 된다. 또한, 이 재질은 수분과 화학약품에 내성이 강하여 소독이 용이할 수 있으나, 박테리아가 잔류할 수 있어 대부분 일회용으로 사용한다(Bradfield, 1966). 실리콘은 기본적으로 매우 부드러운 물질이며, 온도에 의해 변형되지 않는다. 실리콘은 점액성 분비물이나 박테리아가 표면에 부착되지 않고 쉽게 지나갈 수 있는 재질이어서, 미생물의 집락형성(colonization)과 균막(biofilm)을 억제할 수 있다는 큰 장점이 있다. 따라서, 적절히 소독하여 장기간 사용할 수 있어 환자들에게 비용 부담이 덜 될 수 있다. 위 두 가지 재질의 장점을 살리기 위해 폴리염화비닐 재질 위에 실리콘막을 입힌 재질을 사용하기도 한다. 이 재질은 삽입 후 체온에 따라 변형되어 환자 개개인의 기도구조에 적합하게 변형될 뿐 아니라, 적절한 습도가 유지된다면 표면에 점액성 물질이 덜 부착되기도 한다.

가장 흔한 두 재질 외에도 다양한 재질이 기관절개관에 사용될 수 있다. 실라스틱(silastic) 재질은 매우 유연하여 인체구조에 알맞게 변형이 가능하나, 강도가 다소 떨어진다는 단점이 있다. 실라스틱 재질은 고압증기(autoclave)로 멸균이 가능하여 재사용이 가능하다. 강화튜브(armored tube)는 폴리염화비닐위에 실리콘막을 입히고, 스테인리스강으로 강도를 보완하여 세 재질의 장점을 이용하고자 제작된 튜브이다. 이 재질은 튜브가 받는 압력에 대한 저항성을 강화하면서도 유연성을 유지할 수 있는 것이 장점이다. 이외에도 탄화불소수지(fluorocarbon resin)로 제작된 튜브는 내외관이 분리될 수 있는 이중관 혹은 단일관 튜브로도 통용되나 연결부위가 없어서 기계환기에 연결하기 어렵다(그림 13-6). 그렇기 때문에 탄화불소수지 캐뉼라는 자발호흡이 회복되어 기계환기 장치에서 점차 벗어나는 단계(weaning)에서 흔히 사용된다.

일정한 모양으로 제작된 기관절개관 외에 관 내에 나선형의 와이어를 보강하여 몸통관이 유연하게 구부러질 수 있도록 설계한 절개관(reinforced cannula)도 있다(그림 13-7). 이 기관절개관은 기관절개창으로부터 피부까지의 길이가 길거나 기관이 변형되어 일반적인 기관절개관의 모양을 적용할 수 없는 환자들에게 적용될 수 있다. 특히, 몸통관뿐만 아니라 목날개의 위치와 각도를 교정할 수 있도록 설계되어 있어서 다양한 환자의 상황에 적용될 수 있다. 다만, 와이어 재질로 인해 수술장에서 레이저나 전기소작기구를 적용할 수 없으며, 자기공

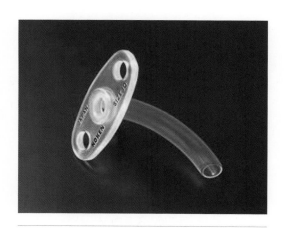

그림 13-6. 탄화불소수지 재질의 기관절개관
(KOKEN® single-tube tracheal cannula)

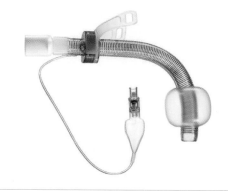

그림 13-7. 나선 와이어 보강형 기관절개관
(Tracoe® Vario wire reinforced tracheostomy tube with adjustable neck flange and low pressure cuff)

영상(magnetic resonance imaging, MRI) 검사가 어려운 단점이 있다. 특수한 형태의 기관절개관을 장기간 적용해야 하는 환자가 있을 경우에는 제작사에 의뢰하여 절개관을 맞춤형으로 제작하는 것도 고려할 수 있다(Hess, 2005).

장관 캐뉼라(adjustable length cannula)

일반적으로 기관절개관은 인구의 평균치를 기준으로 한 표준 길이로 제작된다. 그러나 기관 하부를 침범하는 병변이 있거나, 기관절개창이 적절한 위치에 형성되지 못한 경우 표준화된 기관절개관을 적용하기 어렵기 때문에, 기도를 적절히 확보하기 위해 보다 긴 절개관이 필요하다(Fernandez-Bussy et al, 2015). 또한, 환자의 목이 두꺼워 피부와 기관 사이의 길이가 긴 경우에도 긴 절개관이 필요할 수 있다. 이런 경우들에서 사용할 수 있는 장관 캐뉼라(그림 13-8)는 폴리염화비닐 재질로 제작되거나 내부의 나선형 와이어를 통해 구부러지는 각도를 조절할 수 있으며, 목날개의 위치를 조절함으로써 기관 내에 삽입되는 길이를 조절할 수 있도록 제작되었다. 다만, 환자의 환기를 유지하기 위해 적확하게 길이를 가늠하여 삽입하는 과정이 쉽지 않기 때문에, 반드시 삽입 후에는 연성 내시경을 통해 기관절개관의 말단이 기관분기부의 위에 위치함을 확인해야 한다. 또한, 관이 길기 때문에 호흡으로 인한 부담이 커짐으로써 장기간 장관 캐뉼라를 유지하는 것이 쉽지 않을 수 있다.

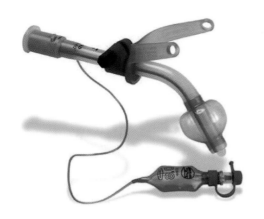

그림 13-8. **장관 캐뉼라**(Portex Blue Line® uncuffed adjustable flange tracheostomy tube)

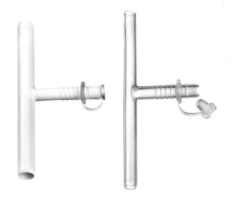

그림 13-9. **몽고메리 T 튜브**(Montgomery® T-Tubes™)

몽고메리 T 튜브(Montgomery T-tube)

몽고메리 T 튜브는 세 개의 튜브 말단으로 이루어진 실리콘 재질의 기관절개관이다. 윗단은 후두 부위를 향하고, 아랫단은 기관으로 향하며, 중간부위에 앞으로 난 입구는 호흡 또는 흡인의 통로로 활용되도록 구성되어 있다(그림 13-9). 이 튜브는 적절한 기도를 확보함과 동시에 후두와 기관을 지지할 수 있어, 다양한 부위에서 나타나는 협착에 사용될 수 있다는 것이 장점이다(Phillips et al, 2006). 또한, 세 방향으로 개방된 튜브의 모양을 활용하여 평소 앞쪽으로 난 관을 마개로 막으면 후두와 기관의 스텐트로 사용되어 코와 입으로 숨을 쉬면서 발성을 할 수 있고, 유사시에는 앞쪽의 마개를 열어 기도를 유지할 수 있다. 몽고메리 T 튜브는 후두 및 기관의 재건술 후 스텐트의 목적으로 주로 적용되며, 악성종양으로 인한 기관 협착, 기관식도누공tracheoesophageal fistula 등의 병변에 대해 장기간 거치할 수 있다 (Macchiarini et al, 2000; Maddaus et al, 1992). 몽고메리 T 튜브는 특유의 구조 때문에 환자에게 삽입하거나 교환, 혹은 제거하기가 다소 어려울 수 있다. 그림 13-10에서는 이 튜브를 삽입하는 과정이 잘 그려져 있다.

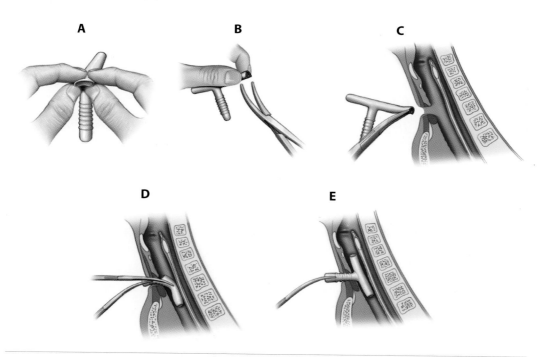

그림 13-10. **몽고메리 T 튜브의 삽입**(Insertion of Montgomery tube)

소아 기관절개관의 종류 및 적용

소아에서의 기관절개관은 대개 나이를 고려하여 크기를 결정하게 되지만(표 13-1), 선천적인 질환으로 인해 몸무게나 과도하게 많이 나가거나 혹은 적게 나갈 경우 기관절개관의 크기를 신중하게 고려하여 결정해야 한다. 기관절개관의 종류를 결정함에 있어서는 내경의 크기도 중요하지만, 소아의 기관은 성인에 비해 상대적으로 변이가 크기 때문에 절개관의 길이와 곡률(curvature)도 중요한 고려사항이다. 기관절개관을 안정적으로 유지하기 위해 절개관은 절개창으로부터 최소 2 cm 이상 삽입되면서 기관분지로부터 최소 1-2 cm 이상의 거리를 유지해야 하며, 기관점막에 가급적 닿지 않도록 기관과 평행하게 거치되어야 한다. 삽입 후에는 기관절개관의 길이와 곡률이 적절한지 평가하기 위해 연성 내시경 및 경/흉부 X선을 시행하여 확인한다(Sherman et al, 2000).

소아의 기관은 내경이 작기 때문에 대부분 기낭이 없는 기관절개관(그림 13-11)를 주로 사용하나, 기계환기를 요하거나 폐흡인의 위험이 높을 경우에는 기낭이 있는 기관절개관을 사용할 수 있다. 기낭이 있는 기관절개관을 사용할 때에는 기관 점막의 혈류압박을 방지하기 위해 고부피/저압력(high-volume/low-pressure) 기낭을 사용하는 것이 권장되는데, 기낭의 압력은 20 cmH$_2$O 이하로 유지하는 것이 적절하다(Nam et al, 2020). 소아는 자발적

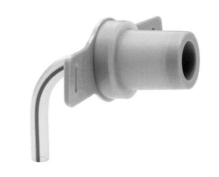

그림 13-11. 소아용 기관절개관(Portex Blue Line Ultra® pediatric tracheostomy tubes)

표 13-1. 소아 연령에 따른 기관절개 캐뉼라의 크기

나이	몸무게(kg)	내경(mm)	길이(cm)
신생아	2-4	2.5-3.5	10-12
1-6개월	4-6	4.0-4.5	12-14
6-12개월	6-10	4.5-5.0	14-16
1-3년	10-15	5.0-5.5	16-18
4-6년	15-20	5.5-6.5	18-20
7-10년	25-35	6.5-7.0	20-22
10-14년	40-50	7.0-7.5	22-24

으로 점액을 배출하는 것이 어려운 경우가 많기 때문에 기낭에서 공기를 빼기 전부터 반드시 흡인을 통해 점액을 제거해주어야 한다(Campisi and Forte, 2016).

이외에도 소아에서는 언어발달이 중요하기 때문에 개창이 있는 기관절개관의 필요성이 있으나, 소아에서는 기관과 절개창이 작기 때문에 이중관을 사용하는 것이 현실적으로 어려운 경우가 있고, 개창된 부분을 통해 육아조직 형성이 촉진되는 것으로 알려져 있기 때문에, 주의를 요한다. 발성이 필요하나 개창이 있는 기관절개관을 사용하기 어려운 경우 크기가 꽉 맞지 않는 기관절개관을 적용하고 발성밸브를 사용하는 방법을 사용할 수 있다(Sherman et al, 2000).

■ 참고문헌

1. Bodenham A, Bell D, Bonner S et al. Standards for the care of adult patients with a temporary tracheostomy; Standards and Guidelines. Intensive Care Society 2014;2014:29-32.
2. Bradfield W. New disposable tracheostomy tube for positive-pressure ventilation. Br Med J. 1966;2(5521):1063.
3. Campisi P, Forte V. Pediatric tracheostomy Seminars in pediatric surgery: Elsevier, 2016:191-5.
4. Fernandez-Bussy S, Mahajan B, Folch E, Caviedes I, Guerrero J, Majid A. Tracheostomy Tube Placement: Early and Late Complications. J Bronchology Interv Pulmonol 2015;22:357-64.
5. Fikkers BG, van Veen JA, Kooloos JG et al. Emphysema and pneumothorax after percutaneous tracheostomy: case reports and an anatomic study. Chest 2004;125:1805-14.
6. Flanagan F, Healy F. Tracheostomy decision making: from placement to decannulation Seminars in Fetal and Neonatal Medicine: Elsevier, 2019:101037.
7. Fraga JC, Souza JC, Kruel J. Pediatric tracheostomy. J Pediatr (Rio J) 2009;85:97-103.
8. Hess DR. Tracheostomy tubes and related appliances. Respir Care 2005;50:497-510.
9. Hess DR, Altobelli NP. Tracheostomy TubesDiscussion. Respir Care 2014;59:956-73.
10. Lewarski JS. Long-term care of the patient with a tracheostomy. Respir Care 2005;50:534-7.
11. Macchiarini P, Verhoye JP, Chapelier A, Fadel E, Dartevelle P. Evaluation and outcome of different surgical techniques for postintubation tracheoesophageal fistulas. J Thorac Cardiovasc Surg 2000;119:268-76.
12. Maddaus MA, Toth JL, Gullane PJ, Pearson FG. Subglottic tracheal resection and synchronous laryngeal reconstruction. J Thorac Cardiovasc Surg 1992;104:1443-50.
13. Nam I-C, Shin YS, Jeong W-J et al. Guidelines for Tracheostomy From the Korean Bronchoesophagological Society. Clinical and Experimental Otorhinolaryngology 2020;13:361.
14. Phillips P, Kubba H, Hartley B, Albert D. The use of the Montgomery T-tube in difficult paediatric airways. International Journal of Pediatric Otorhinolaryngology 2006;70:39-44.
15. Sherman J, Davis S, Albamonte-Petrick S et al. Care of the child with a chronic tracheostomy. This official statement of the American Thoracic Society was adopted by the ATS Board of Directors, July 1999. American Journal of Respiratory and Critical Care Medicine 2000;161:297-308.

기도관리의
특수 상황

CHAPTER

14

급성 감염성 호흡기 질환 환자의 기도 관리/기관절개술

Airway management and tracheostomy in patients with acute infectious respiratory disease

서울대학교 의과대학 이비인후과학교실 **이도영**

20세기 초반 인플루엔자 바이러스가 세계대전의 전선을 따라 퍼져 나간 예과 같이 인류는 과거로부터 급성 감염성 호흡기 질환에 의한 팬데믹을 수차례 거쳐왔다. 2000년대에는 코로나바이러스가 다양한 형태로 팬데믹을 일으키고 있고 우리나라에서도 2003년 사스(SARS), 2013년 메르스(MERS)에 이어 2020년 이후 COVID-19에 의한 감염성 질환의 팬데믹을 경험하고 있다. 이러한 급성 감염성 호흡기 질환에서의 기도 관리는 질병의 치료 및 전파 차단을 위해 매우 중요하며, 가장 최근에 발생한 COVID-19에서의 강한 전파력때문에 기도 관리의 중요성이 더욱 강조되고 있다. COVID-19의 대유행 초기인 2020년 3월 세계보건기구는 에어로졸을 생성하는 술기에 대해 기관내삽관, 기도내시경, 기도흡인술, 연무기기(nebulizer)의 사용, 기관절개술을 포함시켰고(World Health Organization, 2020), 그로부터 한 달 후 미국 질병관리본부(Center for Disease Control and Prevention, CDC)에서 에어로졸을 생성하는 술기에 대해 "일상적인 기침, 재채기, 대화, 호흡과 비교하여 이보다 높은 농도의 감염원을 포함한 에어로졸을 생성할 수 있는 모든 술기"로 정의하였다(Centers for Disease Control and Prevention, 2020). 따라서, 급성 감염성 호흡기 환자에서의 기관절개술은 시술 시에 의료진 감염 등을 고려한 정확한 방역 수칙 및 수술 방법에 기초하는 것이 필요하며 질병의 치료를 위해 적절한 시점에 적절한 방법으로 진행되는 것이 중요하다.

급성 감염성 호흡기 환자의 기관절개술

기관절개술의 시기

COVID-19 유행 초기에 발표된 미국이비인후과학회의 지침에 따르면, COVID-19 감염이 의심되거나 확진 환자들에 있어서 호흡이 불안정하거나 기계호흡에 대한 의존도가 높다면 기관절개술을 가급적 피하는 것이 좋으며, 호흡이 안정적인 환자들에게 시행하되, COVID-19 음전이가 확인된 이후에 시행하는 것이 권장되었다. 그러나, 급성 감염성 호흡기 질환에 이환되어 중환자실에서 오랜 기간 기계 환기에 의존해 온 환자들은 대개의 경우 경도에서부터 중증 정도의 근병증과 신경병증이 동반될 가능성이 높아 기계 환기에서 회복하는 기간이 매우 길어지게 됨을 고려해야 한다(Chiang et al, 2020).

기관절개술을 시행하는 시기는 아직 정립되지는 않았으나, 시기를 결정하는 데 있어 여러가지를 고려해야 한다. 바이러스 혹은 세균의 증식이 감소되어 전파력이 낮아질 때 시행을 하는 것은 의료진의 감염 등을 예방하는 데 좋을 수 있으나, 이러한 지연이 객담배출이나 폐청결의 어려움으로 인한 호흡기계 회복 지연, 진정 기간의 증가, 고령에서의 인지 기능 저하, 기관 내의 중환자실 병상 확보 등에 악영향을 미칠 수 있다. 추가적으로, 오랜 기간의 기관내삽관은 후두 손상, 기관 손상 등으로 인한 합병증이 증가할 수 있다(Pandian et al, 2020). 위의 사항과 바이러스 증식 및 치료 시 바이러스 검출 기간 등을 고려해야 하며 COVID-19의 경우 기관 삽관 후 10-21일 정도에 시행하는 것을 권고하고 있고(표 14-1), 아래 그림과 같은 다양한 경우를 고려하여 결정할 수 있다(그림 14-1, 2) (McGrath et al, 2020).

수술 장소

기관절개술은 수술실 혹은 중환자실에서 시행할 수 있다. 수술실에서 시행하는 것으로 결정하는 경우 환자 이송 시의 감염 전파의 위험을 고려해야 하므로 대개 음압 중환자 병실에서 시행하는 경우가 많다(Smith et al, 2020). 음압병실의 사용이 어려운 경우에는 high-efficiency particulate air (HEPA) 필터를 사용한다.

표 14-1. 해외 기관의 COVID-19 환자의 기관절개술 가이드라인과 프로토콜

Organization/Institution	Article Type	Duration of Mechanical Ventilation, d	Location	Technique
American Academy of Otolaryngology	Recommendation	> 14–21	NA	NA
American Association for the Surgery of Trauma	Guidelines, recommendation	No tracheostomy or delay until negative	Negative pressure, operating room for high-risk patients	No preference
Surgical Infection Society	Guidelines	Unknown	Negative pressure	Open
New York Head and Neck Society	Recommendation	> 21	Negative pressure, bedside > operating room	No preference
New York University	Recommendation	No tracheostomy or >14	Negative pressure	No preference
New York University–Langone Percutaneous Tracheotomy Protocol	Institutional protocol	> 5–7	Negative pressure, bedside	Percutaneous
New York University–Langone	Clinical report	10.6	NA	Modificd percutaneous
University of Pennsylvania Tracheotomy Task Force	Institutional protocol	> 21	Negative pressure, bedside > operating room	Open
University of Pennsylvania Tracheostomy Procedure Guideline	Guidelines	> 10–14	Negative pressure, bedside > operating room	No preference
Michigan Medicine Tracheostomy Guidelines	Guidelines	Delay, until negative	Negative pressure, bedside > operating room	No preference
Lake Erie College and Medical University of South Carolina	Clinical protocol	Delay, until negative	Negative pressure, bedside > operating room	NA
University of California San Francisco	Guidelines	>14–21	Negative pressure, bedside > operating room	No preference
University of California Los Angeles	Recommendation	Delay, unspecified	Negative pressure, bedside > operating room	Preference
ENT United Kingdom	Guidelines	Delay, until negative	Negative pressure, bedside > operating room	NA
National Tracheostomy Safety Project	Guidelines	Delay, until negative	Negative pressure, bedside > operating room	NA
United Kingdom	Recommendation	> 14 d	Negative pressure, bedside > operating room	No preference
National University of Singapore	Recommendation	NA	Negative pressure, bedside > operating room	Open
University Hospital of Modena, Italy	Clinical report	7–14	Negative pressure, bedside for perc	No preference
Brazilian Association of Otolaryngology and Cervicofacial Surgery Position Statement	Position statement	No tracheostomy	Negative pressure	NA

NA = not applicable

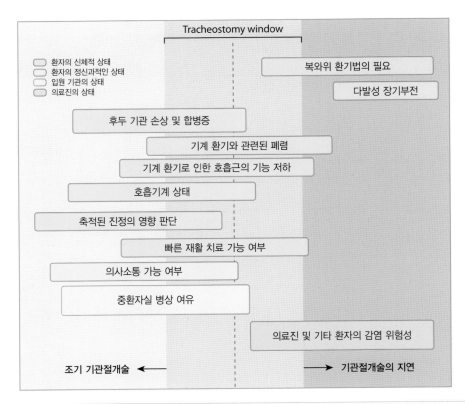

그림 14-1. COVID-19 환자에서 기관절개술 시기를 결정할 때 고려해야 할 사항. 박스의 높이는 중요한 정도를 나타낸다.

수술 방법 및 주의 사항

수술 시에는 기관의 지침에 따라 방호복의 착탈 메뉴얼을 엄격하게 지켜야 하며, 수술에 참여하는 인원을 가급적 최소한으로 제한하도록 권고하고 있다(Parker et al, 2020). 저자의 경우에도 수술을 집도하는 이비인후과 의사 이외의 다른 인력은 평소 감염 환자를 접촉하는 내과 혹은 중환자의학과 의사 및 간호사만을 포함하도록 한다(Meister et al, 2021). 이 경우, 방호복 착탈 등의 방역 수칙에 익숙하지 않은 수술 보조 인력을 투입하지 않아 감염 확산을 최소화할 수 있는 장점이 있다. 다만, 기관절개술을 시행하는 집도의사의 숙련도가 높아야 기관절개술에 익숙하지 않은 다른 보조 의료진과 함께 무리없이 수술을 진행할 수 있다. 대개의 의료기관의 경우, 중환자실 혹은 병상에서 기관절개술을 시행할 때 환자를 모니터하는 주치의나 마취과 의사가 상주하게 된다. 저자의 경우 환자를 모니터하면서 수술 시 에어로

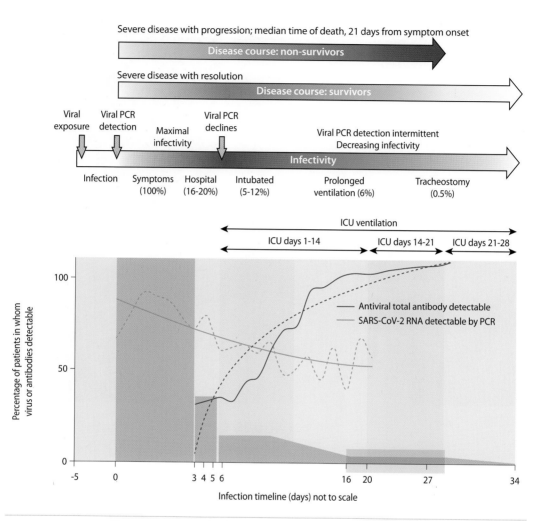

Severe disease with progression; median time of death, 21 days from symptom onset

Disease course: non-survivors

Severe disease with resolution

Disease course: survivors

Viral exposure · Viral PCR detection · Maximal infectivity · Viral PCR declines · Viral PCR detection intermittent / Decreasing infectivity

Infectivity

Infection · Symptoms (100%) · Hospital (16-20%) · Intubated (5-12%) · Prolonged ventilation (6%) · Tracheostomy (0.5%)

ICU ventilation

ICU days 1-14 · ICU days 14-21 · ICU days 21-28

Percentage of patients in whom virus or antibodies detectable

Antiviral total antibody detectable
SARS-CoV-2 RNA detectable by PCR

Infection timeline (days) not to scale

그림 14-2. COVID-19 환자에서 고려해야할 바이러스 감염력의 변화

졸이나 연기를 흡입해주는 주치의사와 둘이 수술을 진행하고 필요한 수술 기구와 수술상을
직접 준비한다(그림 14-3).

기관절개술에 대한 세부적인 지침을 살펴보면 기관절개술은 음압이 적용되고 밀폐된 장
소에서 시행되어야 한다. 환자를 마취할 때에는 환자의 기침을 억제하기 위해 근육이완을
충분히 유지해야 하고, 기관이 열리기 직전에는 환기를 잠시 멈추도록 해야 한다. 수술 중에
는 연기로 인한 바이러스 노출을 방지하기 위해 전기소작기구(bovie 등)를 사용하지 않도록
권장하는 가이드라인이 많으나, 저자의 경우는 출혈로 인한 수술 시간 지연 및 이로 인한 수

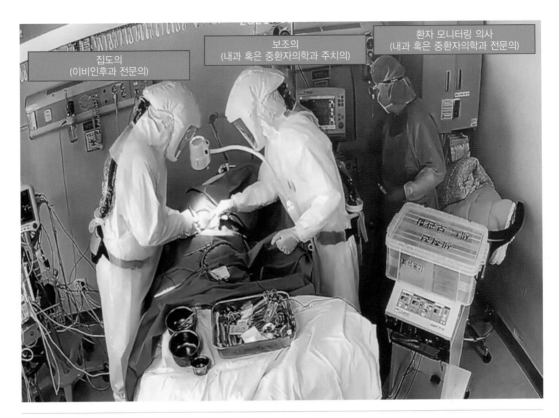

그림 14-3. **기관절개술 참여 인력**

술 오류 등의 문제가 더 클 것으로 판단되어 전기소작기구를 피부절개 시부터 수술 종료 때까지 사용한다. 이는 급성 호흡기 감염 환자의 중등도에 따라 최중증 환자의 경우 ECMO나 CRRT를 적용 중으로, 이러한 환자에서는 항응고제 사용으로 출혈의 위험이 더 커지기 때문이다. 발생하는 연기는 보조의에게 적극적으로 흡입하도록 교육하고 수술을 진행한다.

수술방법은 일반적인 기관절개술과 크게 다르지 않다. 일반적인 환자 침대는 수술실에 비해 좌우가 넓기 때문에 환자를 집도의 쪽으로 붙이는 것이 유리하고, 어려운 경우 최소한 낙상 방지용 보호대는 아래로 내려야 편하게 수술을 시행할 수 있다. 어깨 아래에 수술방포 등을 넣어 목이 신전되도록 하고, 기관이 목의 앞쪽에 나오도록 한다. 중환자실이나 병실의 기관절개술은 침대가 너무 푹신하여 어깨받침이 효과적으로 이루어지지 않을 수 있으므로, 이 경우에는 에어매트리스의 공기를 일시적으로 제거하거나 단단한 판을 환자 상체 밑에 받치는 것이 도움이 된다. 경부, 안면, 흉부의 상부를 포비돈 요오드 용액 등으로 소독을 한 뒤

경부에 접근이 가능하도록 방포를 덮는다. 이때 많은 경우 경부에 중심정맥라인이 거치되어 있는 경우가 있으므로 해당 부위의 소독 테이프가 벗겨지지 않도록 주의하거나 처음부터 벗겨놓고 수술 후 다시 소독해야 한다.

　1% 리토카인과 1:100,000 에피네프린을 절개가 가해질 부분의 피부와 피하에 주사하는 것이 좋다. 저자의 경우, 수술 절개부터 전기소작기구를 사용하여 이러한 주사를 생략하는 경우가 많다. 피부절개는 일반적인 기관절개술과 마찬가지의 위치와 크기로 시행하나, 방호복을 입은 상태에서는 헤드램프의 착용이 어려워 대개의 경우 수술실에서 시행할 때보다 조명이 약한 경우가 많아 일반적인 기관절개술의 피부 절개보다 더 크게 시행을 하여 비교적 적은 조명으로도 시야를 잘 확보할 수 있도록 한다. 피부 절개 후부터 갑상선 협부의 노출까지는 일반적인 기관절개술과 다르지 않다. 일반적으로 기관절개술을 시행한 뒤 발관하기까지 오래 걸리는 환자가 많기 때문에 저자의 경우는 갑상선 협부를 전기소작기를 이용하여 분리한 뒤, 노출된 2번째 혹은 3번째 기관륜의 전면을 절개한다. 기관륜의 전면을 절개할 때 경구강 삽관 튜브의 기낭이 높게 위치하는 경우에 이를 손상을 주게 되면 급성 호흡기 감염 환자의 경우 산소공급이 어려워지는 경우가 있으므로 특별히 주의하여야 한다. 기낭이 적절하게 위치한 경우는 벤틸레이터의 중단없이 기관공을 형성한 뒤 수술 방포를 제거하고 기관내관을 제거한 뒤 기관절개관을 삽입, 고정하여 수술을 종료한다. 기관내관을 제거하기 전에는 반드시 벤틸레이터를 중단해야 한다. 일반적인 수술과 다른 주의해야 할 점에 대해 아래의 표로 정리하였다(표 14-2).

표 14-2. 급성 감염성 호흡기 질환 환자의 기관절개술 시 일반적인 기관절개술과 다르게 주의해야 할 점

급성 감염성 호흡기 질환 환자의 기관절개술
적은 조명량으로 적절한 시야 확보를 위해 피부 절개를 일반적인 기관절개술에 비해 크게 한다.
연기로 인한 바이러스 노출을 피하기 위해 전기소작기를 사용하지 않는다 (출혈 등의 위험을 고려하여 술자에 따라 적절하게 사용할 수 있다고 생각하고, 저자의 경우는 피부 절개부터 전기소작기를 사용한다)
기관절개공을 형성할 때 기관륜을 절개한다. 확실한 기관절개공을 만드는 것이 추후 발관 등을 고려하는 것에 우선하여 더 중요하다.
경구강 삽입 튜브의 기낭 위치가 높은 경우 기관공을 만들 때 어려움이 있으므로 특히 주의해야 한다.
원치 않는 발관이 일어나지 않도록 기관절개관을 잘 고정하고 필요한 경우 경부 피부에 봉합하여 움직이지 않도록 해야 한다.
기관절개관은 일반적인 기관절개술과 다르게 1–2주 이후에 시행한다.

수술 방법의 선택

과거 사스 팬데믹의 경험에서 수술적 기관절개술이 경피적 확장 기관절개술에 비해 감염 전파에 더 유리함을 확인하였다. 이는 경피적 확장 기관절개술이 기관을 확장하는 술기, 기관지내시경 사용, 기계 환기 연결 및 분리 등의 조작 등으로 인한 기도 조작을 더 많이 하게 되어 에어로졸의 전파 가능성이 더 높기 때문이다. 그러나 이러한 기술적인 면을 제외한다면 최근에는 경피적 확장 기관절개술도 아래와 같은 유리한 점이 있음이 밝혀지고 있다. 경피적 확장 기관절개술이 가능한 기관에서는 급성 감염성 호흡기 질환 환자만을 위한 기관지내시경 유닛을 보유하고 있고, 이는 반복적인 폐청결이 가능한 상태이다. 따라서 이런 경우 그렇지 않은 기관보다 반복적인 폐청결로 호흡기계 기능 회복을 촉진시킬 수 있는 상태이다. 또한 경피적 확장 기관절개술의 경우 감염 환자 시술에 참여하는 새로운 인력이 감소될 수 있다. 경피적 확장 기관절개술이 감염 환자를 직접 관리하고 있는 의료진에 의해서 시행된다면 수술적 기관절개술을 위해 새로운 의료진(예. 이비인후과 의사)의 접촉을 최소화할 수 있다. 다만, 경피적 확장 기관절개술이 어려운 경우에 수술적 기관절개술로 전환할 수 있는 시스템을 갖추어야 한다. 특히, 갑상선비대, 심한 비만이나, 어려운 경부 해부 구조를 가지고 있는 경우에는 경피적 확장 기관절개술 보다는 수술적 기관절개술을 선택하는 것이 더 좋을 수 있다(Bassi et al, 2020).

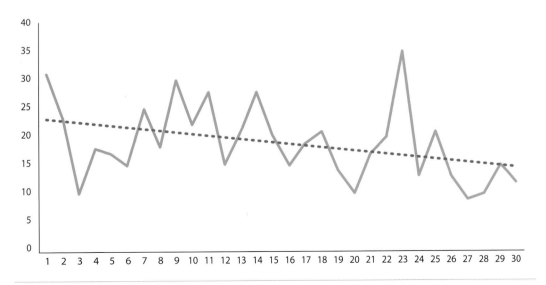

그림 14-4. 기관절개술 시행 시기의 추세 변화

본 기관(서울대병원 및 보라매병원)에서도 COVID-19 유행에 따라 여러 감염 환자에게 기관절개술을 시행하였다. 기관절개술은 level D의 방호복을 착용한 상태에서 시행되었고, 수술 방법에 있어서는 전기 소작기구를 제한이 없이 이용하는 등 기존의 기관절개술과 술기 면에서는 별다른 차이가 없었다. 수술적 기관절개술은 16명에게 시행되었고, 경피적 확장 기관절개술이 14명에게 시행되었는데, 수술적 기관절개술을 시행한 환자군에서 생존률이 더 낮게 집계되었다(수술적 기관절개술 37.5% vs 경피적 확장 기관절개술 78.6%). 이는 수술 당시의 환자 상태를 나타내는 기저질환이나 APACHE II 수치, ECMO나 CRRT 적용 여부 등이 수술적 기관절개술을 시행받은 환자에서 더 나빴기 때문으로 생각된다. 수술적 기관 절개술에 소요된 시간은 평균적으로 29.2분이었고, 수술 후 발생한 합병증으로는 한 명의 환자에서 피하기종(subcutaneous emphysema)이 발생한 것으로 보고되었다. 이 과정에서 가장 우려하였던 수술 전후로 발생한 의료진의 감염은 확인된 바가 없었다. 본 집단에서는 대개 환자의 기관내삽관 후 2-3주 사이에 이비인후과로 시술이 의뢰되었기 때문에, 기관절 개술은 기관삽관 후 약 3주 가량 지난 기간에 대체로 시행되었으며, 경험이 축적되면서 전반적으로 이 기간은 점차 짧아지는 경향을 보이고 있다(그림 14-4). 조기에 시행한 기관절개술과 지연하여 시행한 기관절개술 사이에 환자 회복에는 전체적으로 조기에 기관절개술을 시행한 것이 생존율 등의 전체적인 지표가 높은 것으로 확인되었다(그림 14-5). 위와 같은 경

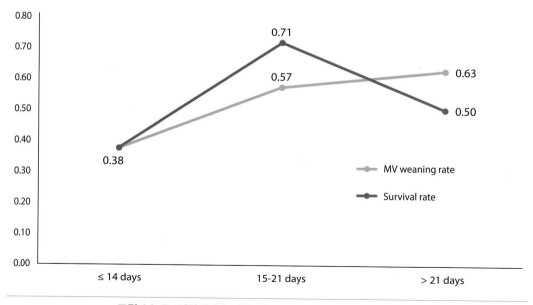

그림 14-5. 기관절개술 시행 시기에 따라 환자 회복 상태의 비교

험을 바탕으로 판단할 때, 개인보호구를 엄격하게 착용하고, 주변의 방역 및 소독이 잘 이루어진다면, 기관절개술은 COVID-19 환자에게 충분히 안전하고 효과적으로 시행할 수 있는 것으로 보인다.

수술 후 관리

수술 직후 관리

수술 직후에는 수술 시 사용했던 수술기구와 기타 일회용 기구에 대한 소독 및 폐기를 철저하게 해야 한다. 환자 요구량에 맞춰 적절한 산소 농도를 조절해야 하고 꺼놓았던 벤틸레이터를 다시 적절하게 세팅해야 한다. 적어도 한 시간 정도의 진정 기간을 유지하는 것이 좋으며, 일반적으로 기계 호흡에 의존하여 진정이 되어 있는 경우가 있으므로 이를 잘 유지해야 한다. 폐쇄적인 흡인 시스템이 잘 유지되는지 반드시 확인해야 한다. 일반적으로 기관절개관의 보조 라인을 이용한 성문하 흡인은 에어로졸 발생 등의 위험이 있으므로 당분간은 피해야 한다(Kempfle et al, 2020). HME 필터와 같은 가습 시스템을 연결하고 흉부 X선을 시행하여 수술 후 이상 소견이 없는지 확인한다. 수술 중 환자 침상의 에어매트리스를 끈 경우에는 수술 직후 다시 켜서 욕창을 방지해야 한다.

기관절개관 교체 및 발관

교체 빈도를 최소화하는 것이 좋으며 기관절개관 교체는 보고마다 다르나약 1-2주 후 시행하고 경우에 따라 COVID-19 음전이 된 후 시행하도록 한다. 특히, 기관절개관의 크기를 줄이거나 발관하는 것은 음전이 확인된 이후에 진행하는 것이 좋다(Gosling et al, 2020).

표 14-3. 기관절개술 후 주의사항

기본 관리	최선의 진료	응급상황 대처 교육, 다학제 진료 및 치료, 환자 및 보호자 교육
기낭 관리	• 폐쇄 회로 유지 • 기도 보호와 흡인 방지	• 기계 호흡을 유지하는 동안 기낭 압력을 25-30 cmH$_2$O로 유지 • 자가 호흡이 가능한 경우 압력을 줄일 수 있음 • 간호 인력 교대 시 기낭 압력 확인 • 불필요한 압력 확인을 최소화
가습, 거담	• 가래 점도 감소 • 기관절개관 개방성 유지	• HME 필터 사용 • 정기적인 식염수 네뷸라이저 • 필요시 진해거담제 사용
흡인	• 가래, 분비물 제거 • 기도 확보 및 가스 교환 유지	• 폐쇄된 회로를 통해 시행
성문하 흡인 포트	• 기낭 상부의 분비물 제거	• 분비물이 많을 경우에만 일시적으로 사용

기타 주의사항

수술 이후 가장 중요한 것은 에어로졸 발생을 최소화하여 주변 의료진에 감염을 최소화하는 것이다(Rovira et al, 2021). 기관절개관의 기낭 압력을 적절히 유지하고 폐쇄 흡인 회로를 유지하여 에어로졸이 외부로 유출되는 것을 최소화하여야 한다. 또한, 기낭 압력을 일정 기간 줄이는 프로토콜은 급성 감염성 호흡기 환자에서는 중단해도 된다(Takhar et al, 2020). 일반적인 권고 사항은 위의 표로 정리하였다(표 14-3).

■ 참고문헌

1. Bassi M, Ruberto F, Poggi C et al. *Is Surgical Tracheostomy Better Than Percutaneous Tracheostomy in COVID-19-Positive Patients? Anesth Analg 2020;131:1000-5.*

2. Chiang SS, Aboutanos MB, Jawa RS et al. *Controversies in Tracheostomy for Patients With COVID-19: The When, Where, and How. Respir Care 2020;65:1767-72.*

3. Frieden TR, Lee CT. *Identifying and Interrupting Superspreading Events-Implications for Control of Severe Acute Respiratory Syndrome Coronavirus 2. Emerg Infect Dis 2020;26:1059-66.*

4. Gosling AF, Bose S, Gomez E et al. *Perioperative Considerations for Tracheostomies in the Era of COVID-19. Anesth Analg 2020;131:378-86.*

5. Kempfle JS, Lowenheim H, Huebner MJ, Iro H, Mueller SK. *[Management of tracheostomy patients during the COVID-19 pandemic: review of the literature and demonstration]. HNO 2020;68:828-37.*

6. McGrath BA, Brenner MJ, Warrillow SJ et al. *Tracheostomy in the COVID-19 era: global and multidisciplinary guidance. Lancet Respir Med 2020;8:717-25.*

7. Meister KD, Pandian V, Hillel AT et al. *Multidisciplinary Safety Recommendations After Tracheostomy During COVID-19 Pandemic: State of the Art Review. Otolaryngol Head Neck Surg 2021;164:984-1000.*

8. Pandian V, Morris LL, Brodsky MB et al. *Critical Care Guidance for Tracheostomy Care During the COVID-19 Pandemic: A Global, Multidisciplinary Approach. Am J Crit Care 2020;29:e116-e27.*

9. Rovira A, Dawson D, Walker A et al. *Tracheostomy care and decannulation during the COVID-19 pandemic. A multidisciplinary clinical practice guideline. Eur Arch Otorhinolaryngol 2021;278:313-21.*

10. Smith D, Montagne J, Raices M et al. *Tracheostomy in the intensive care unit: Guidelines during COVID-19 worldwide pandemic. Am J Otolaryngol 2020;41:102578.*

11. Takhar A, Walker A, Tricklebank S et al. *Recommendation of a practical guideline for safe tracheostomy during the COVID-19 pandemic. Eur Arch Otorhinolaryngol 2020;277:2173-84.*

12. World Health Organization W. Modes of transmission of virus causing COVID-19: implications for IPC precaution recommendations: scientific brief, 27 March 2020: World Health Organization, 2020.

CHAPTER

15

서울대학교 의과대학 흉부외과 **박인규, 김영태**

전종격동 기관절개술
Anterior Mediastinal Tracheostomy

전종격동 기관절개술은 경흉부 기관(trachea)과 식도(esophagus)를 침범한 두경부종양 또는 경부 기관절개공에 발생한 두경부종양의 국소재발 등의 치료를 위해 중하부 기관절제를 시행한 경우에서의 기도(airway) 재건을 위해 시행된다. Minor가 1950년에 시행한 흉벽절제 후 기관절개술이 최초의 전종격동 기관절개술이라고 할 수 있으며, 전종격동 기관절개술이라는 수술명은 1952년에 Kleitsch가 최초로 사용하였다. 초창기에는 치명적인 합병증인 무명동맥(innominate artery)파열의 빈도가 높아 단기 예후가 매우 불량 하였다. 전종격동 기관절개술 후 무명동맥파열의 가장 큰 원인은 기관의 압박에 의한 무명동맥의 침식(erosion)이다. 해부학적 구조상 대동맥 뒤쪽에 있는 기관이 전흉벽으로 노출되기 위해서는 무명동맥의 상부를 지나야 하기 때문에 기관에 장력이 걸리게 되면 자연적으로 무명동맥을 압박하게 되고 이에 의해 무명동맥의 침식 발생하게 된다. 종격동내 사강에 발생한 이차감염은 무명동맥파열 위험성을 증가시키는 요인이다. 종양절제술을 동반한 전종격동 기관절제술은 광범위한 전종격동 조직 절제로 인해 전종격동내에 조직결손이 발생하는데 더해 흉벽이 완고하기 때문에 필연적으로 사강이 발생하게 된다. 무명동맥파열을 예방하기 위해서 전상흉벽 부분제거술(removal of anterior superior thoracic breast plate), 피판성형술(cutaneous flap transposition), 예방적 무명동맥 절단술(prophylactic division of innominate artery), 기관 재위치술(relocation of trachea), 대망(omental flap) 또는 대흉근판(pectoralis major muscle flap)을 이용한 조직충진술, 그리고 대흉근근피판(pectoralis major muscle myocutaneous flap) 성형술 등이 시도되어 왔다. 이러한 경험 등을 토대로 현재는 전상부 흉벽 제거술, 기관 재위치술 및 대흉근근피판 성형술을 함께 시행하는 방법이 전종격동 기관절개술의 표준 술식으로 권고되고 있다(Wurtz and Wolf, 2018).

대상 환자 선택

전종격동 기관절개술은 원인 질환에 관계 없이 중하부 기관을 절제하여 경부 기관절개술이 불가능한 경우에 시행할 수 있다. 전종격동 기관절제술 성공의 가장 중요한 기준은 잔존 기관의 길이이다. 기관분기부(carina)으로 부터 측정한 잔존기관의 길이가 5 cm 이상이면 안전하게 시행될 수 있다고 알려져 있으며(Orringer, 1992), 잔존 기관의 길이가 3 cm 정도인 경우에도 성공적으로 시행되었다는 보고들도 있다. 잔존 기관의 길이가 3 cm 미만으로 예상되는 경우에는 과도한 장력으로 인한 무명동맥파열이나 기관-피부 문합부의 분리 및 기관절개공의 협착 등의 발생 가능성이 높기 때문에 근치적 절제술을 및 전종격동 기관절개술 보다는 보존적인 치료법을 우선적으로 고려할 것을 권고하고 있다. 기관에 발생하는 장력을 예측하는 데에는 잔존 기관의 길이가 가장 중요한 요인이지만 흉벽의 두께와 대혈관의 직경 등도 기관의 노출에 영향을 주기 때문에 이러한 요인들을 종합적으로 고려하여 전종격동 기관절개술의 가능여부를 판단하여야 한다.

술기

피부절개는 목깃절개(collar incision) 또는 U자형 절개를 시행하고 경부피부절개의 중앙부에서 흉골각(sternal angel)까지 정중피부절개를 시행한 후 주위 조직을 박리하여 경부 및 흉부 노출을 최대화한다. 흉골병(sternal manubrium)과 양측 쇄골, 1번 늑골 및 2번 늑골의 일부를 포함하여 흉벽을 부분절제하여 종양절제를 위한 충분한 시야를 확보하고 흉벽 피부 조직이 종격동으로 저항 없이 접근 가능하도록 하여 전종격동 기관절개술 시 기관-피부 문합의 장력을 최소화할 수 있다. 흉벽절제에는 흉골절단기(sternal bone saw)를 사용하며 흉벽하부 조직을 목표 절제연 외측까지 충분히 박리하고 호흡을 일시 정지시키어 충분한 공간을 확보한 후 흉벽을 절제하여야 혈관 손상으로 인한 과다 출혈과 흉막 손상으로 인한 기흉을 예방할 수 있다. 늑골절제 시에는 내유동맥과 정맥(internal mammary artery and vein)의 손상을 피하여야 한다. 쇄골 및 늑골의 절제 범위는 종양의 침범 정도 및 예상되는 잔존 기관의 길이를 고려하여 결정한다.

종양근치절제술 및 인두식도 재건술(pharyngoesophageal reconstruction) 등의 주술기를 마무리한 후에 전종격동 기관절개술을 시행한다. 기관절개공 형성 시에 기관이 앞쪽으로 휘어지는 점을 고려하여 기관후면 막성부분의 길이가 전면부 보다 길도록 비스듬히 절단하면 기관-피부 문합 시 후면부의 장력을 최소화할 수 있다(그림 15-1). 기관-피부 문합부의 분리 및 괴사를 예방하기 위해서는 기관의 혈류를 보존하는 것이 중요하므로 기관의 전면과 후면만을 박리하여 기관의 측면을 통해 이루어지는 혈류 공급을 차단하지 않도록 한다. 기관의 박리는 기관분기부까지 시행한다. 정상적인 상태에서도 기관과 무명동맥이 인접하여 있으나 무명동맥 파열이 발생하지 않는 것은 기관이 무명동맥을 누르지 않기 때문이다. 따라서 잔존기관의 길이가 충분하여 무명동맥의 상부 경로를 지나더라도 기관이 무명동맥을 누르지 않는다면 무명동맥파열의 위험성을 무시할 수 있기 때문에 기관재위치술식 없이 전종격동 기관절제술을 시행할 수 있다. 하지만 기관에 의한 무명동맥의 압박이 의심된다면 기관을 무명동맥 우측(또는 하부) 경로로 재위치시켜야 무명동맥의 파열을 예방할 수 있다(그림 15-2). 대혈관 박리 시에는 혈관주위 조직을 최대한 보존하여 박리하여야 혈관의 침식의 가능성을 낮출 수 있다. 기관을 무명동맥 우측으로 재위치 시키는 경우 우무명정맥의 내측 및

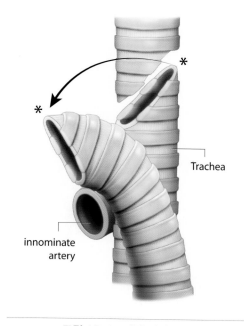

그림 15-1. **기관 절단방법**

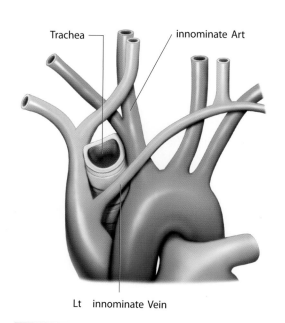

그림 15-2. **기관 재위치술 모식도**

좌무명정맥의 상부로 기관이 지나가게 되기 때문에 드물게 좌무명정맥의 파열이 발생할 수 있다. 따라서 압박이 심한 경우에는 예방적 좌무명정맥 절제를 고려할 수 있다.

종격동 사강내의 감염으로 인해 혈관파열 및 기관절개공 불유합 등의 이차 합병증이 발생할 수 있기 때문에 사강을 없애는 것은 성공적인 전종격동 기관절개술을 위한 중요한 요소 중 하나이다. 잔존 기관의 길이가 충분하여 장력 없이 기관-피부 문합이 가능하여 대흉근근피판 성형술이 필요 없는 경우에는 양측 대흉근판 전위술(tranposition)로 사강을 채우고 기관과 혈관을 차단할 수 있다. 대흉근판 박리 시 근막에 붙여 박리하여 피하조직을 보존시켜야 흉벽피부의 허혈로 이한 기관-피부 문합 부전을 예방할 수 있다. 식도 재건을 위해 복강내 장기를 이용하는 경우에는 대망이나 창자간막(mesentery)을 사강 충진 및 기관-혈관 차단에 이용할 수 있다. 특히 대망이나 창자간막으로 인두식도 재건 문합부를 보강함으로서 문합부 누출의 위험을 낮출 수 있고, 누출로 인한 이차적인 기관 손상을 방지할 수 있다.

잔존기관의 길이가 5 cm 미만인 경우에는 기관에 가해지는 장력을 최소화하기 위해서 대흉근근피판 성형술을 하여야 한다. 우측 대흉근근피판 사용을 우선적으로 고려하여야 한다. 그 이유는 예방적으로 또는 근치목적으로 좌무명동맥을 절제하게 되면 정맥울혈(venous congestion)로 인한 좌측 대흉근근피판의 괴사 위험성이 있으며, 기관을 무명동맥 하부경로에 위치시키는 경우에는 기관이 우측으로 치우치기 때문에 우측 대흉근근피판이 기관까지의 도달 거리가 상대적으로 짧기 때문이다. 대흉근근피판의 혈류를 담당하는 흉경봉혈관(thoracoacromial vessel pedicle)이 손상되지 않도록 주의하며 조직을 박리하고, 대흉근 원위부에 6-7 cm 지름의 피부조직(skin island)을 보존한다(그림 15-3). 혈류보존과 함께 중요한 원칙은 조직 결손 부위를 충분히 덮을 수 있는 양의 근조직을 확보하고, 스토마가 종격동 깊

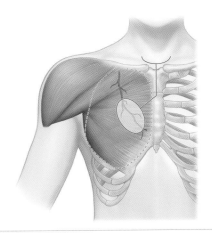

그림 15-3. 대흉근근피판 제작 모식도

이 위치하더라도 장력이 걸리지 않을 수 있을 만큼의 근조직의길이를 확보해야 한다는 점이다. 대흉근근피판을 종격동으로 위치시키는데 흉벽이 방해가 된다면 흉벽을 추가 절제한다. 대흉근근피판의 괴사는 환자의 예후와 삶의 질을 파괴하는 치명적인 합병증이므로 해당 술기에 익숙한 두경부외과 전문의가 시행하여야 하고 그렇지 않다면 성형외과 전문의에게 의뢰하는 것이 안전하다.

기관절개공 형성 방법에는 잔존 기관의 길이에 따라 다양한 방법들을 적용할 수 있다. 대흉근근피판을 사용하지 않는 경우에는 전흉벽의 피부조직만으로 기관절개공을 만들게 되며 필요한 경우 전흉벽 피부의 회전피판(rotation flap)을 이용할 수 있다. 대흉근근피판을 사용하여 스토마를 만드는 방법으로는 근피판의 피부조직 중앙부위의 피부 및 근육층을 절개하고 기관을 근육층 사이로 통과시키고 피판 중앙의 절개된 피부조직에 문합하는 방법과(그림 15-4) 근피판 피부조직의 하부 경계를 기관의 후면부에 문합하고 기관의 나머지 부분은 흉벽 피부조직과 문합하는 방법으로 나눌 수 있다. 전자의 경우에는 근피판으로 얻을 수 있는 추가적인 길이가 피판의 단경의 반 정도이기 때문에 잔존 기관의 길이에 여유가 있는 경우에 가능하다. 후자의 경우에는 근피판이 종격동 안쪽으로 이동할 수 있기 때문에 잔존 기관의 길이가 짧은 경우에도 시행할 수 있으며 잔존 기관의 길이에 따라 근피판 피부조직과 흉벽 피부조직의 사용 비율을 조정하여 기관절개공을 형성한다. 그림 15-5와 같이 근피판 피부조직 아랫쪽 일부를 기관의 막성부분에만 봉합하고 기관의 전면과 측면의 연골부위는 흉벽의 피부조직과 봉합할 수 있고, 그림 15-6과 같이 근피판의 피부조직을 바깥쪽으로 말아 기관의 후면과 측면 일부에 봉합하고 그 외의 기관은 흉벽 피부조직에 문합할 수 있다. 잔존 기관의 길이가 매우 짧은 경우에는 근피판을 완전한 관 형태로 만들어 기관과 단단문합하고

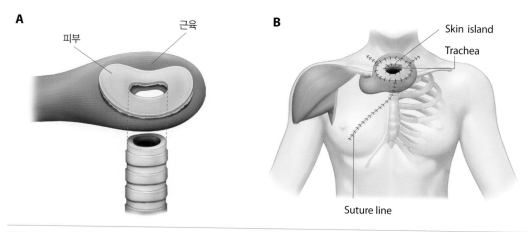

그림 15-4. 근피판 중앙부를 절개하고 기관을 통과 피부조직 내측 절개면에 기관을 문합한다.

그림 15-5. **기관의 후면을 근피판 피부조직의 아랫쪽 경계에 문합하고 그 이외의 부분은 흉벽의 피부조직과 문합한다.**

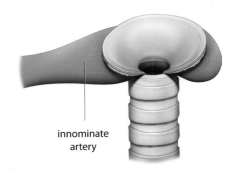

innominate artery

그림 15-6. **근피판의 피부조직을 바깥쪽으로 말아 기관의 후면과 측면 일부에 봉합하고 그 외의 기관은 흉벽 피부조직에 문합한다.**

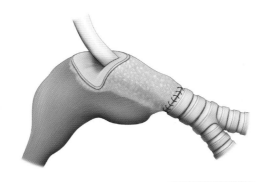

그림 15-7. **근피판 피부조직을 원통형태로 만들고 양측에 각각 기관과 흉벽 피부조직을 문합한다.**

반대편은 흉벽피부에 문합할 수도 있으나 이 경우에는 피부관의 폐색을 방지하기 위해 영구적으로 기관절개관(tracheostomy tube)을 사용하게 된다(그림 15-7).

기관−피부 봉합에는 3−0 polyglycolic acid 봉합사를 이용하여 3−5 mm 두께, 5 mm 간격으로 단속봉합(interrupted suture) 한다. 기관절개공 형성 전후에 대흉근근피판의 근육조직을 종격동내 사강에 충진하고 기관과 무명동맥 및 무명정맥 사이 공간에 위치시킨다. 폐쇄형 능동 흡입 배액관(closed active suction drain)을 삽입하고 피부 절개선을 봉합한다. 전흉부 피부결손으로 인해 단순봉합이 불가능하면 피부이식을 시행한다.

전종격동 기관절개술 후 관리

수술이 종료되면 잔존 기관에 삽입하였던 기관내관(endotracheal tube)을 기관절개관으로 교체한다. 잔존 기관의 길이가 짧기 때문에 기관절개관의 끝이 기관분기부 위쪽에 위치하도록 관리하는 것이 중요하며 기관의 압력손상을 방지하기 위해 기낭(cuff)의 압력을 최대한 낮게 유지하여야 한다. 단순히 전종격동 기관절제술만 시행한 경우에는 대부분의 경우 마취 회복 후에 기계호흡보조가 필요치 않지만 광범위한 종양절제술과 인두식도 재건술을 시행한 경우에는 집중치료실에서 12시간 전후의 기계호흡보조치료가 필요하게 된다. 기관절개공이 완전히 유합될 때까지 지속적인 가습을 시행하고 청결을 유지하여 기도 내로 흡인이 발생하지 않도록 하여야 한다. 대부분의 환자가 식도괄약근이 소실된 상태이므로 역류 및 구토로 인한 위 내용물의 기도내 흡인 가능성이 높기 때문에 환자가 스스로 앉고 보행 운동을 할 수 있을 때까지는 흡인 방지를 위해 비위관으로 상부소화관을 배액한다.

전종격동 기관절개술 후 합병증

수술 기법의 발달로 인해 그 빈도가 많이 감소하였으나 무명동맥 및 좌무명정맥의 파열은 가장 치명적인 합병증으로 수술 후 사망의 주요 원인이다. 10명 내외의 소수의 환자를 대상으로 한 연구들에서는 혈관파열 발생율을 8-15%로 보고하고 있고, 상대적으로 많은 환자를 대상으로 한 연구들에서는 2-5%의 발생율을 보고하고 있다. Yamasaki 등은 대흉근근피판 사용으로 전환한 이후에는 무명동맥의 파열이 발생하지 않았다는 점을 강조하였다. 기관의 괴사는 최대 30%의 환자에서 발생하는 것으로 보고되었으며, 대부분 보존적 치료로 호전되지만 기관절개공 문합이 파열되는 경우에는 추가 수술이 필요할 수 있다. 이 외에도 인두식도 재건부 누출, 수술부위 감염, 흡인성 폐렴, 급성호흡증후군 등의 합병증이 발생할 수 있으며 전체 환자의 30-60%가 합병증을 경험하는 것으로 보고되고 있다. 수술 후 사망의 원인은 대부분 무명동맥 또는 좌무명정맥의 파열이며 폐렴에 의한 급성 호흡부전, 동반 기저질환으로 인한 사망이 발생할 수 있다. 수술 후 재원기간은 10-132일(평균 26-40일)로 수술 후 상당한 기간 재원치료가 필요함을 알 수 있다. 기관절개공 협착은 중장기적으로 발생하는 합병증으로 15-54%로 보고 되고 있으며 이 또한 기관의 장력이 원인이기 때문에 대흉근근피판 사용으로 스토마 협착의 위험을 낮출 수 있다(Chan et al, 2011) (표 15-1).

표 15-1. 전종격동 기관절개술 후 단기예후

참고문헌	환자수	악성종양	기관길이 (cm)	기관전위술	이식편	인두-식도재건	무명동맥/정맥파열	기관괴사	재원일 (평균)	합병증	사망	스토마협착
Orringer 1992	44	39	?4≤	14	대흉근판 흉벽피판 (29)	34	1/0 (2.3%)	8 (18.2%)	10-51 (26)	25 (57%)	6 (13.6%)	8 (18.2%)
Maipong 1996	12	12	2≤	12	대흉근피판	11	1/0 (8.3%)	–	–	3 (27%)	2 (18%)	–
Kuwabara 2001	7	7	3-6	7	대흉근판 대망(7)	7	0/0	0	–	3 (43%)	0	1 (14.3%)
Conti 2010	13	13	3.4≤	10	대흉근피판	6	1/1 (15.4%)	0	12-101 (29)	6 (46.2%)	2 (15%)	7 (53.8%)
Chan 2011	38	38	3.5-7.6	31	대흉근피판 (14) 흉벽피판 (24)	34	1/1 (5.2%)	11 (28.9%)		17 (44.7%)	2 (5.3%)	18 (47.4%)
Berthet 2014	12	12	2.5-6	12	대흉근피판 (10) 광배근± 대망 (2)	4	1/0 (8.3%)	3 (25%)	13-86 (33)		1 (8.3%)	2 (16.6%)
Yamasaki 2020	27	27	2.4-6.5	20	대흉근피판 (9) 대망 (17)	22	1/0 (3.7%)	3 (11.1%)	23-132 (40)	12 (44%)	1 (4%)	0

전종격동 기관절개술 후 예후

전종격동 기관절개술 후 장기 생존은 원발 질환에 의해 좌우 되며 각 연구마다 환자 구성이 다르고 술기도 표준화 되어 있지 않기 때문에 결과들을 일반화하고 예후인자를 추정하는 것은 불가능하다. 전체 환자의 5년 생존율은 25-55%로 보고되고 있으며, 두경부암 보다는 식도암의 장기생존율이 낮은 것으로 보고 되고 있다. Yamasaki 등의 수술 전 치료에 반응이 없는 식도암 환자들은 근치수술 후 전종격동 기관절개술에도 불구하고 3년 이내에 모두 사망하였다고 보고하였으며, Conti 등은 4개 이상의 경부림프절 전이가 있는 두경부암 환자는 근치수술 및 전종격동 기관절제술을 시행하여도 예후가 불량하여 장기생존을 기대할 수 없다고 보고하였다. 따라서 근치적 절제술 후 전종격동 기관절개술을 필요로 하는 상기의 환자에서는 비수술적 치료가 권장된다.

■ 참고문헌

1. Ariyan S, Cuono CB. The pectoralis major myocutaneous flap. A versatile flap for reconstruction in the head and neck. Plast Reconstr Surg. 1979;63:73-81.

2. Berthet JP, Garrel R, Gimferrer JM, et al. Anterior mediastinal tracheostomy as salvage operation. Ann Thorac Surg. 2014;98:1026-33.

3. Chan YW, Yu Chow VL, Lun Liu LH, et al. Manubrial resection and anterior mediastinal tracheostomy: friend or Foe? Laryngoscope. 2011;121:1441-5.

4. Kamikawa Y, Naomoto Y, Haisa M, et al. Mediastinal tracheostomy using a tubed pectoralis major myocutaneous flap for postoperative tracheal necrosis after cervical excision. Eur J Surg. 1998;164:467-9.

5. Kleitsch WP. Anterior mediastinal tracheotomy. J Thorac Surg. 1952;24:38-42.

6. Kuwabara Y, Sato A, Mitani M, et al. Use of omentum for mediastinal tracheostomy after total laryngoesophagectomy. Ann Thorac Surg. 2001;71:409-13.

7. Maipang T, Singha S, Panjapiyakul C, et al. Mediastinal tracheostomy. Am J Surg. 1996;171:581-6.

8. Minor GR. Trans-sternal tracheal excision for carcinoma; report of a case. J Thorac Surg. 1952;24:88-92.

9. Orringer MB. Anterior mediastinal tracheostomy with and without cervical exenteration. Ann Thorac Surg. 1992;54:628-36.

10. Orringer MB. As originally published in 1992: Anterior mediastinal tracheostomy with and without cervical exenteration. Updated in 1998. Ann Thorac Surg. 1999;67:591.

11. Sisson GA, Straehley CJ, Jr., Johnson NE. Mediastinal dissection for recurrent cancer after laryngectomy. Laryngoscope. 1962;72:1064-77.

12. Wurtz AJ, Conti MM, Benhamed LM, et al. The pectoralis major myocutaneous flap in mediastinal tracheostomy reconstruction. Ann Thorac Surg. 2008;86:1058-9.

13. Wurtz A, De Wolf J. Anterior Mediastinal Tracheostomy: Past, Present, and Future. Thorac Surg Clin. 2018;28:277-84.

14. Yamasaki M, Yamashita K, Saito T, et al. Tracheal resection and anterior mediastinal tracheostomy in the multidisciplinary treatment of esophageal cancer with tracheal invasion. Dis Esophagus. 2020;33(5).

CHAPTER

16

어려운 경우의 기관절개술
Tracheostomy for Difficult Cases

성균관대학교 의과대학 이비인후과 **김희정, 손영익**

기관내삽관 방법의 발달, 기관내관 재질의 개선, 삽관 후 관리 방법의 발달, 기도 관리방법의 개선으로 인하여 전통적인 수술적 기관절개술의 빈도는 감소되고 있지만 장기간 인공호흡기가 필요한 환자나 기관내삽관이 불가능한 환자에 있어서는 기도확보를 위한 방법으로 여전히 중요한 위치를 차지하고 있다. 기관절개술은 심각한 합병증의 빈도는 낮은 비교적 안전한 수술이지만, 기관절개술을 어렵게 하는 해부학적 요인이 있거나 응급상황에서 기관절개술을 해야 하는 경우에는 합병증의 빈도가 증가될 수 있어 주의를 기울여야 한다. 이 장에서는 일반적인 경우에서 벗어났던 기관절개술에 대해 저자의 경험을 바탕으로 도움을 줄 수 있는 내용들을 기술하고자 한다.

기관절개술과 관련된 해부학적 구조

경부에는 여러 근막층이 존재하는데 기관에 이르기까지 근막의 해부학적 구조를 아는 것은 기관절개술을 시행함에 있어서 도움이 많이 된다. 경부의 맨 외측에 있는 근막이 광경근(platysma muscle)을 싸는 천경근막(superficial cervical fascia)이다. 천경근막의 심부에 위치한 근막을 심경근막(deep cervical fascia)이라고 하는데 세 층으로 구분된다. 심경근막의 천층(superficial layer)은 흉쇄유동근(sternocleidomastoid muscle)과 승모근(trapezius muscle)

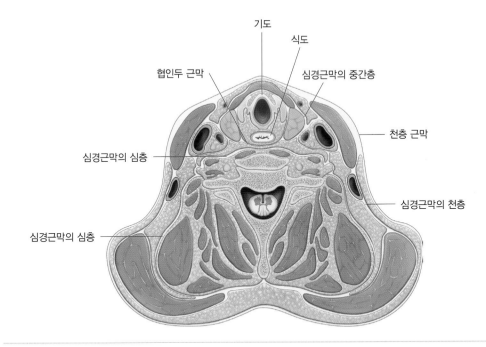

그림 16-1. **경부의 근막**

을 둘러싼다. 중간층(middle layer)은 피대근(strap muscle)과 갑상선, 그리고 기관 및 식도를 싸게 된다. 따라서 중간층을 기관전 근막(pretracheal fascia) 혹은 갑상선전 근막(prethyroid fascia)이라고 한다. 심경근막의 중간층을 흉골설골근, 흉골갑상근 등 피대근을 싸는 근육부(muscular division)와 갑상선, 기관, 식도를 싸는 장기부(visceral division)로 나누기도 한다. 중간층 중 인두와 식도에 위치한 부분을 협인두근막(buccopharngeal fascia)이라고 한다. 심층(deep layer)은 심경근과 척추를 싸고 있다(그림 16-1).

기관절개술의 과정은 피부절개 후 피하지방층을 전경정맥(anterior jugular vein)과 함께 외측으로 견인하면서 심부로 박리를 진행하는데 이때 천경근막과 심경근막의 천층을 박리하는 것이다. 어느 정도 심부로 박리를 계속하면 붉은 조직이 나오는데 이것이 피대근이다. 중앙의 정중봉선(median raphe)을 확인하여 박리하고 외측으로 견인하면 비로소 기관이 노출되는데 종종 갑상선 협부(isthmus)의 하연이 기관의 전방을 가리고 있는 경우가 있다. 기관은 기관전 근막에 싸여 있는데 박리하면 기관륜이 확실하게 관찰된다.

기관절개술을 어렵게 하는 요인

기관절개술은 기관내삽관된 상태에서 전신마취하에 진행하는 것이 가장 안전하다. 하지만, 삽관이 불가능하거나 삽관 시도가 환자를 위험에 빠뜨릴 수 있는 경우가 있다. 안면이나 경부의 외상, 심경부 감염, 급성 후두개염이 심하거나 후두암 혹은 하인두암 등으로 방사선 치료 후 후두부종이 발생한 경우, 상후두 종양이 커서 후두가 명확하게 보이지 않는 경우 등이 이에 해당된다. 비만하고 목이 짧고 굵은 환자들의 경우에는 기관절개술의 지표가 되는 윤상연골이나 갑상절흔(thyroid notch) 등이 촉진되지 않아 기관절개술에 어려움이 있다. 또한, 경부종양이나 무기폐로 인하여 기관이 휘어져 있는 경우, 거대갑상선종이나 갑상선암으로 인하여 기관이 가려져 있는 경우가 포함된다. 경추손상이 있거나 호흡곤란 혹은 방사선 치료력으로 인해 경부의 충분한 신전 상태를 유지할 수 없는 경우도 기관절개술을 어렵게 한다. 혈액응고장애가 있는 경우에도 수술 중이나 수술 후 합병증의 빈도가 높아진다. 삽관을 할 수 없는 상태에서 기도폐색이 심하여 응급기관절개술을 시행하는 경우도 기관절개술이 어려운 경우에 해당된다.

비만, 짧고 굵은 목(deep and short neck)

기관절개술은 상부 기관륜, 특히 2-4번 기관륜에 시행하는 것이 일반적이고, 목이 짧은 환자들의 경우 윤상연골(cricoid cartilage)과 흉골절흔(sternal notch)사이의 간격이 좁아 충분한 공간확보가 되지 않아 기관절개술이 용이하지 않다. 이러한 환자들은 사실상 상부 기관륜의 일부가 흉골하부에 위치하게 되어 직접적인 접근이 어려울 수 있다(그림 16-2, 3). 비만이 심한 경우에도 기관절개술의 수술지표가 되는 갑상절흔, 윤상연골, 기관의 위치 촉진이 어려운 경우가 많다. 또한 피부와 기관사이의 거리가 멀어 표준적인 기관절개관의 길이와 각도가 잘 맞지 않는다. 따라서 안전하게 기관절개술을 시행하고 유지하기 위해, 표준 기관절개관이 맞도록 기관과 피부를 근접시키거나 혹은 환자에 적합하게 제작된 길이와 각도를 가진 기관절개관을 사용해야 한다.

수술 시 목은 경추손상 등 특별한 금기가 없다면 가능한 과신전을 하는 것이 좋다. 일반적인 기관 절개술과 같이 윤상연골을 촉지하여 흉골절흔과 윤상연골의 중간 높이에 수평으로 피부 절개를 한다. 경부가 짧고 굵은 경우에는 생각보다 피부에서 피대근까지의 깊이가 깊기 때문에, 불필요한 지방층은 제거하면서(defatting) 피대근으로 접근한다. 전경부 정맥의 손상을 조심하면서 피대근을 외측으로 견인하고 기관의 위치를 지속적으로 촉지하면서

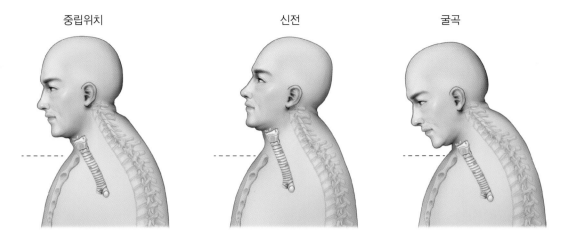

중립위치　　　　　　　신전　　　　　　　굴곡

그림 16-2. 경부가 짧은 사람에서 경부의 굴곡, 신전에 따른 기관의 위치

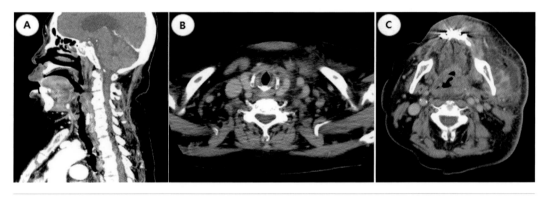

그림 16-3. 괴사성 근막염으로 내원한 비만하고 짧은 목을 가진 환자에서의 기관 절개술. (A, B) 비만하고 짧은 목을 가진 환자의 CT로, 윤상연골에서 흉골절흔까지의 길이가 짧고, 지방층이 두꺼워 피부에서 기관까지의 거리가 길다. (C) 좌측 하악골 주변으로 농양이 관찰되는 괴사성 근막염의 소견으로 인해 상기도가 좁아져 있는 소견이 관찰된다.

박리를 조심스럽게 진행한다. 간혹 이전에 방사선 치료를 받았거나 경부수술의 병력이 있는 경우에는 기관이 잘 촉지되지 않을 수 있고, 딱딱해진 연부조직을 기관으로 오인할 수 있어 주의가 필요하다. 경부가 짧은 경우에는 대개 갑상선이 기관 앞을 가리고 있어 기관을 잘 찾지 못하는 경우가 있으며, 지속적으로 정중을 확인하면서 갑상선 협부의 하연을 찾아 하부에 위치한 기관을 확인한다. 특히 경부 길이가 짧고 굵은 경우에는 출혈이 생기면 해부학적

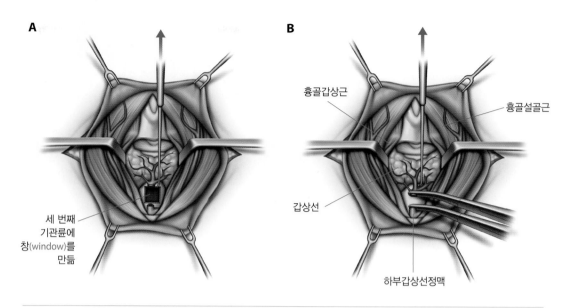

그림 16-4. 목이 짧고 굵은 경우의 기관절개술. (A) 기관에 후크를 걸어 상방으로 견인하면서 하갑상선정맥을 결찰하여 수술과정 중의 출혈을 최소화한다. (B) 기관에 후크를 걸어 갑상선과 기관을 상방으로 견인하면서 기관에 창을 만든다. 갑상선 협부의 절개나 손상을 피할 수 있다.

구조의 확인이 더 어렵게 된다. 초음파절삭기 등 에너지기구를 활용하는 것도 출혈을 최소화하여 수술과정의 안전함을 확보할 수 있는 좋은 방법이다.

Friedman 등은 300예 이상의 어려운 기관절개술을 시행한 술기를 정리하여 발표하였다 (Friedman, 2002). 핵심적인 방법으로는 (1) 중요한 구조물을 확인하기 위하여 주의하며 제한적으로 박리하기 (2) 흉골설골근과 흉골갑상근의 정중박리와 외측견인 (3) 하갑상선정맥 (inferior thyroid vein)의 정중분지를 확인하고 결찰하거나 전기 소작 (4) 갑상선협부를 확인하고 바로 아래의 기관에 조기에 기관 후크(tracheal hook)를 걸어 기관을 종격동에서 경부로 당길 것 등이다(그림 16-4). 특히 하갑상선정맥은 기관의 정중앙에 거의 비슷한 위치에서 관찰되기 때문에 조기에 발견하고 결찰하거나 소작을 한다면 수술 과정 중 출혈의 위험성을 낮출 수 있으며, 갑상선 후크를 걸어 상방으로 견인하면 갑상선협부를 절개하지 않고 기관절개술을 시행할 수 있다고 보고하였다. Gross 등은 비만이 매우 심한 환자에서 피부절개를 충분히 가하고 흉골절흔부터 설골까지 박리한 후 지방을 제거하는 시술(defatting tracheostomy)을 통해 수술 중 합병증 없이 기관절개술을 시행함을 보고하였다(Gross, 2002).

기관절개술 후에는 흉부 X선 검사를 시행하여 기관절개관이 올바로 위치해 있는지, 기흉이 발생하지 않았는지 확인을 해야 한다. 술 후 환자의 자세는 경부가 굴곡되거나 신전되지

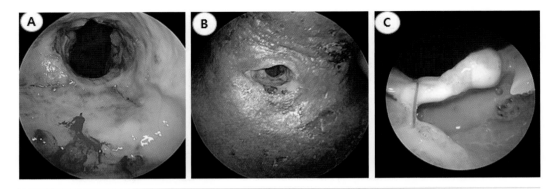

그림 16-5. 기관절개술 이후 발생한 기관절개창 주변의 피부염증 및 사강. (A, B) 피부전이와 방사선 치료력으로 인해 기관절개창의 상처치유도 지연되고 염증이 동반된 모습. (C) 목이 짧고 방사선치료 후 경부신전이 어려웠던 경우로서, 기관절개창 하방으로 사강이 생기면서 염증 및 농이 관찰됨.

앞도록 중립상태를 유지하며 튜브가 기관절개창 밖으로 빠져 나오는 기관 탈거에 유의해야한다. 피부에서 기관까지의 거리가 길기 때문에 기관 탈거가 일어나기 쉬우며, 탈거 시 기관절개관이 밖으로 빠지지 않고 주변의 연부조직 속으로 잘못 위치할 수 있으므로, 술 후 굴곡형 후두경으로 기관 내에 잘 위치해 있는지 확인하는 것이 바람직하다. 또한 술 중 노출을좋게 하기 위해 과도하게 지방층을 제거하거나 박리하는 경우 사강(dead space)이 생겨서기관개구부 주위의 육아조직 생성이나 감염의 가능성이 높아진다(그림 16-5). 또한 지연 합병증으로 기관피부루의 발생도 가능하다.

갑상선종양과 기관종양

술 전에 경부 컴퓨터 단층촬영이나 경부 X선 검사를 통해 기관지의 위치와 협착부위를파악하여 기관절개술을 할 수 있을 지, 어느 위치에 기관절개공을 만들 지 미리 판단해야 한다. 흉골병(manubrium of sternum)의 상방이 종양에 의해 가려져 있지 않다면 기관절개술이 가능하겠지만 흉골절흔 부위를 박리하는 경우 무명동맥(innominate artery)을 포함한 혈관 손상에 주의해야 한다. 피부절개는 정상적인 기관절개술보다는 아래에 넓게 시행한다.일반적인 기관절개술에 비교하여 기관절개창을 만들 수 있는 기관륜을 찾기 위해 하방으로박리를 해야 하기 때문에 박리가 보통의 기관절개술보다 깊어지게 된다. 술 후 흉부 X선 촬영을 시행하여 기흉, 기종격 등의 여부를 확인해야 한다.

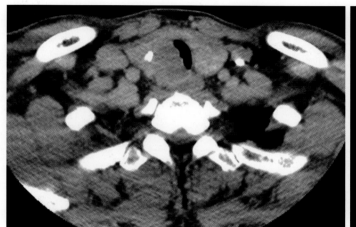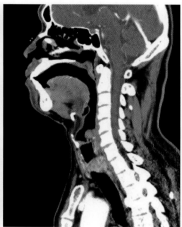

그림 16-6. 갑상선 종양이 기관 내로 침범한 이차성 기관지종양. 기관종양 제거를 위하여 기관-기관 단단문합술을 시행하고 일시적으로 기관절개술을 하여 기도를 확보할 수 있다.

기관에서 발생하는 일차성 기관종양이나 식도, 갑상선에서 기관침범을 일으키는 이차성 기관 종양에서는 종양의 위치와 향후 치료 방침에 따라 기관절개 여부가 결정된다. 종양이 비교적 상방에 위치해 있고, 방사선 치료를 시행할 예정이면 하방에 기관절개술을 시행할 수 있겠다. 기관 종양을 제거하는 과정에서 기관륜의 일부를 제거하는 경우에는 기관-기관의 단단문합술을 시행하고 안정화를 위해 기관내삽관을 유지하거나, 기관절개술을 시행하여 기도를 확보하게 된다(그림 16-6).

광범위한 기관절제술을 시행하는 경우에는 종격동 기관절개술(mediastinal tracheostomy)이 필요할 수 있으며, 이 경우 무명동맥을 비롯한 혈관손상 위험이나 흉골절제 부위에 사강이 남지 않도록 신중하여야 한다.

두경부 외상

교통사고나 스키, 보드 등의 운동 중 사고, 낙상 등으로 인해 안면부나 후두부의 외상이 있는 경우에는 가장 먼저 기도를 확보하고, 경추의 안정성을 유지하면서 출혈에 대응하여야 한다. 구강기도삽관(orotracheal intubation)의 무리한 시도는 외상부위의 출혈 및 부종으로 인하여 환자의 호흡곤란이 악화될 위험성이 높다. 안면부 골절이나 후두부 외상으로 인해 기도가 막힌 경우, 안면부 부종이 심한 경우, 장기간 인공호흡기 환기가 필요한 경우에는 가능한 빠른 시간에 수술실에서 기관절개술을 시행하는 것이 안전하다. 경추부의 손상이 동반된 경우가 있기 때문에 기관절개술 시행 과정에 경부를 무리하게 신전하지 않도록 주의한다. 후두외상이 있는 경우에는 후두절흔이나 윤상연골 등의 수술지표가 잘 촉진되지 않을 수 있는데 이 경우 턱 끝 중앙선과 흉골절흔을 연결하는 선을 지표로 정중을 확인하고 흉골절흔 상방 2 cm 정도에 피부 절개를 한다.

구강, 인후두 급성염증

급성 후두개염, 후인두농양, Ludwig angina 등으로 인해 호흡곤란이 있는 환자에서 기관절개술을 시행할 때에는 환자의 천명, 빈호흡, 빈맥, 늑간함몰 등 증상 및 이학적 소견을 종합적으로 판단하여 신속하게 결정하여야 한다. 청색증이나 산소포화도의 저하는 호흡곤란이 매우 심해진 후에 나타나는 증상이므로, 산소포화도에 근거하여 판단해서는 안 된다. 이런 환자에서는 가능한 수술실에서 기관절개술을 시행하는 것이 안전하며, 무리한 삽관은 오히려 응급상황을 초래할 수 있으므로 주의해야 한다. 삽관 없이 국소마취하에 기관절개술을 하는 경우 반듯하게 누운 자세는 호흡곤란을 악화시키므로 코나 구강을 통하여 고유량(high flow)으로 산소를 공급하면서 앉거나 반쯤 누운 자세에서 시행한다.

심경부 감염

심한 심경부 감염(deep neck infection)이나 괴사성 근막염(necrotizing fasciitis)은 기도의 폐쇄를 유발하고 심각한 합병증 및 사망률이 높은 질환이다. 따라서 심경부 감염에서 호흡곤란의 예방이나 호흡관리를 위해 기관절개술을 시행하는 경우가 있다. 이런 환자에서는 경부에 부종 및 기관 위치의 변형이 동반되어 있을 수 있으므로 수술 중 기관의 위치를 수시로 촉진하면서 박리를 진행해야 한다. 만약 심경부 농양이 전경부 쪽으로도 진행되어 있어 절개 배농과 기관절개술을 함께 시행하는 경우에는 기관분비물이 경부를 오염시키거나 경부 농양이 기관절개공을 오염시키지 않도록 농양부위와 기관절개부위를 완전하게 분리시키는 기관개창술(tracheal fenestration)을 하는 것이 바람직하다.

Chen 등의 연구에 따르면 65세 이상의 고령환자, 3군데 이상의 심경부 감염, 종격동염이 동반되는 경우 등에는 기관절개술이 필요한 경우가 많았으며, 특히 부인두농양이나 후인두농양 심경부 감염 환자에서 기관절개술을 많이 시행하였다고 보고하였다(Chen, 2020).

Jason 등의 연구에서는 기관삽관보다 기관절개술을 시행하는 것이 평균 재원일수 및 중환자실 재원기간의 감소 및 합병증 발생을 감소시키는 장점이 있다고 보고하였다(Jason, 2002).

안면부, 기도화상

화상을 입은 환자들의 경우 기도 확보 혹은 기계 환기를 돕기 위해 기관내삽관 혹은 기관절개술을 시행한다. 화상 환자가 내원하면 굴곡형 후두경이나 기관지 내시경을 통해 기도의 평가를 시행한다. 얼굴에 화상을 입었거나 폐쇄된 공간 내에서 불꽃이나 매연 등의 화기에 노출이 되었거나, 구강, 구인두, 비강 등의 점막에 손상을 입었거나, 코의 그을음이 있는 경우에는 흡인성 화상을 의심해 볼 수 있다. 흡인성 화상을 입은 환자들에게 기관내삽관이나 기관절개술의 처치를 시행하는 것은 시술 이후에 영구적인 기도 협착과 기관식도루(tracheoesophageal fistula) 등의 후유증이 남을 수 있음에 주의하여야 한다.

Aggarwal 등의 연구에 따르면, 전체 화상 표면적(total burn surface area)이 60%를 넘는 경우, 두경부 영역에 화상을 입은 경우, 특히 흡인성 화상을 입은 환자들의 경우 기관절개술이 필요한 경우가 많았다(Aggarwal, 2009). 환자들의 기계환기 기간이 길수록, 흡인성 화상 환자일수록 폐 합병증의 빈도도 증가하였다. 화상환자들의 기관절개술의 시기 적절성에 대해서는 의견이 다양하지만, 최근 연구들에 따르면 조기 기관절개술(early tracheostomy)에 따른 위험성의 증가보다는 오히려 기계환기의 기간 및 중환자실 재원기간의 감소 등의 장점이 강조되고 있다. 따라서, 화상 환자에서 기관 삽관의 기간이 길어질 것으로 예상되거나 흡인성 화상 환자의 경우 조기 기관절개술을 고려하는 것이 바람직하다.

높은 위치의 무명동맥(high innominate artery)

무명동맥이 보통보다 더 높이 위치한 경우 기관절개술이 어렵거나 술 후 합병증이 증가할 수 있다. 기관절개술 전 시행한 컴퓨터 단층촬영에서 확인이 되기도 하고(그림 16-7), 환자 신체 검진상 육안적으로 기관절개술 부위 주변으로 동맥이 뛰는 것을 볼 수도 있다. 짧고 굵은 경부를 가진 환자들처럼 무명동맥의 위치를 피하여 제한적으로 절개 및 박리를 하여 무명동맥이 노출되지 않도록 하는 것이 중요하다. 또한 기관절개관 기낭 압력을 너무 높게 하거나 지나치게 큰 사이즈의 기관절개관을 삽입하여 무명동맥이 눌려 무명동맥과 기관 사이에 기관동맥루(trachea-innominate artery fistula)가 생기지 않도록 주의하여야 한다.

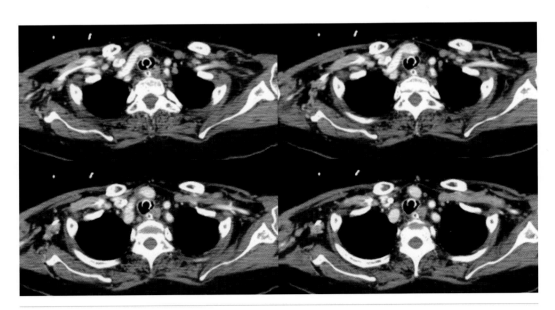

그림 16-7. **기관 앞 높은 위치의 무명동맥**

응급 기관절개술

응급 기관절개술은 기관내삽관이 불가능한 상황에서 기도폐색이 심하여 일반적인 기관절개술을 시행할 시간적 여유가 없고, 수분 내에 환자가 저산소성 뇌손상의 가능성이 있을 때 시행한다. 환자의 경부를 신전시키고 갑상절흔, 윤상연골, 갑상윤상막의 위치를 확인한다. 윤상갑상막부터 흉골절흔까지 정중에서 수직절개를 가한다. 절개부위를 벌리고 윤상연골을 촉지하면서 손가락을 넣어 기관의 전방 근막을 따라 박리한다. 갑상선협부를 하방으로 밀면서 세번째 기관륜까지 노출시키고 기관에 수직 절개를 가한다. 지혈겸자 등을 이용하여 절개부위를 벌리면서 기관절개관이나 기관내관을 삽입한다. 응급 기관절개술을 시행하는 과정에 출혈, 기흉, 피하기종, 감염, 기도 후벽의 손상, 기도식도루 등의 합병증이 발생할 수 있음에 주의하여야 한다.

기관절개술이 어려운 환자들의 기관절개관 관리

기관절개관 선택시에는 크기, 길이 및 각도(curvature)가 맞는 것을 고르는 것이 중요하다. 비만하거나 목이 짧고 굵은 환자, 전경부에 종양이 크게 위치한 경우에는 피부에서부터 기관까지의 길이가 깊기 때문에 일반적인 기관절개관의 길이나 각도가 잘 맞지 않을 가능성이 높다. 같은 구경이라도 길이가 좀 더 길게 제작된 기관절개관 또는 길이 조절이 가능한 기관절개관을 사용하거나, 기관내관을 적당한 길이로 잘라서 사용할 수 있겠다. 삽입된 절개관은 절개창의 길(tract)이 안정화되기 전까지 환자 체위 변경 시 빠지거나 위치가 변경되어 사강으로 들어가지 않도록 주의하여야 한다. 기관절개관을 고정하는 목끈이 느슨하게 묶이지 않았는지 경부신전을 하지 않은 상태에서 확인해야 한다. 기관절개관을 목끈으로 고정하기 보다는 피부에 봉합을 해 두거나 기관개창술을 시행하는 것이 더 안전할 수 있다. 기관절개창이 안정화되는 1-2주 정도 기관절개관 교체 없이 유지하는 것도 좋은 방법이며, 기관절개관 교환은 경부를 충분히 신전하고 절개창의 길을 확실하게 확인할 수 있는 헤드램프, 비경 등의 기구가 갖추어진 환경에서 진행하는 것이 안전하다. 굴곡형내시경을 이용하여 교환된 기관절개관의 기관 내 위치를 확인하여 기관절개관 크기와 길이, 각도의 조절이 필요한 지 확인하는 것이 바람직하다.

■ 참고문헌

1. Aggarwal S, Smailes S, Dziewulski P. Tracheostomy in burns patients revisited. Burns. 2009, 35(7): 96 2-6.

2. Chen SL, Young CK, Tsai TY. Factors Affecting the Necessity of Tracheostomy in Patients with Deep Neck Infection. Diagnostic Microbiology and Infectious Disease. 2021, 11(9), 1536.

3. Costa L, Matos R, Júlio S. Urgent tracheostomy: four-year experience in a tertiary hospital. World J Emerg Med. 2016; 7(3): 227-30.

4. Friedman M, Ibrahim H, The difficult tracheostomy simplified, Operative Techniques in Otolaryngology-Head and Neck Surgery. 2002;13:205-6.

5. Griffiths J, Barber VS, Morgan L, Young JD. Systematic review and meta-analysis of studies of the timing of tracheostomy in adult patients undergoing artificial ventilation. BMJ. 2005;330(7502):1243.

6. Grillo HC. Anatomy of the trachea. In : Surgery of the trachea and Bronchi. Grillo HC, eds. Hamilton :BC Decker, 2004: 39-65.

7. Grillo HC. Postintubation stenosis. In : Surgery of the trachea and Bronchi. Grillo HC, eds. Hamilton :BC Decker, 2004: 301-39.

8. Gross ND, Cohen JI, Andersen PE et al. 'Defatting' Tracheotomy in Morbidly Obese Patients. Laryngoscope. 2002;112:1940-4.

9. Holmgren EP, Bagheri S, Bell RB et al. Utilization of tracheostomy in craniomaxillofacial trauma at a level-1 trauma center. Journal of Oral and Maxillofacial Surgery. 2007;65(10): 2005-10.

10. Jones W G, Madden M, Finkelstein J. Tracheostomies in burn patients. Ann Surg. 1989; 209(4): 471-4.

11. Lund T, Goodwin C W, McManus W F et al. Upper airway sequelae in burn patients requiring endotracheal intubation or tracheostomy. Annals of surgery. 1985 Mar; 201(3): 374-82.

12. Mittal G, Mittal RK, Katyal S et al. Airway management in maxillofacial trauma: do we really need tracheostomy/submental intubation. J Clin Diagn Res. 2014 Mar; 8(3): 77-9.

13. Montomery W. Surgery of the trachea. In: surgery of the upper respiratory system. Montgomery W, 3rd eds. Boltinore: Williama&Wilkns, 1996:370-81.

14. Soni S, Chacko A, Poorey VK. Fine governance of difficult tracheostomy in difficult airway with stridor and respiratory distress. Indian J Otolaryngol Head Neck Surg. 2020;14:34-8.

15. Potter JK, Herford AS, Ellis III E. Tracheotomy versus endotracheal intubation for airway management in deep neck space infections. Journal of Oral and Maxillofacial Surgery. 2002;60(4): 349-54.

16. Rood SR. Anatomy of tracheostomy. In : tracheostomy. Myers EN, Stool SE, Johnson JT, eds. New York:Churchill Livingstone, 1985;89-98.

울산대학교 의과대학 이비인후과 **이윤세**

분만 중 자궁외 치료
Ex Utero Intraparturm Treatment (EXIT) procedure

태아가 출생 후 상기도 폐쇄로 인해 호흡곤란을 겪을 경우 기관내삽관이나 기관절개술을 이용하여 이를 해결할 수 있다. 하지만 예기치 못한 분만이나 적절한 의료환경이 갖추어지지 못한 경우 기관내삽관이나 기관절개술을 시행하지 못하여 환아에게 생명과 직결되는 심각한 후유증을 남길 수도 있다. 최근에는 초음파, MRI와 같은 산전 진단 방법의 발달로 인해 환자가 호흡곤란을 겪을 가능성을 예측할 수 있는 경우가 증가하였다. 호흡곤란이 예상되는 신생아를 대상으로 신생아가 완전하게 분만되기 전에 기도를 확보하는 방법으로 분만 중 자궁외 치료(Ex Utero Intrapartum Treatment; EXIT)가 사용되고 있다.

EXIT 시술의 정의

태아가 자궁 내에 있을때 태반으로부터 영양분과 산소를 공급 받는다. 출산 시 태아가 자궁밖으로 나오면서 첫호흡을 하고 폐포에 채워져 있는 양수가 공기로 대체되면서 폐를 이용한 호흡을 시작한다. 상기도 폐쇄로 인해 호흡이 시작되지 못하면 폐의 기능을 활용할 수 없고 산소를 공급받을 방법이 없다. 그렇기 때문에 EXIT 술식을 통해 모체순환(utero-placental circulation)을 유지하면 신생아의 기도를 확보하는 동안 신생아는 지속적으로 모체로부터 산소를 공급받을 수 있는 시간적인 여유를 가질 수 있다. 결국 EXIT 술식을 통해 응급수술 상황이 조절가능한 수술로 변경되는 것이다. 기도를 확보하는 방법으로 기관내삽관, 기관절개술, 종양 적출술로 인해 기도 압박 제거 등이 있다. 산모의 자궁수축 시간과 환아의 산소 공급을 유지할 수 있는 시간은 대략 1시간까지 알려져 있지만, 자궁의 수축과 출혈의 고려한다면 실제로 수술을 할 수 있는 시간은 45분에서 150분 까지 다양하게 보고되고 있다. 반면에 자궁밖으로 출산한 경우 자궁수축이 없다는 가정하에 대략 20분까지 모체순환을 유지할 수 있다.

산전 평가

산전 초음파를 통해 기도 폐쇄 여부를 우선 선별하고 정확한 원인을 감별하기 위해 자기공명영상을 시행한다. 연속적으로 시행하는 고해상도 초음파를 통해 태아의 변화를 파악하도록 권고되고 있으며 최근에는 3D, 4D 초음파를 이용하여 여러 각도에서 태아를 평가할 수 있기 때문에 진단의 정확도가 향상되고 있다. 산전 평가를 통해서 기도 폐쇄여부를 명확하게 알아야 한다.

적응증

주로 경험이 많은 산부인과 의료진을 통해서 의뢰를 받는 경우가 많기 때문에 산전 초음파, 자기공명영상 소견에 대해서는 종양이나 혈관 기형과 같은 외부 압력에 의한 기도 폐쇄인지, 기관 및 후두의 발생학적인 이상인지 감별하도록 한다. 외부압력에 의한 기도 폐쇄의 경우 경구강 삽관으로 기도확보가 되는 경우가 종종 있고 기관 및 후두의 발생학적인 이상의 경우에는 반드시 기관절개술을 시행하거나 필요에 따라서 체외순환기까지 필요한 경우가 있다. 선천성 상기도 폐쇄 증후군(congenital high airway obstruction syndrome; CHAOS), 두경부 및 종격동의 종양, 선천성 횡경막 탈장(congenital diaphragmatic hernia; CDH), 악안면기형 등이 대표적인 적응증이다.

선천성 상기도 폐쇄 증후군(congenital high airway obstruction syndrome, CHAOS)

　드물게 발생하는 선천성 기형으로 후두의 한부분으로 부터 시작해서 기관의 분지까지 다양한 지점에서 연결이 되지 않는 질환이다. 후두와 기관의 형성폐쇄(atresia)으로 인해 산전초음파와 자기공명영상에서 양수를 배출하지 못하고 폐내부에 양수가 쌓여 있는 모습을 볼 수 있다. 이를 시사하는 소견으로 횡경막의 역전위, 양수과다증, 폐의 에코음영의 증가, 하부기도의 소실, 심장의 압박, 복수 등이 있다. 폐에 저류된 양수로 인해 횡경막이 평평해지거나 정맥 순환장애로 인한 심장기능부전으로, 결국은 선천성태아수종까지 발생한다(그림 17-1). 양수가 배출될 곳이 없는 상태가 지속되면 대체로 치명적이다. 수종이 조기에 발생했다면 인공유산을 시키지만 명확하지 않을 경우 EXIT 술기를 통해 기관절개까지 진행하게 된다. 후두폐쇄와 기관폐쇄의 생존율은 각각 94%, 50% 정도이다.

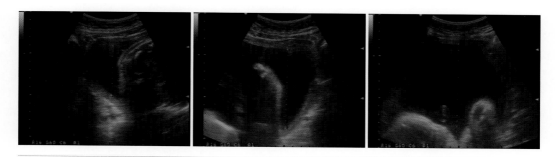

그림 17-1. **선천성 상기도폐쇄증후군(congenital high airway obstruction syndrome, CHAOS)의 산전 초음파 소견**. 기관과 기관지에 양수로 채워져 있고, 회경막의 편평화, 대칭적으로 균질하게 커져있는 고에코의 폐 (좌측부터)

종양성 병변

　산전 진단에서 두경부 영역의 종양이 발견된 환자들 중 기도가 눌려 있거나, 고형성분이 많을 경우, 양수 과다증이 보일경우 분만직후 기도 확보가 필요할 것으로 예상한다. 태아에서 기도를 누를 정도로 크기가 큰 종양성 병변은 대표적으로 기형종과 림프혈관 기형이 있다. 림프혈관 기형의 발생율이 더 높지만 낭종성 병변이 더 많고 부드럽기 때문에 기도폐쇄까지 진행하는 경우는 기형종이 더 많다. 기형종은 EXIT 술기로 삽관을 할 수 있지만 기관과 후두가 편위되어 있어 삽관과 기관절개술 모두 시행하기 어려운 경우가 많다(그림 17-2). 기형종은 빨리 성장하기 때문에 기도 확보뒤 수술을 통해서 되도록 빠른 시기에 제거하도록 하며 림프혈관 기형은 증상과 질환의 진행정도에 따라서 여러 가지 치료법을 적용할 수 있

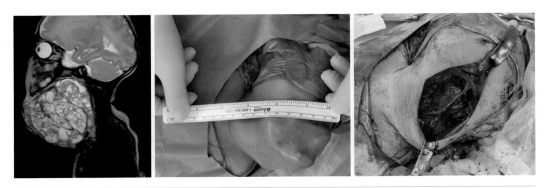

그림 17-2. 기도를 압박하고 있는 기형종의 자기공명영상 소견(좌측), 기관내삽관으로 기도를 확보하고 수술전 소견(가운데), 기형종 제거후 소견(우측)

다. 종양성 병변은 기관내삽관을 성공하였다 하더라고 기관절개술까지 필요한 경우가 대략 50%정도이므로 치료 계획을 세울때 기관절개술의 가능성까지 설명하는 것이 좋다.

심각한 하악왜소증

하악왜소증을 가진 환자들중 25%정도에서 생후 24시간 이내에 삽관이나 기관절개술을 통해 기도확보가 필요하다. 이들 중 절반 정도는 기도확보가 쉽게 이루어지지만 남은 절반 정도의 환자는 다학제 팀의 접근이 필요한 경우가 있다. 쉽게 기도가 확보가 되지 않을 것으로 예상되는 인자는 37주 미만의 미숙아, 자궁내 성장저하, 동반 기형, 신경질환, 증가된 양수, 다발수종이기 때문에 이러한 환자들을 산전과 직후에 유의해서 관찰하도록 한다.

방법

팀의 구성

산부인과, 이비인후과, 신생아과, 영상의학과, 마취과, 중환자간호 전문가들이 기본적으로 구성되어 있어야 한다(그림 17-3). 기도 폐쇄와 연관된 환아의 질환에 따라서 각각 전문과 의료진이 필요하다. 기관내삽관을 위해서 신생아과와 마취과 의료진이, 기관절개와 종양 제거를 위해 이비인후과 의료진의 배치가 필수적이다. 체외순환기팀(extracorporeal membrane

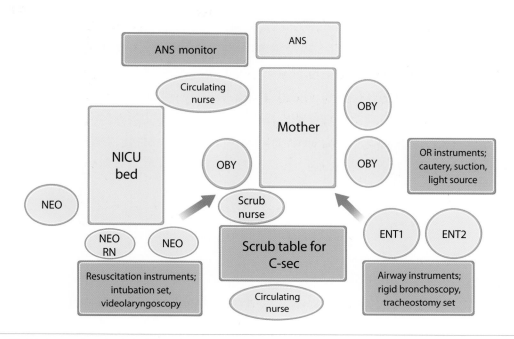

그림 17-3. Arrows EXIT 술식의 수술장 배치. 화살표는 신생아팀(NEO) or 소아 이비인후과(ENT) 이동경로. ANS; 마취과, NICU; 신생아중환자팀, OBY; 산부인과, NEO; 신생아과, ENT; 소아이비인후과

oxygenation, ECMO)이 준비되면 기도확보가 어려울 경우 마지막 방법으로 ECMO를 고려할 수도 있지만 필자는 실제로 소아에서 적용한 적이 없다. 질환에 따라 소아 심장과, 흉부외과 의료진이 필요한 경우가 있으며 지속적으로 환아의 안정적인 치료를 위한 사회적, 심리적 지원을 위한 팀이 필요하다.

산모의 마취 및 제왕 절개

앞에서 언급한 기도폐쇄가 의심되는 질환과 함께 양수과다증(polyhydramnios), 태아수종(hydrops fetalis)가 있을 경우 조산의 위험성이 있기 때문에 응급 수술에 대한 대비가 필요하며 산모와 가족들에게 이에 대한 사전설명을 하도록 한다. 제왕절개를 위한 수술을 준비하고 산과 의사 주위에 삽관을 할 수 있는 의료진이 대기하고 그 다음에 기관절개 및 종양을 처치할 수 있는 이비인후과 의사가 준비하고 있도록 한다. 일반적인 제왕절개분만 시의 마취와 반대로 EXIT시술 중 태아-태반혈액순환을 위해 자궁이완을 유지한다. 자궁이

이완된 상태에서 태아에 대한 처치를 하고 있기 때문에 산모의 혈압을 유지하고 출혈에 대해서 대비한다. 산모의 혈압이 감소할 경우 자궁태반 순환이 충분하지 않을 수 있다. 제왕절개를 통해서 태아의 두경부 부분과 상체 일부를 먼저 밖으로 나오게 하며 몸통의 대부분을 자궁내 양수안에 머물도록 하여 환아의 갑작스러운 체온 감소와 자궁 수축을 예방한다. 자궁의 수축이 발생하면 태반이 배출되기 때문에 EXIT 술기를 지속할 수 없다. 자궁내 양수가 밖으로 많이 배출될 경우 lactated ringer's solution으로 치환할 수 있다. 자궁밖으로 일부 돌출되어 있는 태아의 몸통에서 산소포화도, 심전도와 같은 혈역학적인 상태를 평가하기 시작한다.

기도의 확보

태아에 대한 적극적인 혈역학적 모니터하에 기도확보를 동시에 시행한다. 기도를 확보하기 위해 기관절개술, 원인이 되는 종양의 절제술을 사용한다. 완전히 폐쇄되지 않았다고 예상이 되면 기관내삽관을 우선 시행할 수 있다. 기관절개술과 같은 침습적인 방법으로 인해 발생할 수 있는 출혈, 기흉, 종양의 불완전 절제와 같은 문제를 피하기 위해서 기관내삽관을 우선 시행하도록 한다. 경험이 많은 신생아과, 마취과 의료진이 삽관을 시도하도록 하며 삽관여부를 파악하기 위해서 환아의 양쪽 폐음을 청진하고 산소포화도를 확인한다. 최근에는 삽관할 때 비디오 후두경을 이용하면 좀 더 좋은 시야를 확복할 수 있다. 기관내삽관이 실패할 경우 경성기관지 내시경을 이용하여 막성 기도협착 부위를 천공해서 기도를 확보할 수 있지만 효과에 대해서는 의문이다.

이러한 처치에도 불구하고 기도확보 여부가 명확하지 않을 경우에는 기관절개술을 시행한다(그림 17-4). 상기도 폐쇄로 인해 산전 초음파에서 양수가 폐내부에 많이 축적된 경우 기도 확보와 동시에 양수가 배출되기 때문에 충분한 흡인(suction)을 시행하도록 한다. 환아의 경우 대부분 후두의 위치가 성인에 비해 높기 때문에 가슴뼈의 상부를 기준으로 하지 않고 되도록 후두와 기관의 위치를 파악하고 기관절개술을 시작하는 것이 좋다. 환아를 기준으로 수직절개와 수평절개 모두 사용할 수 있다(자세한 술기는 10, 11장을 참고하도록 한다). 후두, 기관의 발생학적 이상일 경우에도 설골, 갑상연골, 윤상연골, 기관으로 이어지는 축이 크게 변하지 않아서 기관절개술을 시행하는 데 큰 무리는 없다. 하지만 발생학적 이상으로 인해 기도폐쇄가 있는 경우 협착의 높이와 범위에 따라서 기관절개술을 하는데 어려움이 있다. 신생아의 조직이 상당히 부드럽고 가동성이 크기 때문에 수술 중간에 수시로 해부학적인 중심축을 확인하면서 수술을 진행하도록 한다. 작은 견인기를 사용함에도 불구하고

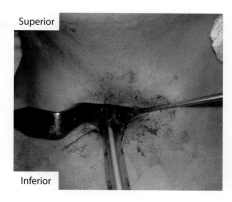

그림 17-4. **CHAOS에서 후두폐쇄(laryngeal atresia) 소견.** 기관절개관이 실처럼보이는 상부 기관과 후두의 하부에 위치하고 있음.

기관과 식도까지 견인을 하는 경우, 총경동맥을 같이 견인 하는 경우가 발생하면 잘못된 위치에 기관절개술을 하거나 기도 확보까지 많은 시간이 소요될 수도 있으니 주의를 요한다.

　종양으로 인해 기도의 위치가 편위가 되어 있고 기관내삽관이 실패할 경우 이비인후과 의사의 경험이 중요하다. 산전 자기공명영상을 반드시 확인해서 종양의 위치와 기도의 상관관계를 파악해야 한다. 수술중에 해부학적인 중심축을 확인할 수 있다면 큰 무리는 없지만 종양이 커서 기도를 후측면으로 밀고 있다면 접근하는데 상당한 노력이 필요하다. 출혈을 최소한으로 줄이면서 접근하도록 하며 기관과 유사한 구조물인 총경동맥, 내경정맥, 식도, 척추 등을 주의하여 진행한다. 신생아지만 기관연골이 대부분 발달해 있기 때문에 시야가 충분히 확보되고 서두르지만 않는다면 이러한 구조물을 감별할 수 있다. 기관절개술을 시행하면 자발흡의 소리가 들리는 경우도 있지만 완전 기도폐쇄로 인해 양수가 폐안에 고여있었다면 기관절개술과 함께 흘러 나오게 된다. 충분하게 흡인을 하고 기관절개관을 넣고 삽관과 마찬가지로 기도확보여부를 확인한다(그림 17-5). 절개관은 내경 기준으로 2.5 mm, 3.0 mm, 3.5 mm 정도 구비하는 것이 좋으며 재태일수에 따라서 크기가 달라질 수도 있지만 미숙아의 경우를 제외하고는 3.0 mm의 내경이 적합하다. 기관절개관 하부에서 발생한 협착의 경우에는 기관절개관 이외에 삽관용 기관내관을 삽입하여 협착 부위를 지나갈 수 있지만 협착이 심할 경우 체외순환기를 적용해야 할 수도 있다. 기관지 이형성증, 기관지 협착의 경우에는 기관절개관을 삽입하여도 폐음이 잘 들리지 않거나 충분한 일호흡량(tidal volume), 이산화탄소량(PCO_2)이 측정되지 않는다. 이러한 경우 소아용 연성내시경을 통해 기관의 형태를 확인하고 ECMO 사용까지 고려해야 한다. 연성내시경을 이용하여 기관분기부(carina)를 항상 확인하지는 않지만 환기가 명확하지 않은 경우에 유용하게 사용할 수 있다(그림 17-6).

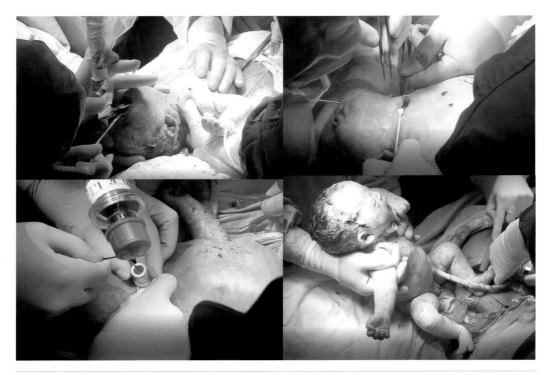

그림 17-5. **상기도폐쇄가 의심되는 환자에서 기도확보를 위한 EXIT 순서.** 기관내삽관의 시도(상부좌측), 기관절개를 위한 절개(상부우측), 기관절개와 함께 소생술(하부좌측), 출산과 탯줄의 결찰(하부우측)

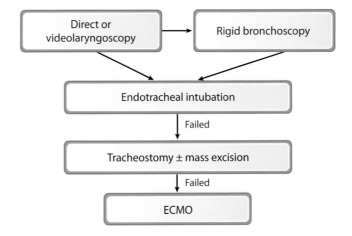

그림 17-6. **EXIT의 치료과정.** ECMO (extracorporeal membrane oxygenation, 체외막산소 공급)

EXIT 술기를 통한 기도 확보방법으로 기본적으로 산모의 깊은 마취, 제왕절개를 통한 태아의 부분 분만, 자궁의 이완유지가 필요하다. 이러한 과정을 유지하기 위해 각 분야의 전문가들로 구성된 팀이 있어야 하고 출산 전 의료진 간의 의견조율이 필요하다. 경험이 쌓이면서 의료기관마다 적응증의 대상을 확대시키고 있고 과거와 다르게 활발하게 EXIT 술기에 대한 보고가 증가하고 있으며 의료 기술과 협업 체계의 발달로 인해 성공률이 높아지고 있으며 환아의 보호자들과 긴밀한 대화를 통해 EXIT 술기의 장단점, 질환의 예후에 대해 자세한 상의를 한 뒤 시술을 시행하는 것이 좋다.

■ 참 고 문 헌

1. Costello B, Hueser T, Mandell D, Hackam D, Prosen TL. Syndromic micrognathia and peri-natal management with the ex-utero intra-partum treatment (EXIT) procedure. International journal of oral and maxillofacial surgery 2010; 39:725-8.

2. Hirose S, Farmer DL, Lee H, Nobuhara KK, Harrison MR. The ex utero intrapartum treatment procedure: looking back at the EXIT. Journal of pediatric surgery 2004; 39:375-80.

3. Kumar M, Gupta A, Kumar V et al. Management of CHAOS by intact cord resuscitation: case report and literature review. The Journal of Maternal-Fetal & Neonatal Medicine 2019; 32:4181-87.

4. Laje P, Peranteau WH, Hedrick HL et al. Ex utero intrapartum treatment (EXIT) in the management of cervical lymphatic malformation. Journal of pediatric surgery 2015; 50:311-4.

5. Lee J, Lee M-Y, Kim Ye et al. Ex utero intrapartum treatment procedure in two fetuses with airway obstruction. Obstetrics & gynecology science 2018; 61:417-20.

6. Morris LM, Lim F-Y, Elluru RG et al. Severe micrognathia: indications for EXIT-to-Airway. Fetal diagnosis and therapy 2009; 26:162-6.

7. Park JT, Chang HS, Kwon SY, Um DJ, Choi SJ. Anesthetic management during an ex utero intrapartum treatment (EXIT) procedure of the agnathic fetus: a case report. Korean Journal of Anesthesiology 2005; 49:724-9.

8. Prickett K, Javia L. Fetal evaluation and airway management. Clinics in perinatology 2018; 45:609-28.

9. Steigman SA, Nemes L, Barnewolt CE et al. Differential risk for neonatal surgical airway intervention in prenatally diagnosed neck masses. Journal of pediatric surgery 2009; 44:76-9.

10. Tonsager SC, Mader NS, Sidman JD, Scott AR. Determining risk factors for early airway intervention in newborns with micrognathia. The Laryngoscope 2012; 122.

11. Walz PC, Schroeder JW. Prenatal diagnosis of obstructive head and neck masses and perinatal airway management: the ex utero intrapartum treatment procedure. Otolaryngologic Clinics of North America 2015; 48:191-207.

체외막산소요법
Extracoporeal Membrane Oxygenator (ECMO)

서울대학교 의과대학 흉부외과 **김준성**

ECMO 소개

ECMO (Extracorporeal membrane Oxygenator)는 흉부외과, 응급의학과, 호흡기내과, 순환기내과의 임상영역에서 주로 사용되는 중요한 기계적 순환보조장치로서, 인체의 심장 및 폐의 기능을 보조 및 대체할 수 있는 장비이다. 이비인후과 영역에서 도움이 되는 경우는 기도의 확보가 어려운 경우에 있어 폐의 기능을 대신하는 경우로 한정할 수 있다고 하겠다.

ECMO의 역사

ECMO의 역사는 기본적으로 인공심폐기(Cardiopulmonary bypass machine, CPB)의 역사에서 시작이 된다. 개심술(Open Heart Surgery)을 시행하는 데 있어 심장을 멈추고, 체순환(Systemic circulation)을 우회해야 하므로 인공심폐기의 사용은 필수적인 조건이고, 이를 위해서는 폐순환(Pulmonary circulation)까지 포함하는 것이 필요하기 때문에 심장의 기능을 수행하는 펌프(Pump)와 폐의 기능을 수행하는 산화기(Oxygenator)의 발명이 필요하였다.

Dr. Gibbon은 1953년도에 세계최초로 인공심폐기를 이용한 개심술을 성공적으로 시행하였으며 당시에 사용된 산화기는 기포산화기(bubble oxygenator)였다(Bartlett, 2014). 산소기체를 혈액내로 주입시키는 방식으로 가스교환을 이루는 방식인데, 적혈구손상이 심하여 장시간 이용하는 데에는 어려움이 있었다. 이후 1957년 Dr. Robert Bartlett과 Dr. Phil Drinker에 의해 실리콘 고무(silicone rubber)를 이용한 막성 산화기(membrane oxygenator)가 개발되면서 장기간 사용이 가능한 산화기를 이용하게 되면서 'Exracorporeal membrane oxygenator'라는 용어가 생기게 되었다(Bartlett, 2014; Bartlett et al, 1969; Kolff et al, 1956; Kolobow et al, 1968). 이후로 membrane oxygenator는 실리콘(silicone)에서 폴리프로피렌(polyprophylene, PP)으로 발전하고 현재에는 폴리메틸펜텐(polymethylpentene, PMP)의 재질로 바뀌면서 산화기의 성능이 더욱 좋아지게 되었다.

1972년에는 ECMO가 개심술 후 심장회복을 위해 36시간 가동한 것이 보고되었고 이후로 급성 호흡곤란증후군(acute respiratory distress syndrome, ARDS)에서도 이용이 되기 시작하였다. 현대 ECMO의 아버지라고 불리는 Dr. Robert Bartlett은 1975년에 첫 번째로 호흡곤란증후군 환아에게 ECMO를 적용하여 생존보고를 하였고 이후로 점점 좋은 생존율을 보고하기에 이르렀다(Bartlett, 2003; Wolfson, 2003). ECMO가 기도수술에 적용된 것은 1992년 Walker 등이 2.5 kg 소아환자의 심한 기관 협착증(critical tracheal stenosis)에서 절제 후 단단문합술(resection and end to end anastomosis)을 시행한 것이 최초로 보고되었다(Walker et al, 1992).

1989년에는 ECMO를 이용한 세계적 기구인 ELSO (Extracorporeal Life Support Organization)가 발족이 되었고 현재까지 전세계적으로 350개의 센터에서 연간 9,000여건의 ECMO 증례가 등록이 되어 매년 생존율을 보고하고 있다.

1990년대까지는 막성 산화기(membrane oxygenator)와 롤러 펌프(roller pump) 혹은 원심분리형 펌프(centrifugal pump)와 회로도(circuit line)를 조립하고 삽입관(cannula)들을 연결하여 경피적 삽관술(percutaneous cannulation)을 통한 ECMO 운용을 해오다가, 회로도와 삽입관뿐만 아니라 산화기에도 헤파린 코팅기술이 접목되고 일체형이 상용화된 ECMO 장비들이 소개되면서 2000년대부터 널리 사용되기 시작하였다. 우리나라도 2003년도에 Terumo 회사의 EBS (Emergency Bypass System)장비가 소개되면서 ECMO의 임상적 용이 확대되었고, 현재는 Maquet 회사의 PLS (Permanent Life Support) 및 Cardiohelp 장비가 사용가능하다.

ECMO의 원리

먼저 인공심폐기의 원리를 살펴보면, 우심방에서 전신을 돌고 온 정맥혈을 정맥도관을 통하여 빼내어 저수조(Reservoir)에 채우고 펌프(요즘은 거의 centrifugal pump)에서 혈액

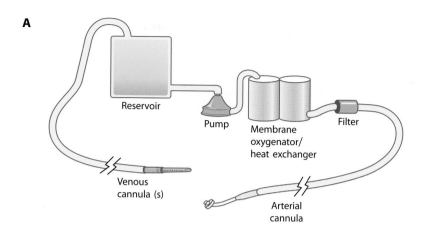

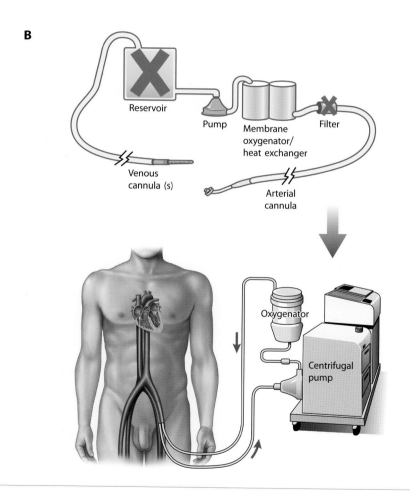

그림 18-1. (A) CPB의 구조, (B) ECMO의 구조

을 퍼내어 산화기로 보내준다. 여기서 가스교환이 이루어져 동맥혈이 되어 동맥도관을 통하여 전신에 동맥혈을 공급하게 되는 원리이다(그림 18-1). 이러한 우회 순환에 의해 전신을 돌고 온 혈액은 심장과 폐를 거치지 않아도 되어 심장수술이 가능하게 하는 것이다.

여기서 체외순환을 장기적으로 가능하지 못하게 하는 것 중의 하나가 저수조인데, 개방형 저수조로 인하여 공기와 접촉을 하게 되면서 혈액응고가 보다 더 촉진되기 때문이다. 그래서 고용량의 헤파린(heparin, 3 mg/kg)이 필요하다. 하지만 개심술이 아닌, 심장보조나 호흡보조의 목적으로 사용하는 ECMO의 경우에는 저수조가 필요없이 폐쇄형 구조로 정맥도관이 바로 펌프와 산화기만으로 연결이 되어 동맥관을 통해 인체로 다시 들어오게 되는 구조를 이용하게 되면 저용량의 헤파린(1.0 mg/kg) 만으로도 어느 정도 기간(대개 6시간에서 2주일 정도)의 보조가 가능하게 된다(그림 18-2).

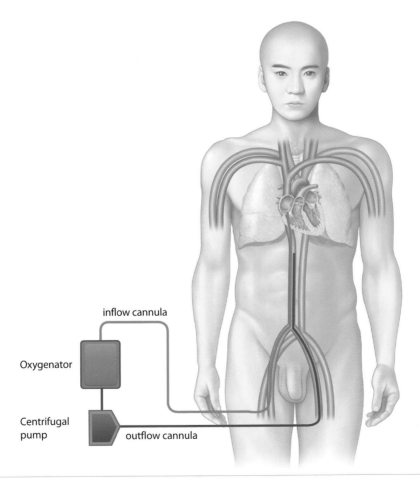

그림 18-2. VV ECMO 의 모식도

심장보조만 하는 경우에는 대퇴정맥을 통하여 정맥도관을 우심방에 거치하여 정맥혈을 빼내어 펌프를 이용하여 산화기를 통하여 동맥도관을 대퇴동맥으로 연결하여(Veno-Arterial ECMO, VA ECMO) 동맥혈을 전신에 공급하게 된다(그림 18-2 오른쪽).

반면에, 호흡보조만 필요한 경우에는 가스교환만 필요하지만, 막형산화기를 혈액이 통과하려면 역시 펌프가 필요하므로 같은 구조의 장비를 이용하게 된다. 다만, 대정맥에서 정맥도관(대퇴정맥을 통하여)을 이용하여 혈액을 빼내어 우심방에 동맥도관(반대쪽 대퇴정맥을 통하여)을 거치하여 동맥혈을 우심방으로 보내어 동맥혈이 폐순환으로 순환하게 하여(Veno-Venous ECMO, VV ECMO) 환자의 폐가 없어도 동맥혈이 좌심실을 통해 전신에 공급이 되게 하는 구조를 갖게 된다(그림 18-2).

VV ECMO의 경우, 혈전이 생기더라도 동맥혈관을 통한 색전증은 발생하지 않고 폐색전으로 발생되기 때문에 VA ECMO에 비하여 색전증으로 인한 위험성이 낮아 경우에 따라서는 헤파린 없이도 운용이 가능하다는 장점이 있다(Ahmad et al, 2017; Krueger et al, 2017; Carter et al, 2019). ECMO 기계에서 발생하는 혈전은 크기가 그리 크지 않아서 VV ECMO에서는 폐색전의 크기가 크지 않지만, VA ECMO에서는 같은 작은 크기의 혈전도 전신 동맥혈에 색전이 생긴다면 뇌, 심장 혈관을 막아 큰 문제가 생길 수도 있는 것이다. 특히 기도 수술의 보조로 사용되는 경우에는 보조 시간도 상대적으로 짧고, 수술 중 헤파린사용은 기도수술에 있어 출혈의 위험성을 조장하므로 헤파린을 사용하지 않거나 저용량으로도 운용이 가능하다.

VV ECMO의 생리학

ECMO는 궁극적으로 전신에 산소를 공급하는 기계적 순환보조장치이다. VA ECMO는 인체의 체순환과 폐순환에 우회로를 통하여 추가적인 심장과 폐의 기능을 더하는 것인데 반하여 VV ECMO의 경우는 우심방 전에 들어오는 정맥혈을 ECMO라는 기계를 통하여 동맥혈을 만들어 인체의 폐순환으로 보내는 방식이다. 역시 우회로(ECMO)를 통하여 들어온 동맥혈이 ECMO로 들어가지 않은 정맥혈과 우심방에서 섞이게 되어 어느 정도의 산소화된 혈액이 폐순환을 거쳐 인체의 좌심실을 통하여 전신에 공급이 되는 방식이다.

전신에 전달되는 산소의 양은 아래와 같이 동맥혈중 산소농도와 심박출량의 곱으로 정해진다. 동맥혈중 산소농도는 혈중 산소포화도와 헤모글로빈의 수치가 대다수를 결정하게 되고 산소분압은 미미하다. 따라서 전신에 저산소혈증이 있는 경우에는 혈중 산소 포화도를 높이고, 빈혈을 교정하면서 심박출량을 늘려야 된다.

DO_2 (delivery of O_2) = CaO_2 (O_2 content of arterial blood) X CO (cardiac output)

CaO_2 = sO_2 (arterial O_2 saturation) X Hb X 1.34 + PaO_2 (arterial O_2 partial pressure) X 0.0031

CO = SV (systolic volume) X HR (heart rate)

결국 ECMO에서는 인체의 폐순환에서 공급되는 산소의 양과 ECMO의 산화기에서 공급되는 산송의 양이 전신에 심박출량에 비례하여 공급되게 된다. VA ECMO에서는 심박출량에 ECMO가 전적으로 기여를 하게 되지만, VV ECMO에서는 대개 정상 심기능을 가지고 전적으로 산소 공급량에만 기여를 하게 되는 것이다. 따라서 VV ECMO에서는 ECMO로 들어오는 혈류량이 절대적으로 중요하게 되어 ECMO 유량을 늘리는 것이 유일한 산소공급을 증가시키는 방법이다.

$$DO_2 \text{ (total)} = DO_2 \text{ (ECMO)} + DO_2 \text{ (Lung)}$$

VV ECMO에서는 전신에 전달되는 산소공급량(DO_2 total)은 ECMO에 의해 전달되는 산소의 양(DO_2 ECMO)과 인체의 폐에 의해 전달되는 산소의 양(DO_2 Lung)의 합으로 전달이 되고, 환자 폐기능이 저하되어 있거나 기능이 없는 경우(기도 호흡이 불가능한 경우)에는 DO_2 ECMO에 의해 전적으로 공급이 되고, DO_2 ECMO를 늘리는 방법은 ECMO의 유량을 늘리거나 가스 교환기의 스윕 가스(sweep gas) 유량 혹은 FiO2를 올리는 방법과 산화기의 효율을 높이는 방법이 있다. 이중에서 실제로 가능한 방법은 ECMO의 유량을 올리는 방법이다. 그래서 정맥도관을 경우에 따라서는 상대정맥에도 추가로 거치하여 ECMO 유량을 올리는 것이다.

VV ECMO의 운용

적응증

VV ECMO의 적응증으로는 통상적인 기계호흡으로 산소공급의 유지가 되지 않는 급성 호흡부전 증후군(Acute Respiratory Distress Syndrome, ARDS)이다. 자발 호흡에 산소치료 (비강 캐뉼라 혹은 안면 마스크)만으로 유지가 되지 않는다면 기도삽관을 통한 기계호흡이 필요하고, 이마저도 동맥혈 산소포화도가 90%를 넘지 않고 이산화탄소 수치가 60 mmHg이상으로 상승되어 떨어지지 않는다면 ECMO를 이용한 기계적 호흡보조장치를 고려해야 한다. 마찬가지로 기계호흡으로 인한 폐손상(Ventilator induced lung injury)로 인하여 기계호흡의 유지가 불가능한 경우도 VV ECMO를 적용할 수가 있다. 폐실질의 기저질환으로 인하여 폐이식이 필요한 경우에 공여 장기의 대기가 길어지면서 폐기능이 나빠질 경우, 가교치료(Bridge therapy)로서 적응증이 될 수 있다. 또한 이식된 공여폐의 급성 이식부전증후군을 극복하는 데에도 이용될 수 있다.

마지막으로 기도수술등과 같이 기도삽관으로 환자의 호흡기능을 유지하는 데 어려운 경우에 있어 주술기 보조(perioperative support)를 들 수 있다. 기도수술에서 전신마취 시 기계호흡을 위하여 기관내삽관을 통하여 대부분 기도수술 진행이 가능하지만, 수술 시야를 복잡하게 만들고 수술필드를 오염시킬 수 밖에 없게 된다. 또한 심한 종격동 종양으로 인하여 상기도를 폐쇄하고 있는 경우에는 전신마취가 유도된 경우, 갑작스런 근육긴장도의 감소로 인하여 기도가 폐쇄되어 기도삽관이 불가능하게 되는 경우가 있어 이러한 경우에도 미리 ECMO를 삽입하여 산소공급을 확보한 채로 수술을 진행하는 적응증이 될 수 있다.

ECMO 운용

VV ECMO의 삽입

앞서 설명하였듯이 ECMO를 인체와 연결하기 위해서는 대혈관에 삽관이 필요하다. 그러기 위해서는 개흉이 필요하지만, 경피적 시술로도 충분히 대혈관으로의 접근이 가능하게 되어 인체를 기준으로 출구 캐뉼라(outflow cannula) 부위로는 대퇴정맥(femoral vein)이 가장 많이 선호되는 부위이고, 내경정맥(internal jugular vein)이나 쇄골하정맥(subclavian vein)이 사용되기도 한다. 입구 캐뉼라(Inflow cannula) 부위로는 VV ECMO의 경우에는 반대쪽 대퇴정맥(femoral vein)이 가장 선호되는 부위이며 내경정맥(internal jugular vein)이나 쇄골하

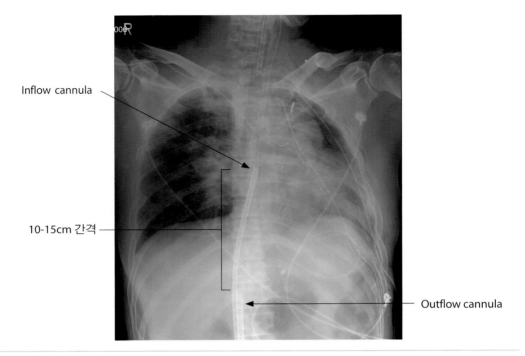

그림 18-3. **Inflow cannula와 Outflow cannula의 위치**

정맥(subclavian vein)이 이용되기도 한다.

삽입방법은 통상적인 셀딩거기법(Seldinger technique)이 사용된다. 입구 캐뉼라(Inflow cannula)으로 사용되는 대퇴정맥의 위치는 대퇴동맥의 맥박을 촉지하여 내측(medial)을 주사기로 천자하여 정맥혈을 확인한 후, 유도관(guide wire)을 삽입하여 하대정맥을 통하여 우심방까지 삽입을 하고 나서, 피부를 11번 블레이드(#11-blade)로 넓힌 후, 확장 캐뉼라(dilator cannula)를 통하여 입구를 넓히고 나서, 본 캐뉼라(cannula)를 천천히 부드럽게 진행시켜 캐뉼라의 끝이 우심방에 위치하게 만든다. 출구 캐뉼라(Outflow cannula)는 대개 반대쪽 대퇴정맥에 같은 방법으로 삽입을 하고 캐뉼라 끝의 위치는 하대정맥의 우심방 직전에 거치하여 입구 캐뉼라의 끝과는 10-15 cm 이상 차이가 나도록 위치시킨다(그림 18-3). 최종 캐뉼라의 위치는 단순 흉부 X-선(simple chest-AP) 촬영으로 확인하거나 수술장에서는 초음파를 이용하여 확인하기도 한다.

Heparinization protocol

혈액이 캐뉼라, 회로(circuit), 산화기, 펌프를 돌면서 인공표면과 접촉을 하게 되면 혈액

내의 응고인자들이 활성화되면서 혈전이 생기게 되어 이를 막기 위하여 헤파린(heparin)을 사용해야만 한다. 처음에 정맥 내로(IV bolus)로 100 unit/kg (1 mg/kg)를 주고 ACT (activated clotting time)를 체크하여 180-210초 정도로 유지한다. 30분마다 측정하여 유지해주고 잘 유지가 된다면 8시간마다 aPTT 나 ACT를 측정하여 각 병원마다 가지고 있는 헤파린 프로토콜(heparin protocol)에 맞추면 된다. 최근에는 헤파린 코팅 회로도(heparin coated circuit)나 헤파린 코팅 캐뉼라가 상용화되어 있어, 목표 ACT를 150초 정도로 낮추어도 무방하다고 보고된 바가 있으며, 6시간 이내의 가동이라든지 출혈의 위험이 있다면 heparin을 사용하지 않는 경우도 보고된 바가 있다. 대개 4시간 이내에 마칠 수 있는 기도 수술의 경우, VV ECMO이기도 하고 경부 부위의 출혈의 위험을 감안하여 헤파린은 사용하지 않는다.

ECMO primming and run

환자에서 삽관 작업이 진행되는 동안 ECMO 기계를 준비를 해야 한다. 그림 18-4와 같이 이루어진 회로도는 캐뉼라와 연결되는 라인과 산화기, 펌프가 일체형으로 상용화 되어있으며 이를 ECMO 기계에 장착을 하고, 회로도 내부를 충전액으로 채우는 과정을 'primming (충전)'이라고 한다. 사용되는 충전액으로는 보통 Normal saline, plasma solution, lactated Ringer solution 등과 같은 crystalloid 용액이 사용되며 대략 1 L정도면 충분하다. 각 기계마다 충전하는 방법이 약간씩 다르므로 체외순환사나 기계매뉴얼을 숙지하고 능숙한 숙련자들이 수행하는 것이 좋다.

충전을 마치고 삽관이 끝나면, 캐뉼라를 회로와 연결하고 펌프스위치를 서서히 올려서 펌프 유량이 목표 유량에 도달하도록 한다. 환자마다 목표 유량은 약간씩 다르지만 대개의 경우, 4-6 L/min 정도이고 임상적 상황에 따라 조절이 필요할 수 있다. 동맥혈 ABGA를 통하여 산소포화도가 90% 이상이 되도록 적정 유량을 조절할 수 있고, 장기간 운용하는 경우에는 mVO2(정맥혈 산소포화도, mixed venous oxygen saturation)이 70% 이상이 되도록 조

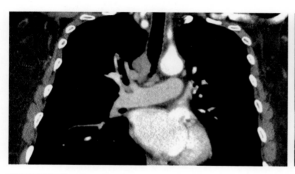
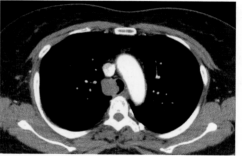

그림 18-4. 여자 62세, Tracheal tumor

절이 필요하다. 필요하다면 hematocrit을 35−40%정도 유지하기 위해 수혈이 필요하고, 마찬가지로 숙련된 체외순환사나 흉부외과 의사들이 관리하는 것이 수월하다.

경우에 따라서는 ECMO 시작(ECMO run)을 하고 나서 ECMO 유량이 3 L/min 이상 나오지 않는 경우가 있는데, 많은 경우가 혈관내 체액 부족(intravascular volume depletion)이 되어 있거나 캐뉼라의 위치가 이상적이지 못하여 생긴다. 수액 보충을 시도해 보거나 캐뉼라이 꺽인 곳은 없는지, 삽관 캐뉼라의 끝 위치가 괜찮은지 X−ray를 통하여 확인이 필요하다.

ECMO 관련 합병증

삽관부위 출혈(Cannulation site bleeding)

ECMO와 관련되어 가장 흔한 합병증으로 삽입부위에서 지속적으로 출혈이 있는 경우이다. 원활한 삽입이 되지 않은 경우에 흔하며 경피적 방법이 아닌 개방적 방식으로 삽입한 경우 흔하다. 출혈의 정도에 따라 압박 드레싱만으로 해결될 수도 있으나 추가적인 봉합(쌈지봉합, Purse−string suture)이 필요한 경우가 많다. 혈관부위의 누출이 원인인 경우 보다 더 큰 사이즈의 캐뉼라로 교환하는 것도 해결책이 될 수 있다. 지속적인 출혈은 체내 혈액 감소로 이어져서 지속적인 수혈로 인한 추가적인 합병증이 야기될 수 있으므로 반드시 해결을 해야 한다.

재순환 증후군(Re-circulation syndrome)

VV ECMO에서 생길 수 있는 비교적 흔한 상황으로 재순환증후군이라고 한다. 입구 캐뉼라와 출구 캐뉼라가 같은 공간에 거치하게 됨에 따라 입구 캐뉼라를 통한 동맥혈이 다시 출구 캐뉼라로 들어와서 다시 산화기로 돌아가는 현상을 말한다. 어쩔 수 없이 약간의 재순환이 발생하지만 이를 최소화하기 위해서는 두 캐뉼라의 거리를 그림 18-3과 같이 충분히 떨어뜨려야 한다. 하지만 너무 떨어뜨리는 경우, 출구 캐뉼라를 통해 나오는 혈류량이 부족할 수 있어서 주의를 요하게 된다. 재순환증후군은 ECMO 보조의 효율성을 떨어뜨리고 용혈(hemolysis) 등과 같은 합병증이 더 생길 수 있으므로 가능한 피해야 한다.

전신 염증반응 증후군(Systemic inflammatory response syndrome)

ECMO 써킷은 결국 전신의 혈액이 이물질에 노출이 불가피하기 때문에 정상적인 면역반응이 일어날 수 밖에 없다. 그래서 전신 발열, 염증반응수치의 상승, 기존의 감염반응의 악화소견 등의 전신 염증 반응이 생길 수 있고, 대부분 경미한 상태로 회복될 수 있으나 환자가 가지고 있는 기저질환이나, 임상상태에 따라 염증반응으로 인한 악화가 생길 수 있다.

용혈(Hemolysis)

자기 혈관이 아닌 이물질에 노출된 혈액이 응고-용해 과정을 반복하게 되면 적혈구의 손상이 생길 수 있다. 또한 빠른 혈류가 좁은 관을 통과하게 되면서 혹은 membrane oxygenator를 통과하면서 물리적으로 손상이 생길 수 있고, ECMO pump로 인하여 혈액이 빨리게 되면 공동화 현상이 생기면서 hemolysis가 많이 생길 수 있다고 보고되고 있다. 특히 장기간 운용하게 되면 hemolysis를 monitoring하면서 혈액수혈을 고려해야 한다.

폐출혈(Pulmonary hemorrhage)

ECMO를 위하여 사용하는 헤파린때문에도 폐출혈이 증가될 수 있으며, 위에서 언급한 전신 염증반응의 증가로 인하여 혈액응고 인자의 감소로 인하여 기존의 폐손상이 악화되어 나타날 수도 있다. 기도수술 보조와 같이 짧은 시간의 적용으로는 거의 발생하지 않는다. 대부분 일시적일 수 있으므로 30분마다 기도 내 흡입을 통하여 배액시켜 주도록 한다. 장기간 적용으로 인하여 점차 폐손상이 악화된다면 헤파린 사용을 중단하면서 지켜볼 수 있다.

외과수술에서의 ECMO 적용

일반적인 외과술기 도중에 ECMO의 도움을 받는 경우는 매우 다양하다. 앞서 언급하였듯이, 전신마취를 하려면 기도 삽관을 통하여 기계호흡의 도움이 필수적이다. 따라서 기도 삽관이 불가능하거나, 기도수술과 같이 수술 시야에 기도관(endotracheal tube)이 거추장스러울 경우에 시술이 끝날때까지 혹은 기도삽관이 다시 가능해질 때까지 VV ECMO의 도움을 받을 수 있다. 또한 종격동에 매우 커다란 종괴로 인하여 상기도를 막고 있을 경우, 근육이완제로 전신마취를 유도할 때, 상기도 협착이 심해지면서 기도 삽관이 불가능한 경우도 수술장 내 VV ECMO의 적용이 필요한 경우이다. 마취의와 외과의의 긴밀한 논의를 통하여 이를 적용해야만 한다.

그 외에 VA ECMO의 경우에는 가장 흔하게 개심술이후에 심장기능의 보조를 위하여 사용되고, 무인공심폐기하 관상동맥우회술(Off pump coronary bypass grafting, OPCAB)에서 혈압 유지의 목적으로 사용되기도 한다.

기도수술에서 ECMO의 적용

기도수술에서 VV ECMO의 적용은 그리 흔하게 사용되지는 않아왔다. 대개의 경우, 보다 작은 기도관(16Fr or 14Fr) 으로 넣어 사이즈를 줄여서 수술시야방해를 줄이거나, 열린 기도 내로 직접 넣어서 인공호흡기에 연결하는 특수한 캐뉼라를 이용하여 수술하는 경우가 많았 고 이미 이러한 기구들에 익숙한 외과의들이 충분히 좋은 성적을 보고하였기 때문이다.

하지만, ECMO의 도입이 주로 흉부외과 심장외과의들에 의해 시작이 되어 개심술후 보 조로 운용이 되어 오면서 경험이 축적되고, 이후로 심장내과에서 경피적 관상동맥성형술 (percutaneous coronary intervention, PCI)에서 주술기 보조로 활용이 되고, 나아가 응급의 학과에서 병원외 심장지(out of hospital cardiac arrest, OHCA) 에서 체외순환 심폐소생술 (Extracorporeal Cardiopulmonary Resuscitation, E-CPR)으로 확장되었듯이, 이비인후과 상 기도 및 인후두 시술 영역으로의 확장도 충분히 예상이 가능하다.

기도수술에서 VV ECMO를 적용하면 마취유도가 필요없이 국소마취만으로 VV ECMO 삽입이 가능하여 수술시야에서 기도관(E-tube)가 없어 편하게 수술을 시행할 수가 있으며, VV ECMO의 경우, 적어도 6시간까지는 헤파린사용없이 돌려도 혈전이 생기는 경우가 거 의 없다.

기도수술에서의 VV ECMO 적용 예

여자/62세, Tracheal tumor, Cystic adenoid carcinoma

그림 18-4에서 보이는 기관 종야이 기관 원위부에 내강을 침범하고 있는 환자에서 VATS (Video assisted thoracoscopic surgery)를 이용하여 기관지 절제 및 단단 문합을 시행하였 던 환자이다. 단일관 기관내관(Single lumen E-tube)을 이용한 전신마취를 한 후에 양측 대 퇴정맥을 이용하여 VV ECMO를 삽입하고 인공호흡을 정지시킨 후에 VATS 시술로 기관 지 절제(tracheal resection) 및 단단문합(end to end anastomosis)을 시행하고 다시 E-tube 를 이용한 인공호흡기를 가동한 후, VV ECMO를 제거하고 나서 수술을 종료하고 수술실에 서 환자를 깨우고 발관한 후, 일반 병실로 전동하였다. 환자는 별 합병증없이 회복하여 수 술 후 5일째 퇴원하였다.

환자가 VV ECMO를 적용하고 있는 동안, ABGA상에서 PaO_2는 200 mmHg이상 유지되 었으며 SaO_2도 100%로 유지되었다.

Lang 등은 10례의 ECMO를 이용한 기관지 절제(tracheal resection) 및 단단 문합(end to end anastomosis)을 보고한 바 있으며 이 중 7례에서는 VA ECMO사용을 하였다고 한다 (Lang et al, 2015).

여자/56세, Huge thyroid mass

그림 18-5와 같은 커다란 종격동 종괴가 기관지를 누르고 있는 환자로 전신마취가 유도 될 경우, 기도가 더 눌리게 되면서 기도 삽관이 불가능할 것이 예상되어, 국소마취하에 VV ECMO를 거치하고 안전하게 근육이완제를 포함한 전신마취를 유도하고나서 안전하게 6.0 mm 단일관 기관내관을 이용하여 인공호흡기에 연결한 후, 갑상선전절제술(total thyroidec-tomy)을 시행하였다.

남자/72세, Upper airway obstruction on larynx

그림 18-6과 같은 소견으로 성대대(vocal cord) 바로 아래 부위에 생긴 섬유종(fibroma)에 대해 전신마취없이 VV ECMO 하에서 강직형 기관지내시경(rigid bronchoscopy) 하 종양감 축술(debulking excision)을 시행하고 회복실로 나왔다. 비슷한 case 18례를 Hong 등이 case

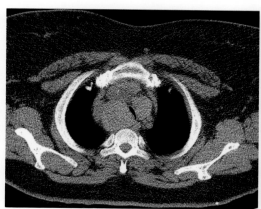
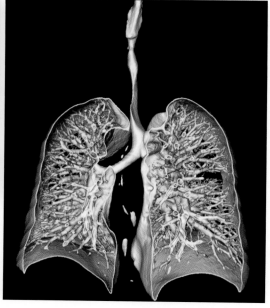

그림 18-5. **여자 56세, Huge thyroid mass**

series로 좋은 결과를 보고한 바있다(Hong et al, 2013).

여자/93세, Subglottic mass(그림 18-7)

고령의 환자에서 생긴 성문하 종양(subglottic cancer)에 기도삽관이 불가능하다고 판단되어 VV ECMO를 시행하고 후두미세수술(Laryngomicrosurgery)을 성공적으로 시행하였던 예이다.

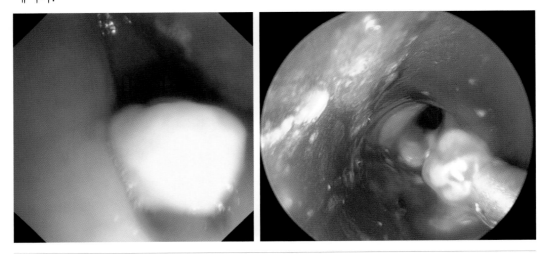

그림 18-6. **남자 72세, Upper airway obstruction on larynx**

기도수술에 있어 흔하지는 않지만 VV ECMO의 이용은 비교적 안전하게 호흡보조가 가능하여 전신마취 또는 인공호흡기 없이 상기도 수술이 가능할 수 있으며, 수술의 시야에서 기관내관이 없게 되므로 보다 정확한 술기가 가능할 수 있다. 이를 위해서는 마취과와 흉부외과의사들과 사전에 논의를 통하여 시행되어야 하고, 불필요한 VV ECMO의 사용은 지양해야 한다.

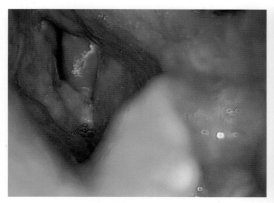

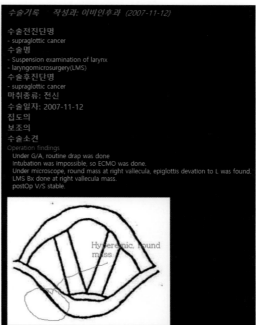

그림 18-7. 여자 93세, Subglottic mass 소견 및 수술 기록지

■ **참 고 문 헌**

1. Ahmad SB, Menaker J, Kufera J, O'Connor J, Scalea TM, Stein DM. Extracorporeal membrane oxygenation after traumatic injury. J Trauma Acute Care Surg 2017;82:587-91.

2. Bartlett RH, Isherwood J, Moss RA, Olszewski WL, Polet H, Drinker PA. A toroidal flow membrane oxygenator: four day partial bypass in dogs. Surg Forum 1969;20:152-3.

3. Bartlett RH. 2002 Radvin lecture in basic science. Artificial organs: basic science meets critical care. J Am Coll Surg 2003;196:171-9.

4. Bartlett RH. John H Gibbon Jr Lecture. Extracorporeal life support: Gibbon fulfilled. J Am Coll Surg 2014;218:317-27.

5. Carter KT, Kutcher ME, Shake JG et al. Heparin-Sparing Anticoagulation Strategies Are Viable Options for Patients on Veno-Venous ECMO. J Surg Res 2019;243:399-409.

6. Hong Y, Jo KW, Lyu J et al. Use of venovenous extracorporeal membrane oxygenation in central airway obstruction to facilitate interventions leading to definitive airway security. Journal of Critical Care 2013;28:669-74.

7. Kolff WJ, Effler DB, Groves LK, Pereeboom G, Moraca PP. Disposable membrane oxygenator (heart-lung machine) and its use in experimental surgery. Cleve Clin Q 1956;23:69-97.

8. Kolobow T, Zapol W, Pierce JE, Keeley AF, Replogle RL, Haller A. Partial extracorporeal gas exchange in alert newborn lambs with a membrane artificial lung perfused via an A-V shunt for periods up to 96 hours. Trans Am Soc Artif Intern Organs 1968;14:328-34.

9. Krueger K, Schmutz A, Zieger B, Kalbhenn J. Venovenous Extracorporeal Membrane Oxygenation With Prophylactic Subcutaneous Anticoagulation Only: An Observational Study in More Than 60 Patients. Artif Organs 2017;41:186-92.

10. Lang G, Ghanim B, Hotzenecker K et al. Extracorporeal membrane oxygenation support for complex tracheo-bronchial procedures. European Journal of Cardio-Thoracic Surgery 2015;47:250-6.

11. Walker LK, Wetzel RC, Haller JA, Jr. Extracorporeal membrane oxygenation for perioperative support during congenital tracheal stenosis repair. Anesth Analg 1992;75:825-9.

12. Wolfson PJ. The development and use of extracorporeal membrane oxygenation in neonates. Annals of Thoracic Surgery 2003;76:S2224-S9.

기관절개술 후의 관리

기관절개술의 합병증
Complications of Tracheostomy

울산대학교 의과대학 이비인후과 **최승호**

　　기관절개술로 인한 합병증의 발생률은 정확히는 알 수 없으나 문헌에서 대략 40-50% 정도로 언급되고 있어 상당히 흔히 발생함을 알 수 있다(Bontempo, 2019). 이들 합병증의 대부분은 경미하지만 소수에서는 생명을 위협할 정도로 심각하므로 기관절개술 후 어떤 합병증이 발생할 수 있으며 이에 대한 대처 방법은 무엇인지에 대해 숙지할 필요가 있다. 이 장에서는 기관절개술의 합병증을 발병시기에 따라 수술 중 합병증, 조기 합병증 및 만기 합병증으로 나누어 기술한다.

수술 중 합병증(Intraoperative complications)

출혈(Bleeding)

　　기관절개술과 관련해서 대량 혹은 소량 출혈의 빈도는 5.7%로 보고된 바 있다(Delaney, 2006). 수술 중 대량 출혈은 매우 드물지만 소량의 출혈이라도 기도 폐쇄를 일으키면 생명의 위협이 될 수 있다. 수술 중 혹은 수술 후 48시간 이내의 출혈은 대부분 기관 앞 피하조직 내 정맥 손상이 원인이며 수술 전 초음파 검사를 통해 이들 혈관의 위치를 확인하는 것이 수술 중 출혈을 예방하는데 도움이 될 수 있다(Rajajee, 2011). 환자가 출혈을 유발할 수 있는 약물(와파린, 아스피린, 비스테로이드성 항염증치료제 등)을 복용하고 있는지, 만성간 질환, 혈우병, 백혈병 등 출혈성 경향을 일으키는 질환이 없는지 수술 전에 확인하고 가능하면 출혈 유발 약물을 중단하거나 수혈을 통해 혈액응고 기능을 교정한 후 수술을 진행해야 한다. 수술 중에는 전경정맥(anterior jugular vein)이나 하갑상선정맥(inferior thyroidal vein), 갑상선 협부의 손상에 주의한다. 목의 정중앙에는 혈관이 적으므로 정중앙으로 박리를 진행하면 혈관 손상을 예방할 수 있으며, 수술 중 지속적으로 정중앙 위치를 확인하는 것은 정맥이나 경동맥 손상을 방지하기 위해서 뿐만 아니라 순조로운 기관절개술을 위해 매우 중요하다. 경미한 출혈은 전기 소작과 패킹을 이용한 압박으로 지혈할 수 있으며, 수술 중 정맥의 손상이 확인되었다면 일시적으로 지혈이 되었다 하더라도 수술 후 다시 출혈될 가능성이 있으므로 결찰하는 것이 바람직하다.

피하기종(Subcutaneous emphysema)

기관절개술 후 피하기종의 발생은 5% 이내로 보고되고 있다(Feller-Kopman, 2003). 피하기종은 기관공 피부를 단단히 봉합하거나 패킹을 한 상태에서 양압 환기나 강한 기침을 하면서 기관 개창부로부터 나온 공기가 외부로 빠져나오지 못하고 피하조직에 차면서 발생하며 해당 피부 부위의 염발음(crepitus)으로 나타난다. 강한 양압 환기를 지속할 경우 피하기종은 목과 가슴을 비롯해 전신으로 퍼질 수 있으며 기종격동(pneumomediastinum)이나 기흉(pneumothorax)이 발생하기도 한다. 기관절개술 중 피부 봉합을 하지 않고 패킹을 강하게 하지 않는 것이 피하기종 예방에 도움이 된다. 피하기종이 확인되면 패킹이 있으면 제거하고, 피부 봉합이 되어있으면 봉합을 풀고, 튜브의 기낭을 팽창하며, 흉부 X선 촬영을 통해 기흉 발생 여부를 확인한다. 피하기종은 대부분 상기한 보존적 처치로 별다른 후유증 없이 회복된다.

기흉(Pneumothorax)

환자의 해부학적 구조 상 흉막이 경부쪽으로 올라와 있을 경우 기관절개술 중 흉막이 손상되어 기흉이 발생할 수 있으며 이는 성인보다 소아에서 더 빈번하다. 기관의 측방을 주의하면서 세심하게 박리를 진행하면 기흉을 예방할 수 있으며 수술 중 의심스러운 상황이 없었더라도 술후 흉부 X선 촬영으로 기흉 여부를 확인하는 것이 바람직하다.

기관후벽손상(posterior tracheal wall injury)

기관절개술로 인한 기관후벽손상은 0.2%에서 12.5% 정도에서 발생한다고 보고되고 있다(Feller-Kopman, 2003). 수술적 기관절개술보다는 경피적 확장 기관절개술에서 더 빈번하다고 알려져 있으며 가이드와이어 및 가이딩카테터를 잘못 조작하여 발생하는 경우가 많다(Trottier, 1999). 대부분의 작은 손상은 별다른 치료없이 치유가 되지만 손상의 크기가 크면 기도로 출혈이 되거나 튜브 주변 또는 종격동으로 공기가 새어나가게 되어 생명을 위협할 수 있다. 기관 후벽과 함께 식도 전벽까지 손상이 되면 기관식도누공이 형성되고 기관내 분비물 증가, 호흡곤란, 흡인, 공기로 인한 위 팽창, 기낭이 기관을 막지 못하고 지속적으로 공기가 누출되는 현상 등이 나타난다. 수술 중 혹은 직후 위와 같은 소견으로 기관후벽손상 또는 기관식도누공이 의심될 경우 컴퓨터단층촬영, 기관지내시경, 식도촬영술 등의 방법으로 확인한 후 즉각적인 수술적 복원이 필요하며, 환자의 전신상황으로 인해 수술을 할 수 없다면 기관 내 스텐트를 시도해볼 수 있다.

반회후두신경 손상(Recurrent laryngeal nerve injury)

반회후두신경은 기관식도구(tracheoesophageal sulcus)로 주행하므로 통상적인 기관절개술 범위보다는 후측방에 위치하여 손상되는 일이 매우 드물며 수술 전에 흉부 X선 촬영이나 컴퓨터단층촬영을 통해 기관의 주행위치를 확인하고 수술 중 기관의 중심을 계속해서 확인함으로써 충분히 예방이 가능하다. 그러나 응급상황, 목이 굵고 짧은 환자, 비만한 환자, 이전의 수술 또는 전경부 종양으로 인해 해부학적 구조의 변형이 있는 환자 등에서 기관의 위치를 잘 파악하지 못하여 측방으로 접근할 경우 반회후두신경이 손상될 수 있다. 수술 중 반회후두신경 절단이 확인되면 가능한 한 즉시 신경문합술을 시행하는 것이 좋지만 기관절개술 여건 상 여의치 않으면 수술 후 hydroxy apatite나 콜라겐 제제와 같은 영구적 주입물질을 사용하여 성대주입술을 시행한다.

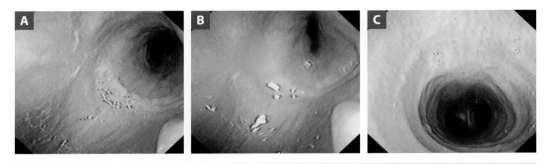

그림 19-1. 기관연화증 및 정상 기관지내시경 소견. (A) 기관연화증의 흡기 시 정상적인 연골륜이 소실이 관찰되고 기관의 내강이 좌우로 좁아져 있음. **(B)** 기관연화증의 호기 시 기관이 허탈됨. **(C)** 기관연화증이 없는 정상 기관. (서울대병원 권성근 교수 제공)

조기 합병증(Early postoperative complications)

기관절개관 폐쇄(Tube obstruction)

기관절개관의 폐쇄는 생명을 위협하므로 매우 신속한 조치가 필요하다. 기관절개관 폐쇄의 원인으로는 건조된 분비물 및 점액, 피떡이, 중첩된 기관후벽 점막, 육아조직 등으로 내강이 막히거나, 기관절개관의 부분적인 이탈 또는 가강(false lumen)으로 튜브가 삽입되는 경우 등이 있다. 기관절개관 폐쇄는 언제든 발생할 수 있으므로 경각심을 가지고 관찰하여야 하며 소아에서 기관절개술 관련 사망의 가장 중요한 원인이다(Das, 2012). 특히 기관절개관의 크기가 작거나 이중강 기관절개관이 아닌 단일강 기관절개관의 사용, 기관절개술 후 관리가 미흡한 경우 기관절개관 폐쇄의 빈도가 높다. 기관절개관을 통한 호흡이 없거나 불규칙하고 환자의 호흡수가 상승하며 산소포화도 하강, 거친 숨소리 등이 나타나면 기관절개관 폐쇄를 의심해볼 수 있다. 기관절개관 폐쇄를 발견하면 튜브 앞쪽에 부착되어 환기를 방해할 가능성이 있는 물건들, 즉 발성밸브(speaking valve), 마개, 붕대, 가습을 위한 장치 등을 제거한다. 이중관튜브라면 내관을 제거하고 단일관튜브라면 그대로 둔 상태에서 흡인을 시도한다. 만일 흡인카테타가 기관절개 튜브의 전장을 통과하여 기관 안으로 잘 진입한다면 완전 폐쇄가 아니므로 환자의 호흡을 보조하여 양압 환기와 산소공급을 한다. 만일 흡인카테타가 절개관을 통과하지 못한다면 완전 폐쇄로 판단할 수 있으며 이때 흡인카테타가 아닌 스타일렛 같은 딱딱한 기구는 기관절개관이 전위되었거나 가강에 들어간 경우 잘못된 통로를 만들 가능성이 있으므로 사용하지 않는 것이 좋다. 기관절개관이 완전히 폐쇄되었더라도 절개관 주변으로 환기가 가능할 수 있으므로 기관절개관을 무작정 제거하지

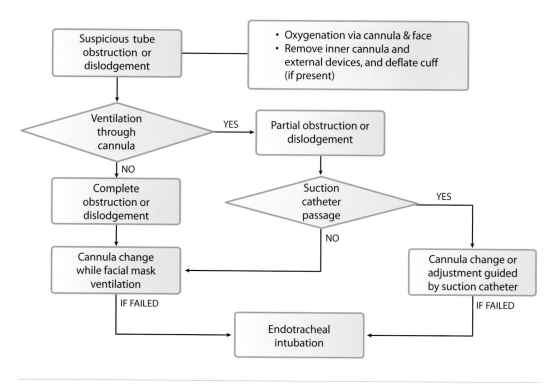

그림 19-2. 기관절개관 폐쇄 또는 이탈 알고리듬

말고 기낭을 수축시킨 후 환기를 시도한다. 기관절개관이 완전히 막혔고 절개관 주변으로도 환기가 되지 않는다면 일단 기관절개관을 제거하고 안면마스크와 기관공을 통해 고유량 산소를 투여한다. 만일 기관절개관 제거 후 환자의 호흡이 편안하고 산소포화도 및 호기말 이산화탄소분압이 적절하다면 시간 여유를 가지고 절개관을 재삽입할 수 있다. 환자가 코와 입으로 호흡할 수 있고 기관절개관 재삽입이 시급하지 않다면 열린 기관공이 환기를 방해하므로 거즈 등을 이용해서 막도록 한다. 기관절개관 발관 후 환자의 호흡이 원활하지 않으면 즉시 기관절개관 재삽입 또는 경구삽관(oral intubation)이 필요하다(그림 19-2). 기관절개관의 내강이 막힌 경우였다면 재삽입이 용이할 수 있으나 그렇지 않았다면 절개관의 부분 이탈 또는 가강으로의 전위이므로 숙련된 수술자가 아니라면 재삽입이 어려울 수 있다. 한두차례 시도에도 재삽입이 되지 않는다면 안면마스크와 기관공을 통한 산소공급을 하면서 경구삽관을 하는 것이 바람직하다. 경구삽관은 기관공의 하부에 기낭이 위치할 수 있도록 충분히 깊이 넣어야 한다. 기관절개관 재삽입 시 기관공의 형태에 따라서는 기관절개관보다 기관내관(endotracheal tube)의 삽입이 더 용이할 수 있으며 작은 사이즈의 절개관으로도 충분한 환기가 이루어질 수 있으므로 삽입이 원활하지 않으면 한두 단계 작은 사이즈의 기관절개관으로 시도하는 것이 좋다. 굴곡성내시경을 사용할 수 있다면 내시경에 기관절개관을 끼운 채로 내시경을 기관공에 삽입하여 기관 내에 위치시킨 후 내시경을 가이드 삼아 재삽입하는 방법이 더 안전하다.

기관절개관 이탈(Tube dislodgement)

의도하지 않은 기관절개관의 발관은 기관절개술 후 어느 시기에나 발생할 수 있으며 기관절개술의 0.35%에서 15% 정도에서 발생한다고 알려져 있다(Goldenberg, 2000; Kapadia, 2014). 소아에서 기관절개술 관련 사망의 두 번째로 흔한 원인이며, 중환자실에서는 기도 관련 사망의 50% 정도가 기관절개관 이탈에 의한다고 보고된 바 있다(McGrath, 2012). 그러나 많은 경우의 기관절개관 이탈은 환자 본인 또는 의료인이 즉시 처치하고 보고되지 않으므로 실제 발생은 훨씬 많을 것으로 짐작된다. 기관절개술 후 1주일 이내는 기관공이 충분히 성숙되지 않은 상태이므로 기관절개관 이탈 시 기관절개공이 급격히 수축되면서 기도 확보가 되지 않고 재삽입도 어려운 경우가 많다. 기관절개관 이탈의 위험인자로는 정신상태 변화, 외상성 뇌손상, 기도 분비물 증가, 굵고 짧은 목, 소아 등이 있으며 수술적 기관절개술보다는 경피적 확장 기관절개술에서 더 빈번하다고 알려져 있다(Fernandez-Bussy, 2015). 기관절개술 이탈을 예방하기 위해서는 기관절개술 후 절개관을 단단히 고정하고 혹시 약간의 이탈이 있더라도 쉽게 재삽입할 수 있도록 피부와 기관공을 봉합하는 것이 좋다. 기관절개관 교체 시에는 기관공 수축에 대비하여 잘 준비된 상태에서 기관절개관을 제거하여야 한다. 기관절개관 폐쇄와 마찬가지로 절개관이 부분적으로 이탈되어 호흡이 어느 정도 유지되고 흡인카테타가 들어간다면 흡인카테타를 가이드 삼아 기관절개관을 재위치시킬 수 있으며 가능하면 굴곡성내시경을 사용하여 기관절개관의 위치를 확인하고 교정하는 것이 가장 바람직하다.

만기 합병증(Late postoperative complications)

기관협착(Tracheal stenosis)

기관협착은 기관내삽관 또는 기관절개술의 가장 흔한 합병증으로서 어느 정도의 기관협착은 모든 기관절개술 환자에서 생기는 것으로 생각된다. 다만 치료가 필요한 경우는 기관절개술의 3%에서 12% 정도인 것으로 알려져 있고 그 중에서도 매우 소수만이 즉각적인 처치를 요한다(Goldenberg, 2000; Zias, 2008). 기관협착이 주로 생기는 부위는 기관공 위치, 기관절개관 끝 위치, 기낭 위치, 그리고 기관공 상부이며 이들 부위 조직의 손상에 이은 세균감염, 궤양 및 연골염에 의해 발생한다. 그 외 기관협착의 위험인자로는 수술부위 감염, 기관절개술 시 부적절한 연골절제, 지나치게 큰 기관절개관 사용, 위식도역류질환, 비만, 저혈압 등이 있다. 기관공의 육아조직은 기관공 상측에 호발한다. 처음에는 쉽게 출혈을 일으키는 부드러운 조직으로 절개관 교체 시 잦은 출혈을 유발하며 육아조직이 커지면 기관절개공을 막으면서 기관절개관 삽입에 어려움을 초래하기도 한다. 육아조직이 성숙해지고 상피조직으로 덮이면서 단단한 협착으로 진행된다. 기관 직경의 50% 이상 협착이 진행될 때까지는 증상이 나타나지 않으며, 가래 배출 곤란, 기침, 운동 시 호흡곤란 등의 초기 증상으로 시작되어 안정시 호흡곤란 및 천명으로 진행한다. 기관협착은 다양한 시기에 나타날 수 있어 기관절개관을 가지고 있는 중 또는 기관절개관 발관 수 년 후 발병하기도 하나 보통은 발관 2개월 이내에 증상이 발현한다. 경미한 협착은 내시경적으로 육아조직이나 섬유조직을 제거하거나 레이저, 풍선확장술 등으로 치료할 수 있으며, 협착이 심하면 기관절제 및 단단문합술이 필요하다.

기관연화증(Tracheomalacia)

기관연화증은 기관의 허혈성 손상 후 연골염이 생기면서 기관을 지탱하는 연골 구조물이 약해지면서 발생한다. 연화증의 위치에 따라 다를 수 있으나 주로 호기 시 기관이 허탈(collapse)되면서 환기장애, 공기축적(air trapping), 호흡기 분비물 저류 등이 나타난다(그림 19-1). 기관절개관 발관 후 수개월에서 수년 후 운동 시 호흡곤란, 가래배출 곤란, 천명, 객혈, 심한 기침에 이은 실신 등의 증상이 나타나는 것이 보통이며, 기계환기 시에는 기관 내 양압이 형성되어 기관연화증이 있어도 잘 나타나지 않기 때문에 기계환기를 이탈(weaning)하려고 할 때 비로소 알게 되는 수가 있다. 기관지내시경이나 역도적 컴퓨터단층촬영(dynamic

CT)을 사용하여 호흡에 따라 기관이 허탈되는 소견을 관찰하는 것으로 진단하며 폐기능검사에서 흉강 내 기도폐쇄 소견을 볼 수 있다(Majid, 2014). 치료는 기관 폐쇄의 정도에 따라 다르며 가벼운 예에서는 보존적 치료로 충분하지만 심하면 긴 절개관의 사용, 스텐트, 기관절제 또는 기관성형술로 치료한다.

기관식도누공(Tracheoesophageal fistula)

기관식도누공은 기관의 후벽 손상과 식도의 전벽 손상을 연결하는 통로가 생긴 상태이다. 기관절개술 후 생기는 기관식도누공은 기관절개관 기낭의 압력이 혈관의 관류압력 이상(> 25 mmH$_2$O)으로 장시간 지속되어 기관 후벽 점막이 허혈성 괴사되면서 발생한다(Paraschiv, 2014). 따라서 통상 기낭의 위치인 기관공 1–2 cm 하방에 발생하며 길이가 4–5 cm에 이를 정도로 커지기도 한다. 기관식도누공으로 인해 나타나는 증상은 기관으로부터 공기가 새거나, 복부팽창, 흡인, 기관지 분비액 증가, 호흡곤란 등이다. 기관지내시경을 통해 관찰하여 확진할 수 있고 식도촬영술로도 진단이 가능하나 검사 중 흡인에 유의하여야 한다. 기관식도누공의 위험인자로는 높은 기도압력, 기낭이 있는 기관절개관을 장기간 가지고 있는 경우, 높은 기낭 압력, 기관절개관의 과도한 움직임, 스테로이드 사용, 제1형 당뇨, 만성 저산소증, 영양불량, 저혈압, 빈혈, 패혈증, 비위관 삽입 및 위식도역류질환 등이 있다. 기관식도누공이 진단되면 경구식이를 중단하고 기관 흡인(suction)을 통해 흡인된 음식물 및 분비액을 제거하며, 환자의 상체를 45도 정도 올려서 흡인을 예방한다. 비위관을 통해 위 내용물을 배액하는 것은 도움이 될 수 있으나 비위관 자체는 누공에 압력을 가해서 악화시키는 경향이 있으므로 제거하여야 한다(Paraschiv, 2014). 또한 폐렴과 같은 화농성 합병증이 동반되었는지 확인하고 치료한다. 기관식도누공 자체는 수술을 통해 막는 것이 이상적이나 스텐트를 넣는다든지 보존적 치료로서 긴 기관절개관을 사용해서 기낭을 누공 하방에 위치시키고 급식공장조루술(feeding jejunostomy)을 통해 영양공급을 하는 방법도 시도해볼 수 있다.

기관무명동맥누공(Tracheoinnominate artery fistula)

기관무명동맥누공은 아마도 기관절개술 후 발생하는 합병증 중 가장 두려운 것일 것이다. 발생률은 기관절개술의 0.7% 정도로 드문 편이지만 사망률은 90% 이상이다(Goldenberg, 2000; Scalise, 2005). 주로 기관절개술 후 3주 이내에 발생하나 어느 시기에도 발생할 수 있다. 무명동맥은 기관의 전방, 보통 9번째 기관연골고리를 가로질러 주행하는데 해부학적으로 다양한 변이가 있어 기관절개관 전방 정도로 상방에 위치하기도 한다. 기관절개관이 기관 전벽을 압박하면서 점막이 허혈성 괴사되고 이어 연골과 무명동맥 후벽 미란이 생기면서 누공이 형성된다. 기관무명동맥누공의 위험인자로는 기낭이 있는 기관절개관의 사용, 낮은 기관절개 위치, 높은 기낭 압력, 무명동맥의 높은 해부학적 위치, 목이나 절개관의 과도한 움직임, 기관절개 부위의 감염 등이 있다(Bradley, 2009; Wang, 1989). 기관무명동맥누공 환자의 50% 정도는 기관공이나 기도 내 가벼운 출혈의 전조증상이 있으므로 기관절개술 후, 특히 3주 이내의 환자에서 기관 내 출혈이 있으면 기관지내시경, 컴퓨터단층촬영, 혈관조영술 등의 검사를 통해 기관무명동맥누공을 배제하여야 한다(Bradley, 2009). 만약 갑자기 기관 내 심한 출혈이 발생하였다면 기관무명동맥누공을 의심하고 즉시 기낭을 과팽창시키고 흉골상절흔(sternal notch) 상부를 압박하여 지혈을 시도한다. 이 방법은 85% 정도에서 성공적으로 지혈을 할 수 있었다고 보고된 바 있으나(Wang, 1989) 지혈이 잘 되지 않는다면 기관절개관을 제거하고 기관절개공에 기관내관을 삽입하거나 경구삽관을 한 후 50 mL 정도의 공기를 기낭에 주입하여 다시 압박지혈을 시도한다. 기낭의 아래에서 출혈이 지속되는 경우 기도를 확보할 수 없기 때문에 기관내관을 더 깊이 밀어넣고 기낭을 팽창시켜 기도를 확보한 후 기관공을 통해 손가락 또는 강직성 기관지경을 삽입하여 무명동맥을 전방 흉골 내측으로 밀면서 압박할 수 있다. 앞에서 기술한 지혈방법을 유지한 채로 수술실에서 혹은 영상의학과 중재시술을 통해 치료한다.

기관공협착(Stomal stenosis)

일반적인 기관절개술 환자에서는 기관절개관을 삽입하고 있기 때문에 기관공이 다소 좁더라도 작은 절개관을 일단 삽입한 후 점차 큰 절개관으로 늘려 나가면 확장이 되어 대부분 문제가 되지 않는다. 그러나 후두전절제술(total laryngectomy) 후에는 기관공을 개방한 채튜브를 넣지 않기 때문에 기관공협착이 발생할 수 있고 기관공이 유일한 호흡 통로이기 때문에 이에 대한 처치가 필수적이다. 또한 Provox와 같은 인공발성관(voice prosthesis)을 삽입하였다면 이를 관리하기 위해 호흡에 필요한 크기보다는 더 큰 기관공이 필요하다. 기관공협착은 예방이 중요한데 후두전절제술 시 기관을 사선으로 절단하여 단면의 넓이를 크게 하고, 봉합부 장력을 줄이기 위해 피부의 과도한 피하지방이나 내측 흉쇄유돌근을 제거하며, 기관 연골이 노출되지 않도록 세심하게 봉합하고 국소감염을 방지하여야 한다(Wax,

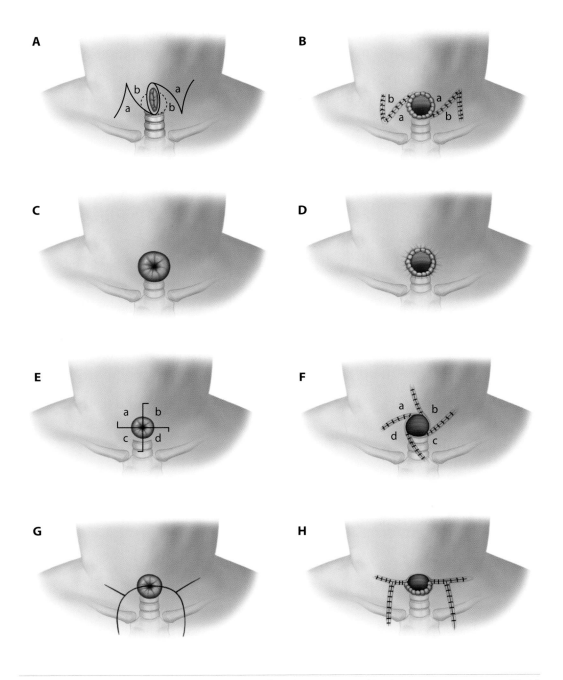

그림 19-3. **기관공협착 유형에 따른 기관공성형술.** (A, B) vertical slit, (C-F) concentric stenosis, (G, H) inferior shelf.

1995). 기관공협착은 수직협착(vertical slit), 원형협착(concentric stenosis), 하부선반(inferior shelf)의 세가지 형태로 분류할 수 있으며 형태에 따라 수술적 접근법을 달리한다(Montgomery, 1962). 기관공성형술(tracheostomaplasty)은 advancement flap, V-Y flap, Z-plasty, star plasty 등 다양한 술식이 보고되고 있으나 공통적인 중요한 원칙은 기관공에 방사형 절개를 가한 후 피부피판을 끼워 넣어 기관공의 둘레를 늘리는 것이다(그림 19-3).

■ 참 고 문 헌

1. Bontempo LJ, Manning SL. Tracheostomy Emergencies. Emerg Med Clin North Am 2019;37(1):109-19.

2. Bradley PJ. Bleeding around a tracheostomy wound: what to consider and what to do? J Laryngol Otol 2009;123(9):952-6.

3. Das P, Zhu H, Shah RK, et al. Tracheotomy-related catastrophic events: results of a national survey. Laryngoscope 2012;122(1):30-7.

4. Delaney A, Bagshaw SM, Nalos M. Percutaneous dilatational tracheostomy versus surgical tracheostomy in critically ill patients: a systematic review and metaanalysis. Crit Care 2006;10:R55.

5. Feller-Kopman D. Acute complications of artificial airways. Clin Chest Med 2003;24:445-55.

6. Fernandez-Bussy S, Mahajan B, Folch E, et al. Tracheostomy tube placement: early and late complications. J Bronchology Interv Pulmonol 2015;22(4):357-64.

7. Goldenberg D, Ari EG, Golz A, et al. Tracheotomy complications: a retrospective study of 1130 cases. Otolaryngol Head Neck Surg 2000;123(3):495-500.

8. Kapadia FN, Tekawade PC, Nath SS, et al. A prolonged observational study of tracheal tube displacements: benchmarking an incidence <0.5-1% in a medical-surgical adult intensive care unit. Indian J Crit Care Med 2014;18(5):273-7.

9. Majid A, Gaurav K, Sanchez JM, et al. Evaluation of tracheobronchomalacia by dynamic flexible bronchoscopy. A pilot study. Ann Am Thorac Soc 2014;11:951-5.

10. McGrath B, Bates L, Atkinson D, et al, National Tracheostomy Safety Project. Multidisciplinary guidelines for the management of tracheostomy and laryngectomy airway emergencies. Anaesthesia 2012;67(9):1025-41.

11. Montgomery WW. Stenosis of tracheostoma. Arch Otolaryngol 1962;75:76-9.

12. Paraschiv M. Tracheoesophageal fistula-a complication of prolonged tracheal intubation. J Med Life 2014;7(4):516-21.

13. Rajajee V, Fletcher JJ, Rochlen LR, et al. Real-time ultrasound-guided percutaneous dilatational tracheostomy: a feasibility study. Crit Care 2011;15:R67.

14. Scalise P, Prunk SR, Healy D, et al. The incidence of tracheoarterial fistula in patients with chronic tracheostomy tubes: a retrospective study of 544 patients in a long-term care facility. Chest 2005;128(6):3906-9.

15. Trottier SJ, Hazard PB, Sakabu SA, et al. Posterior tracheal wall perforation during percutaneous dilational tracheostomy: an investigation into its mechanism and prevention. Chest. 1999;115:1383-9.

16. Wang RC, Perlman PW, Parnes SM. Near-fatal complications of tracheotomy infections and their prevention. Head Neck 1989;11(6):528-33.

17. Wax MK, Touma BJ, Ramadan HH. Tracheostomal stenosis after laryngectomy: Incidence and predisposing factors. Otolaryngol Head Neck Surg 1995;113(3):242-7.

18. Zias N, Chroneou A, Tabba MK, et al. Post tracheostomy and post intubation tracheal stenosis: report of 31 cases and review of the literature. BMC Pulm Med 2008;8:18.

기관절개관 부속품의 종류와 적용
Accessories for Tracheostomy Cannula and Its Use

중앙대학교 의과대학 이비인후과학교실 **박성준**

기관절개술은 호흡을 용이하게 하기 위해 기관의 앞쪽 벽에 절개창을 만드는 수술이다. 앞선 내용에서 다양한 적응증에 대해서 언급한 것과 같이, 역사적으로 기관절개술은 상기도의 폐쇄 소견을 보이는 환자에서 대표적인 침습적 기도확보 방법으로 오랜 기간 자리잡고 있다. 기관절개술을 통해 확보된 기도는 폐쇄된 상부 기도를 우회하여 자발 호흡 및 기계 호흡을 가능하게 하며, 기계호흡에 의존하는 환자에서 인공호흡기를 제거하는 데 도움을 주며, 기도 내 분비물 제거의 유용한 통로로서의 역할을 담당한다. 따라서 오랜 역사에도 불구하고 다양한 기계의 개발 및 괄목할 만한 의술의 발전을 이루어낸 현대의학에서도 그 중요성은 전혀 퇴색되지 않은 수술법 중 하나이다.

그럼에도 불구하고 기관절개술 이후 기관절개관을 통해서 호흡 하는 것은 생리학적인 측면에서 보았을 때 인간에게 많은 단점을 제공한다. 일반적으로 인간의 호흡과정 중 흡기는 코와 입을 통해서 공기를 흡입하여 기관 및 기관지를 거쳐 폐로 공기를 공급하는 과정입니다. 이때 흡입되는 공기는 코, 구강, 그리고 인두를 거치며 따뜻해지고, 가습이 되며, 공기 중에 포함된 이물질이 여과되어 기관에 도달하는 공기의 최적화(conditioning of air)가 일어난다(그림 20-1A). 그러나 기관절개 후 기관절개관을 통해 흡입되는 공기는 상기도를 우회하여 기관으로 직접 전달된다(그림 20-2B). 이와 같이 기관절개관을 통해서 호흡하게 되는 경우 공기의 최적화가 이루어지지 않아 기관 및 기관지 상피세포의 건조를 유발하며, 분비물 생성의 증가 및 생성된 분비물의 점도가 높아지게 되고, 정상적인 점액섬모청소 기전을 방해하여 잠재적으로 호흡상피세포의 손상을 유발하게 된다(Van den Boer et al, 2014).

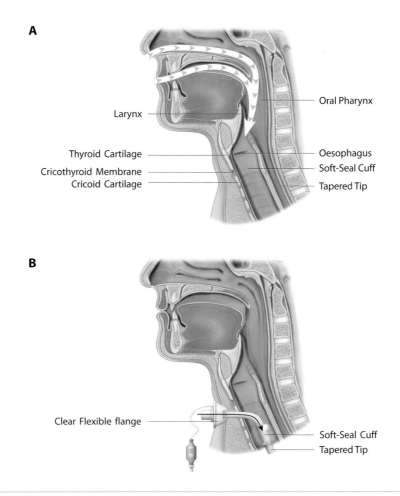

그림 20-1. 기관절개술 전 후의 흡기 시 공기 흐름의 시상단면 모식도. **(A)** 비강 호흡을 통한 흡기 시 흡입되는 공기는 코, 구강, 그리고 인두를 거치면서 온도 상승, 습도 상승, 그리고 공기 중 이물질의 여과가 이루어지는 최적화의 과정을 거치게 됨. **(B)** 기관절개관을 통한 흡기 시 흡입되는 공기는 코, 구강, 그리고 인두를 모두 우회하여 직접 기관으로 들어오게 되어 최적화를 거치지 않은 공기가 기관 및 기관지 상피세포에 직접 도달하게 됨.

최적화되지 못한 공기를 흡입해야 함에도 불구하고 상기도 폐쇄 시 호흡 기능의 유지를 위해 시행할 수 밖에 없는 기관절개술에는 앞의 장들에서 다룬 것과 같이 다양한 수술 중 또는 수술 후 합병증이 발생할 수 있다. 기관절개술 후 발생 가능한 합병증을 예방하기 위한 목적으로 기관절개관의 발전과 동반하여 다양한 종류의 부속품들 또한 발전을 거듭해 왔다. 이 장에서는 기관절개술 이후 발생 가능한 합병증 예방에 도움이 되는 기관절개관 부속품의 종류에 대해서 각각의 적응증에 따라 고찰해 보고 그 대표적인 제품들을 소개하고자 한다.

열수분교환기(Heat and Moisture Exchanger, HME)

기관절개관 호흡의 특징

피딱지 및 점도 높은 기도 분비물에 의한 기관절개관의 급성 폐쇄는 기관절개술 이후 초기에 발생할 수 있는 대표적인 합병증 중 한 가지 이다. 상대적 습도가 40%인 22℃의 공기를 비강 호흡을 통해서 흡입할 경우, 이 공기는 최적화 과정을 거치면서 기관에 도달할 때는 상대적 습도 99%인 32℃의 공기로 가습 및 가온이 되지만 기관절개관을 통해서 흡입할 경우 상대적 습도 50%의 27-28℃ 온도인 최적화가 덜 된 공기를 흡인하게 된다고 보고된 바 있다(Bien et al, 2010).

이와 같이 공기의 최적화 기능을 가진 상기도를 우회하여 기관절개관을 통해서 흡입되는 공기는 기도의 전반적인 건조함을 유발하여 앞서 언급한 것과 같이 기관절개술 시행 후 기도 내 출혈 및 분비물이 말라 붙으면서 기관절개관의 급성 폐쇄가 일어날 뿐만 아니라 기도 점막 상피층의 기저세포 과증식증(basal cell hyperplasia) 및 상피세포의 이형성증(metaplasia or dysplasia)을 유발할 수 있다고 알려져 있습니다(Rosso et al, 2015).

상기도의 공기 최적화를 대체하기 위한 노력

기관절개관을 통한 호흡의 합병증을 예방하고자, 상기도 고유의 공기 최적화 기능을 대신할 목적으로 개발된 부속품이 바로 열수분교환기(heat and moisture exchanger, HME)이다. 열수분교환기는 기관절개관의 입구 부위에 결합시키는 부속품으로, 흡습성이 높으면서 밀폐되지 않고 공기만을 잘 통과시키는 합성물질을 내부에 함유하고 있다. 따라서 열수분교환기는 호기 시, 배출되는 공기의 수증기 및 온도의 일부를 내부에 저장하여, 흡기 시 공기가 다시 열수분교환기를 통과하면서 가습 및 가온이 되게 만들어 줌과 동시에 이물질은 여과되도록 하여 기관절개관을 통한 호흡 시 우회되는 상기도의 역할을 일부 대체해 주도록 고안된 중요한 부속품이다.

대표적인 열수분교환기의 종류

상기도 고유의 공기 최적화 기능을 대체하는 중요한 역할을 하기 때문에 다양한 제조사에서 자사를 대표하는 열수분교환기를 제조 및 판매하고 있다.

① Thermovent®

대표적인 다국적 의료용품 제조 회사인 Smiths Medical사의 기관절개관 관련 물품을 제공하는 자회사인 Portex사에서 제조하는 열수분교환기이다. 소아용 기관절개관에 연결 가능한 Thermovent® T (그림 20-2A) 및 성인용 기관절개관에 연결 가능한 Thermovent® T2 (그림 20-2B)가 제공되어 환자들에서 사용되고 있다.

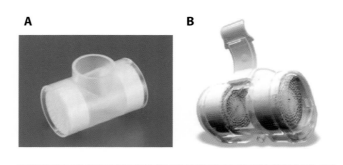

A   **B**

그림 20-2. **Thermovent 사진**

② Sofitvent

다른 의료용품 제조 회사인 MERA Senko Medical Instrument사에서 제공하는 열수분교환기이다. 소아용 기관절개관에 연결 가능한 Sofitvent SV−S (그림 20-3A) 및 성인용 기관절개관에 연결 가능한 Sofitvent SV−L (그림 20-3B), 그리고 기관절개관에 연결 가능하면서 산소공급 또한 가능한 Sofitvent SV−LO2 (그림 20-3C)가 현재 판매되고 있다.

  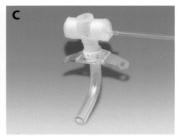

A   **B**   **C**

그림 20-3. **Sofitvent 사진.** (A) 낮은 높이로 기관절개관을 가진 소아 환자들에서 사용 가능한 온도 및 습도 교환계인 Sofitvent SV−S. (B) T자 모양으로 양쪽 측면을 통해서 호흡이 가능한 성인용 온도 및 습도 교환계인 Sofitvent SV−L. (C) 온도 및 습도 교환계의 기능을 가짐과 동시에 외부의 추가 산소공급이 가능하게 만들어진 Sofitvent SV−LO2.

③ Humid Assist

다른 다국적 회사인 TRACOE medical GmbH사에서도 열수분교환기를 제공하고 있다. 성인용으로는 필터 재질에 따라 그리고 추가 산소공급 가능 여부와 다량의 기도분비물을 환자의 기침을 통해서 배출 가능하도록 하는 일측성 밸브 탑재 여부에 따라서 humid assist I 부터 IV까지 4 종류의 열수분교환기가 제공되고 있다(그림 20-4) .

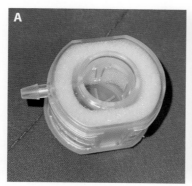
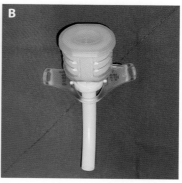

그림 20-4. **Humid assist IV.** **(A)** Humid assist IV. **(B)** TRACOE 기관절개관에 연결된 humid assist IV.

④ 후두전절제술을 시행한 환자들에서 사용 가능한 열수분교환기

후두전절제술을 시행한 환자들은 남은 일생 동안 기관절개창을 통해서만 호흡을 해야 하기 때문에 열수분교환기의 중요성이 매우 큰 환자군에 속한다. Beck 등이 후두전절제술을 시행한 환자들을 대상으로 시행한 연구에 따르면 열수분교환기를 사용한 환자들에서 이를 대체할 수 있는 기관절개창 덮개를 사용한 환자들과 비교하여 더 오래 삶의 질을 유지하면서 살 수 있으며, 평생동안 더 적은 의료비용을 지불하게 되고, 호흡기 합병증 및 생산성 저하를 훨씬 덜 경험하게 된다고 보고된 바 있다(Beck et al, 2020). 이외에도 Mérol 등이 시행한 후두전절제술 후 폐 가습에 대한 무작위 대조 시험 결과에 의하면 수술 직후부터 온도 습도 교환계 사용할 경우 외부 가습기구를 사용한 경우보다 환자의 사용 순응도 및 만족도가 유의하게 높았으며 기침 빈도, 기관의 분비물 배출 횟수 및 수면이 방해되는 정도가 유의하게 낮았다고 보고된 바 있다(Mérol et al, 2012). 이와 같은 연구 결과들을 바탕으로 현재는 후두전절제술을 시행한 환자들에서 열수분교환기의 사용은 강력하게 권고되는 상황이다.

후두전절제술을 시행한 환자들에서 기관식도누공을 통한 발성을 할 수 있는 기계를 만드는 Atos Medical사에서는 후두전절제술을 받은 환자들을 위해 일상에서 사용 가능한 기능

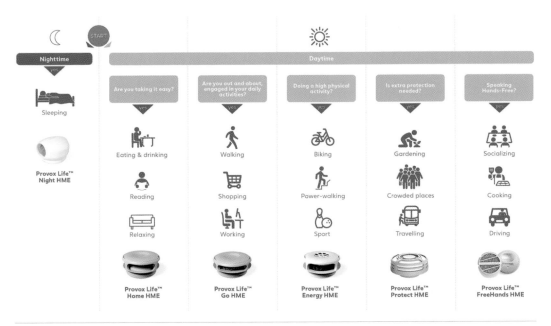

그림 20-5. **Provox Life HME Guide.** 후두전절제술을 받은 환자에게 다양한 일상생활에 맞게 사용 가능한 맞춤형 열수분교환기를 제공한다.

적 특성을 가진 여러 종류의 열수분교환기를 만들어서 Provox® Life™ 이라는 라인업으로 제공하고 있다(그림 20-5).

열수분교환기의 한계점

이상의 다양한 장점들에도 불구하고 열수분교환기의 유용성에 대해서는 지속적으로 의문을 제기한 전문가들이 있다. McNamara 등이 기관절개관을 가진 소아 환자들을 대상으로 가열가습기(heated humidifier) 사용과 열수분교환기 사용의 영향을 비교해 본 연구에서 열수분교환기의 사용이 호흡 빈도를 증가시키고, 전반적인 호흡기계 진찰 점수에 악영향을 미치며, 수면 중 사용 시 모든 중요 임상 사건의 빈도를 증가시키며, 전반적인 의료 비용의 증가 효과도 보인다는 결과를 보고한 바 있다(McNamara DG et al, 2014). 아울러 Schreiber 등은 침습적 기계호흡을 하는 성인 환자들을 대상으로 가열가습기 사용과 열수분교환기 사용의 단기적 임상 효과를 비교한 연구에서 열수분교환기의 사용이 호흡에 더 큰 노력을 필요로 하였으며 더 적은 이산화탄소 제거 능력을 보여 결국 흡기에 요구되는 노력 증가, 동맥혈 내 이산화탄소 농도 증가 및 혈중 pH의 감소 결과를 보여 최종적으로 호흡곤란을 유발하게 된다고 보고한 바 있다(Schreiber et al, 2019). 추가로 Nakanishi 등은 자발호흡이 가능한 기관절개관을 가진 환자들을 대상으로 수동적인 가습인 열수분교환기의 사용과 능동적인 가습인 가열 및 가습 고유량 시스템(heat-and-humidified high-flow system)의 가습능력을 비교해 본 결과 후자가 더 월등한 가습능력을 보였다고 보고한 바 있다(Nakanishi et al, 2019).

이와 같은 결과들을 바탕으로 보았을 때 기관절개관을 가진 환자들에서 열수분교환기의 사용은 분명히 장점이 있다. 그러나 온도 및 습도 교환계 사용의 정확한 적응증과 그 유용성에 대한 더 많은 대단위 연구가 필요할 것으로 생각되며, 기관절개관을 가진 환자들에서 우회하게 되는 상기도의 공기 최적화 기능을 보다 잘 재현해 줄 수 있는 향상된 기능의 열수분교환기의 개발이 필요할 것으로 생각된다.

기관절개관 목끈(Tracheostomy Cannula Holder or Neck Strap)

기관절개관의 고정법

기관절개술 직후 기관절개창의 안정화가 될 때까지 기관절개관이 실수로 빠지는 경우가 없도록 하기 위하여 전통적으로는 테두리 부분을 실로 피부에 봉합하고 면으로 만든 줄로(twill tape) 목을 둘러 묶어 고정하였다. 그러나 이렇듯 기관절개관을 단단히 고정해 놓는 것은 간호사 및 담당 의사들이 이 기간 동안 기관절개창을 관리하는 데 많은 어려움을 선사하게 되고, 면줄에 의해 닿은 피부가 짓물러 질 수 있어 결과적으로 피부가 쉽게 벗겨지는 부작용을 발생시킨다(Dennis-Rouse and Davidson, 2008). 이러한 고전적인 기관절개관 고정법의 단점을 보완하기 위해 보다 쉽게 탈부착이 가능하며, 피부를 파고 들거나 기도에서 나오는 분비물에 쉽게 젖지 않은 재질로 만들어진 벨크로가 붙은 기관절개관 고정 부속품(Velcro tie)들이 현재는 많이 사용되고 있다. Fine 등이 시행한 연구에 따르면 피부에 봉합하여 고정하는 방법과 봉합 없이 고정하는 방법을 비교해 보았을 때 둘 사이에 기관절개관이 실수로 빠지는 확률에 유의한 차이가 없었다고 보고된 바 있다(Fine KE et al, 2021). Bitners 등이 기관절개술을 시행한 소아 환자들을 대상으로 Velcro tie와 twill tape를 사용한 결과를 비교해 보았을 때 실수로 기관절개관이 빠지는 확률에는 유의한 차이가 없으면서 Velcro tie를 사용하는 것이 유의하게 피부 관련 합병증을 낮춘다고 보고한 반면(Bitners et al, 2019), Hart 등이 시행한 무작위 대조군 연구에서는 둘 사이에 유의한 차이가 없었다고 보고한 바 있다(Hart et al, 2017). Chang 등은 최근에 두 가지 고정법을 비교하는 메타분석을 시행하였고, 둘 사이에 통계적으로 유의한 차이를 보이는 결과는 없었으나, Velcro tie

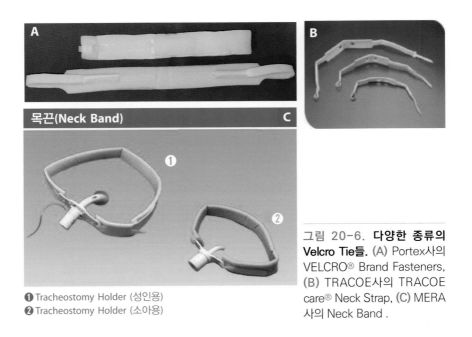

그림 20-6. **다양한 종류의 Velcro Tie들. (A)** Portex사의 VELCRO® Brand Fasteners, **(B)** TRACOE사의 TRACOE care® Neck Strap, **(C)** MERA 사의 Neck Band .

를 사용한 소아 환자에서 다소 피부 합병증이 적으며, 두 가지 목끈 모두에서 기관절개 캐뉼라가 빠지는 경우는 매우 드물다는 결론을 보고한 바 있다(Chang et al, 2021). 따라서 최근에는 기관절개관을 고정하기 위하여 피부에 봉합하여 고정하는 경우는 거의 없으며, 장기간 기관절개관을 가지고 있어야 되는 환자들에서는 Velcro tie를 많이 사용하고 있다. 이러한 트랜드를 반영하여 기관절개관을 만드는 모든 대표 제조회사에서 각자 자사의 Velcro tie를 제공하고 있다(그림 20-6).

기관절개관 기낭 압력 관리(Tracheostomy Tube Cuff Maintenance)

기관절개관 기낭 압력

기낭이 있는 기관절개관의 경우, 적절한 기낭 압력을 유지하는 것은 기관절개관을 통한 효율적이고 지속적인 호흡에 매우 중요한 요소 중 하나이다. 일반적으로 20-25 mmHg 또는 20-30 cmH$_2$O 정도의 압력을 기관절개관 기낭의 적절한 압력의 범위로 제시하고 있다 (Raimonde et al, 2021; De Leyn et al, 2007; Hockey et al, 2016; Li et al, 2018). 기낭을 과도하게 부풀릴 경우 기낭이 기관벽에 가하는 압력이 너무 높아져 기관점막 모세혈관의 혈관

내 압력을 초과하게 되어 기관 점막의 허혈을 유발하고 결국에는 기관 점막의 허혈성 괴사, 더 나아가 연골을 포함한 기관벽 전체의 괴사를 유발할 수 있다(Raimonde et al, 2021; De Leyn et al, 2007). 기관 점막의 반복되는 허혈성 괴사 후 회복의 과정은 점막의 섬유화 및 과증식증을 유발하여 결국 기관협착을 유발하며, 과도한 기낭 압력이 장기간 지속되는 경우에는 기관벽 전체의 괴사를 유발하여 기관식도 누공 및 기관무명동맥 누공과 같은 드물지만 심각한 합병증을 유발할 수도 있다(Raimonde et al, 2021; Li et al, 2018). 과도한 기낭 압력뿐만 아니라 기낭 압력이 너무 낮은 경우에도 문제가 될 수 있다. 기관절개관의 기낭이 너무 낮을 경우 기낭 상단에 고인 기도의 분비물 또는 상기도에서 후두를 통해 흡인된 흡인물들이 미세하게 하부기도로 흡인되어 병원 내 폐렴의 원인이 될 수 있다(De Leyn et al, 2007). Hockey 등이 시행한 체계적 문헌고찰 및 메타분석에 따르면 객관적으로 기낭 압력을 주기적으로 측정해 보면 이상적인 기낭 압력보다 전반적으로 낮은 기낭 압력이 발견된다고 보고하였으며, 객관적 방법으로 주기적으로 기낭 압력을 측정하는 것이 측정하지 않거나 주관적인 방법으로 측정한 것 보다 합병증 발생을 유의하게 예방한다고 보고한 바 있다(Hockey et al, 2016).

이와 같은 연구 결과들을 바탕으로 기관절개관의 객관적이고 적절한 기낭 압력 관리를 위한 다양한 부속품들이 현재 사용 가능하다.

① Cuff Inflator Pressure Guage and PressureEasy® Cuff Pressure Controller

Portex사에서는 기관절개관 기낭 압력을 객관적으로 측정 가능한 Cuff Inflator Pressure Guage를 제공하고 있다(그림 20-7A). 이외에도 기계호흡을 시행하는 환자들에서 과도한 압

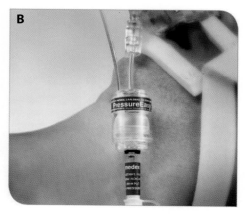

그림 20-7. **Portex사의 기관절개관 기낭 압력 관리용 부속품.** (A) Presure Guage. (B) PressureEasy® Cuff Pressure Controller

그림 20-8. **Vortran Cuff Inflator**

력에 의한 기관벽의 손상 및 부족한 압력에 의한 흡인을 예방하고자 기관절개관의 기낭에 연결하여 기낭 압력이 이상적인 압력 범위 내에서 유지되고 있는 지를 지속적으로 모니터하며 최대흡기압력의 상황에서 부족한 기낭 압력으로 공기가 새는 것을 예방하는 압력 피드백 선을 따로 포함하고 있는 PressureEasy® Cuff Pressure Controller를 제공하고 있다(그림 20-7B).

② Vortran Cuff Inflator

미국의 Vortran Medical사는 기관절개관 기낭 주입 후 압력을 모니터링 하는 것뿐만 아니라 기낭에 공기를 주입할 때부터 적절한 압력으로 들어갔는지를 실시간으로 모니터 할 수 있는 Vortran Cuff Inflator을 제공하고 있다(그림 20-8). Vortran Cuff Inflator의 경우 ±3 cmH_2O 정도의 압력측정 정확도를 가지고 있으며 30 g로 휴대하고 다닐 수 있을 정도로 컴팩트한 사이즈로 제공되고 있다. 또한 간단한 펌프 동작으로 기관절개관 기낭에 공기를 주입할 수 있다.

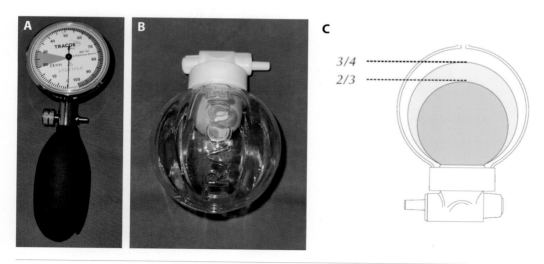

그림 20-9. 0TRACOE사의 기관절개관 기낭 압력 관리용 부속품. (A) TRACOE cuff presure monitor (cpm). (B) TRACOE smart Cuff Manager®. (C) 20 cmH$_2$O and 30 cmH$_2$O 사이의 적정 기낭압력을 반영하는 TRACOE smart Cuff Manager® 내부 기낭의 모식도.

③ TRACOE cuff pressure monitor and smart Cuff Manager®

TRACOE사에서도 다음과 같이 기관절개관의 기낭 압력을 측정하고 모니터링 할 수 있는 부속품들을 제공하고 있다(그림 20-9). 먼저 타사의 제품들과 비슷하게 기관절개관 기낭 압력을 일반적으로 측정 가능한 TRACOE cuff pressure monitor(그림 20-9A)가 있으며, 기관절개관의 기낭 압력이 이상적인 범위 내에서 잘 유지가 되고 있는지를 시각적으로 확인 가능하도록 제작된 TRACOE smart Cuff Manager® 라는 제품도 제공하고 있다(그림 20-9B). 그림 20-9C에서 보는 바와 같이 smart Cuff Manager® 내부에 기낭이 따로 존재하여 연결된 기관절개관의 기낭 압력이 가장 이상적인 범위인 20 cmH$_2$O-30 cmH$_2$O에서 유지가 될 때 본 부속품 내부의 기낭이 2/3-3/4 정도 부풀어 있는 상태를 유지하여, 지속적인 기낭 압력 모니터링도 가능하게 만들어 주는 제품이다.

발성 밸브(Speaking Valve)

기관절개관을 가진 소아 환자에서 발성 밸브의 중요성

① 기관절개 적응증의 시대적인 변화

전통적으로 소아환자에서 기관절개술은 급성 상기도 폐쇄를 동반하는 심한 상기도 감염증 또는 선천적인 상기도의 기형을 가진 환아들에서 주로 시행되어 왔다. 그러나 2000년대 들어서면서 유의하게 많은 소아환자에서 심폐기관의 기형 또는 신경계 질환을 가진 환아들의 호흡 유지를 위한 목적으로 기관절개술이 시행되는 적응증의 시대적 변화를 보이고 있다(Gergin et al, 2016). 더불어 Verder 등은 기관절개술의 적응증에 따라서 기관절개관 발관 성공률에 차이가 있다고 보고하며, 상기도 폐쇄 보다는 심폐질환이나 신경계 질환으로 기관절개관을 가지게 된 환아들에서 유의하게 발관에 실패하는 경우가 많다고 보고한 바 있다(Verder et al, 2021). 따라서 최근에는 기관절개술을 받은 환아들 중 다수가 발관을 못하고 오랜기간 동안 기관절개관을 가지고 생활하고 있다.

② 기관절개관과 발성 밸브

기관절개관의 존재 유무는 발성 및 대화의 가능 여부에 매우 중요한 영향을 미친다. 특히나 기관절개관을 가진 소아 환자들에서 지속적인 의사소통의 가능 여부는 정서 및 심리 발달에 지대한 영향을 미치고 나아가 의학적인 질병 치료 결과에도 영향을 준다고 보고된 바 있다(Zabih et al, 2017). 따라서 기관절개관을 가진 소아 환자들에서 발성 밸브의 사용은 매우 중요하다. 이에 미국 흉부학회에서는 다음과 같은 환아들에서는 발성 밸브를 사용하는 것이 가능하다고 그 적응증을 제시하였다(Sherman JM et al, 2000).

- 의학적으로 안정된 상태
- 기관절개관의 외경이 기관 내경의 2/3를 넘지 않는 경우(개창이 있는 기관절개관을 사용하는 경우는 제외)
- 기관절개관 기낭의 공기를 빼도 흡인이 없는 것이 확인된 경우
- 기관절개창 상부 상기도의 폐쇄가 없는 경우
- 기관절개관을 막았을 때 발성능력이 있는 경우
- 기도 분비물의 점도가 높지 않은 경우

기관절개관을 가진 성인 환자에서 발성 밸브의 중요성

인간은 의사소통을 못 하게 될 경우 매우 당혹감을 느끼게 되며, 의사소통의 부재는 분노, 불안, 무기력감과 연관되며 삶의 질을 낮춘다고 보고된 바 있다(Padian et al, 2020). 미국의 의료 기관 및 프로그램을 인증하는 미국 기반의 비영리 조직인 The Joint Commission의 보고에 따르면, 병원 내에서 발생하는 적신호사건의 제1원인으로 의사소통 능력의 상실을 제시한 바 있다(Padian et al, 2020). 따라서 소아환자에서 못지 않게 기관절개관을 가진 성인 환자에서도 발성 밸브 사용의 중요성은 환자의 삶의 질 유지 측면에서 점점 더 강조되고 있다. Padian 등에 따르면 기관절개관 기낭의 공기를 빼는 것이 불가능한 기계 호흡 중인 성인 환자에서도 발성을 가능하게 해 주는 기관절개관을 사용하여 유의미한 삶의 질 향상 결과를 얻을 수 있었다고 한다(Padian V et al, 2020). 이와 같이 기관절개관을 가지면서 기계호흡에 의존하는 중환자실 입실 중인 환자들에게 발성 밸브를 사용하게 될 경우 환자들의 심리적인 측면에 긍정적인 영향을 주어 섬망 발생률도 낮춘다고 보고된 바 있으며, 발성 밸브를 사용하여 발성 시 공기가 상기도를 자극하게 되어 상기도의 근육재활 및 후두의 감각기들을 자극하여 호흡 및 삼킴 기능에도 긍적적인 영향을 줄 것으로 기대할 수 있다고 보고된 바도 있다(Fernández Carmona et al, 2017).

다양한 발성 밸브의 종류

발성 밸브의 사용이 기관절개관을 가진 환자들의 심리적 및 정서적 회복뿐만 아니라 의학적인 회복에도 긍정적인 영향을 준다는 보고들을 바탕으로 다양한 제조사에서 다양한 종류의 발성밸브를 제공하고 있다. TRACOE사에서는 Phon Assist®라는 이름의 발성 밸브 라인업을 가지고 있으며 다양한 환자의 상황에 맞게 사용 가능하도록 7가지 서로 다른 종류의 제품을 제공한다. 이외에도 MERA사에서는 성인용 및 소아용 기관절개관 각각에 적용 가능한 서로다른 두가지의 제품을 제공하고 있으며, 발성 밸브를 사용하면서도 외부에서 산소공급을 가능하게 해 주는 연결장치를 추가로 제공해 주고 있다(그림 20-10). 이외에도 발성 밸브에 특화되어 있는 미국의 Passy-Muir사에서는 서로 다른 5가지 종류의 발성밸브를 제공하고 있으며, 산소공급 연결장치 및 기계호흡기 연결장치와 같은 발성 밸브 부속품 또한 제공하여 다양한 상황에서 기관절개관을 가진 환자들이 의사소통을 할 수 있도록 도움을 제공해 주려고 하고 있다. 이외에도 Atos Medical사에서는 후두전절제술을 받은 환자들에서 열수분교환기의 기능과 함께 기관식도누공에 위치하는 발성보조 장치를 통해서 발성을 할 수 있는 발성밸브를 제공하고 있다(그림 20-5의 FreeHands HME).

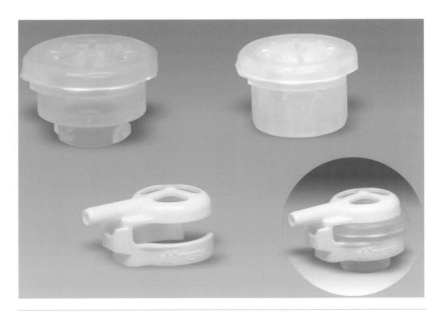

그림 20-10. **MERA사의 발성 밸브 및 산소공급 연결장치**

기타 기관절개관 부속품

폐쇄형 흡인 시스템

기관절개관을 가진 환자들에서 필요 시에 기관 분비물을 흡인하는 것은 폐렴 발생을 예방하고 기관절개관이 분비물에 의해 폐쇄되는 것을 예방하기 때문에 특히 기관절개술을 시행한 이후 초기에 기계호흡에 의존하는 환자들의 관리에 매우 중요한 부분이다. 그러나 기존의 기관절개관의 흡인을 위해서는 기계호흡 중인 환자들에서 잠시 동안이지만 기계호흡의 단절이 불가피하였으며 따라서 흡인을 하는 행위 자체가 환자에게 잠재적인 위험을 선사하는 관리행위가 될 수 밖에 없었다. 이러한 단점을 보완하기 위하여 기관절개관을 가진 기계호흡 의존 환자에서 기계호흡의 단절 없이 필요 시에는 언제든지 흡인을 시행할 수 있는 폐쇄형 흡인 시스템이 최근에는 각광 받고 있다. 이와 더불어 COVID-19과 같은 호흡기 전달 감염병이 있는 환자들에서 기관절개관 관리를 위한 흡인의 중요성이 대두 되면서 의료인들의 안전을 고려해서라도 반드시 폐쇄형 흡인 시스템을 권고하는 권고안이 나온 바 있다 (Napa et al, 2021). 이러한 시대적 요구에도 잘 맞게 Portex사에서는 Portex® SuctionPro™ 72라는 폐쇄형 흡인 시스템을 제공하고 있으며(그림 20-11), 폴란드의 SUMI사에서도 서로

그림 20-11. Portex® SuctionProTM 72

다른 두 가지의 폐쇄형 흡인 시스템인 Closed suction system 24h 및 Closed suction system 74h를 제공하고 있다.

기관절개창 리테이너(Tracheostoma Retainer)

기관절개관 발관은 시행하였지만 기관절개창의 개방성 유지가 필요한 환자들에서 사용하게 되는 부속품이 기관절개창 리테이너이다. 호주의 Bamford사에서 기존에 저희가 알고 있던 Koken 리테이너를 크기 별로 제공하고 있으며, TRACOE사에서는 Stoma Button이라는 명칭으로 기존에 알려진 리테이너 형태의 부속품을 제공하고 있으며, 이물질이 기관절개창으로 흡인되는 것을 예방하기 위해 외부 개방 부위에 철사 그물망을 가진 Grid Button을 제공하고 있다.

기관절개술을 받은 환자들에게 기관절개관의 유지 및 관리는 매우 까다롭고 환자의 건강과 직결되는 문제로 매우 중요하다. 따라서 다양한 부속품들이 현재까지 개발되어 기관절개관을 가진 환자들이 보다 안전하면서도 삶의 질을 유지하는 생활이 가능하도록 도움을 주고 있다. 그럼에도 불구하고 여전히 샤워하기와 같이 건강한 사람들에게는 일상적인 활동이 기관절개관을 가진 환자들에게는 매우 조심스러운 일상활동인 경우가 많다. 더군다나 CO-VID-19을 경험하며 기관절개관을 가진 환자들에서 호흡기 감염병 전파 예방과 관련되어서는 아직도 많은 부속품이 개발되어야 할 것으로 생각된다. 이 장에서 언급한 다양한 부속품의 종류와 그 적절한 적응증을 숙지하여 보다 전문적으로 기관절개관을 가진 환자들을 관리하는 의료인이 되는데 도움이 되었으면 하는 바람을 가지며, 다양한 부속품들이 더 많이 개발되어 기관절개관을 가진 환자들이 보다 편하게 일상생활을 영위할 수 있었으면 한다.

■ 참고문헌

1. Beck ACC, Retèl VP, Bunting G, et al. Cost-effectiveness analysis of using the heat and moisture exchangers compared with alternative stoma covers in laryngectomy rehabilitation: US perspective. Head Neck 2020;42:3720-34.

2. Bien S, Okla S, van As-Brooks CJ, et al. The effect of a heat and moisture exchanger (Provox HME) on pulmonary protection after total laryngectomy: a randomized controlled study. Eur Arch Otorhinolaryngol 2010;267:429-35.

3. Bitners AC, Burton WB, Yang CJ. Retrospective comparison of Velcro® and twill tie outcomes following pediatric tracheotomy. Int J Pediatr Otorhinolaryngol 2019;116:192-5.

4. Chang BA, Gurberg J, Ware E, et al. Velcro ties in early postoperative pediatric tracheostomy care: A systematic review and meta-analysis. Otolaryngol Head Neck Surg 2021;164:1148-52.

5. De Leyn P, Bedert L, Delcroix M, et al. Tracheotomy: clinical review and guidelines, Eur J Cardiothorac Surg 2007;32:412-21.

6. Dennis-Rouse MD and Davidson JE. An evidence-based evaluation of tracheostomy care practices. Crit Care Nurs Q 2008;31:150-60.

7. Fernández Carmona A, Esquinas AM, Ubeda Iglesias A, et al. Return of voice for tracheostomized patients in ICU, not only psychologic advantages. Crit Care Med 2017;45:e118-9.

8. Fine KE, Wi MS, Kovalev V, et al. Comparing the tracheostomy dislodgement and complication rate of non-sutured neck tie to skin sutured neck tie fixation. Am J Otolaryngol 2021;42:102791.

9. Gergin O, Adil EA, Kawai K, et al. Indications of pediatric tracheostomy over the last 30 years: Has anything changed? Int J Pediatr Otorhinolaryngol 2016;87:144-7.

10. Hart CK, Tawfik KO, Meinzen-Derr J, et al. A randomized controlled trial of Velcro versus standard twill ties following pediatric tracheotomy. Laryngoscope 2017;127:1996-2001.

11. Hockey CA, van Zundert AAJ, Paratz JD. Does objective measurement of tracheal tube cuff pressures minimise adverse effects and maintain accurate cuff pressures? A systematic review and meta-analysis. Anaesth Intensive Care 2016;44:560-70.

12. Li M, Yiu Y, Merrill T, et al. Risk factors for posttracheostomy tracheal stenosis. Otolaryngol Head Neck Surg 2018;159:698-704.

13. McNamara DG, Asher MI, Rubin BK, et al. Heated humidification improves clinical outcomes, compared to a heat and moisture exchanger in children with tracheostomies. Respir Care 2014;59:46-53.

14. Mérol JC, Charpiot A, Langagne T, et al. Randomized controlled trial on postoperative pulmonary humidification after total laryngectomy: external humidifier versus heat and moisture exchanger. Laryngoscope 2012;122:275-81.

15. Nakanishi N, Oto J, Itagaki T, et al. Humidification Performance of Passive and Active Humidification Devices Within a Spontaneously Breathing Tracheostomized Cohort. Respir Care 2019;64:130-5.

16. Nasa P, Azoulay E, Khanna AK, et al. Expert consensus statements for the management of COVID-19-related acute respiratory failure using a Delphi method. Crit Care 2021;25:106.

17. Pandian V, Cole T, Kilonsky D, et al. Voice-related quality of life increases with a talking tracheostomy tube: A randomized controlled trial. Laryngoscope 2020;130:1249-55.

18. Raimonde AJ, Westhoven N, Winters R. Tracheostomy, StatPearls [Internet]. Treasure Island, FL: StatPearls Publishing. 2021, Jul 31.

19. Rosso M, Prgomet D, Marjanović K, et al. Pathohistological changes of tracheal epithelium in laryngectomized patients. Eur Arch Otorhinolaryngol 2015;272:3539-44.

20. Schreiber AF, Ceriana P, Ambrosino N, et al. Short-term effects of an active heat-and-moisture exchanger during invasive ventilation. Respir Care 2019;64:1215-21.

21. Sherman JM, Davis S, Albamonte-Petrick S, et al. Care of the child with a chronic tracheostomy. This official statement of the American Thoracic Society was adopted by the ATS Board of Directors, July 1999. Am J Respir Crit Care Med 2000;161:297-308.

22. Van den Boer C, van Harten C, Hilgers FJM, et al. Incidence of severe tracheobronchitis and pneumonia in laryngectomized patients: a retrospective clinical study and a European-wide survey among head and neck surgeons. Eur Arch Otorhinolaryngol 2014;271:3297-303.

23. Veder LL, Joosten KFM, Zondag MD, et al. Indications and clinical outcome in pediatric tracheostomy: Lessons learned. Int J Pediatr Otorhinolaryngol 2021;151:110927.

24. Zabih W, Holler T, Syed F, et al. The use of speaking valves in children with tracheostomy tubes. Respir Care 2017;62:1594-601.

21

기관절개술 간호
Tracheostomy Nursing Care

서울대학교병원 소아중환자실 **장재연**

기관절개술을 시행한 환자의 위한 안전하고 적절한 간호를 위해 간호사는 자연 및 인공 기도 해부학과 다양한 기관절개관, 기관절개관과 관련된 처치와 함께 적용되는 호흡보조기기에 대해 충분히 숙지하고 있어야 한다. 또한 환자에게 발생할 수 있는 저산소증의 잠재적 징후와 증상을 인식하고, 환자의 기관절개관이 우발적으로 발관된 경우 등 응급상황에 대한 적절한 간호 조치를 수행할 수 있는 지식과 기술이 있어야 한다.

기관절개술 후 간호

기관절개술 직후

기관절개술과 관련된 위험요소 및 부작용

기관절개술을 수술장에서 전신마취와 함께 시행한 경우 외과적 수술과 관련된 위험, 합병증에 대한 사정 및 관리를 시행해야 한다. 기관절개술 후 며칠 동안은 약간의 출혈이 있을 수 있으나 명백한 밝은 빛의 출혈이 계속되는 분비물은 바람직하지 않으므로 주치의에게 바로 보고되어야 한다.

기관절개술 후 환자의 호흡기 분비물이 일시적으로 증가하는 경우가 많다. 점액 플러그로 인해 발생할 수 있는 가스 교환 장애의 징후와 증상을 관찰되어야 하며, 모니터가 필요하다. 마취와 기관절개술에 따른 호흡기 분비물의 증가로 인한 문제가 발생하지 않도록 환자에게 심호흡을 하고 기침을 하도록 격려해야 하며, 적절한 흡인이 이루어져야 한다. 분비물을 묽게 유지하기 위해 적절한 가습과 수분을 공급해야 한다.

경미한 염증은 일반적으로 수술 부위에도 발생한다. 또한 발적, 통증 및 소량의 배액이 있을 수 있다. 하기도 감염은 보다 빈번한 평가와 항생제 투약이 필요하다.

기침 및 흡인 중에 기관절개관을 과도하게 조작하면 부적절하게 고정된 목끈이 끊어지고 절개관이 빠질 수 있다. 이 경우 처음 48시간 이내에는 새로 생성된 기관절개공이 닫힐 가능성이 있어 의료 응급 상황이 될 수 있다. 이러한 위험을 최소화하기 위해 기관절개관 목끈은 일반적으로 24시간 동안 변경되지 않는다.

기관절개술 직후 주의사항

환자가 기관절개술을 받은 경우 1시간 동안 15분마다, 다음 1시간 동안 30분마다, 4시간 동안 1시간마다 활력 징후를 확인하는 것이 수술 후 표준 오더이나, 환자의 상태 및 진단명에 따라 수술 후 오더에 맞추어 환자의 활력징후와 산소포화도 등을 확인하고 모니터해야 한다.

수술 후 기관절개관의 개방성(patency)를 유지하고, 감염위험을 최소화하기 위해 감염수칙을 맞추어 기관절개술 간호를 시행해야 한다. 환자가 흡입한 공기가 상기도에 의해 여과되지 않기 때문에 처음에는 1-2시간마다 흡인을 시행하며 분비물 양상을 관찰한다.

수술 직후 출혈 및 기도유지에 대한 모니터링을 시행해야 하며, 수술 후 첫 번째 기관절개관의 교체는 의사가 수행한다. 수술 후 48시간이 지나지 않은 기관절개루는 기관절개관 통로가 완전히 형성되지 않아, 기관절개관이 의도치 않게 빠지게 되면 기관절개루가 막히고, 기도유지가 어려울 수 있다. 이러한 위험을 최소화하기 위해 기관절개관의 고정을 신경써야 한다. 경우에 따라서는 환자의 침상 옆에 바로 교체할 수 있도록 기관절개관을 포함한 응급키트가 준비해 둔다.

수술 직후의 환자는 수술의 외상, 새로 절개한 부위의 통증, 기관에 느껴지는 이물감, 목소리가 나오지 않는 것 등에 힘들어 할 수 있다. 특히 처음 48시간은 환자가 특히 불편감을 느낀다(Salmon, 2016). 환자는 일반적으로 질식하는 느낌을 보고하고, 기관절개관을 통한 호흡에 적응하는 데 일반적으로 1-3일이 걸린다(Medline Plus, 2003).

간호사정(Assessment)

기관절개술을 받은 환자를 간호하기 위해 근무가 시작될 때 철저한 사정을 해야 한다. 기관절개술 관련 의료장비와 기구보다 환자를 사정하는 것을 최우선 순위에서 두어야 한다. 환자에게 저산소증, 감염 및 통증의 징후가 있는지 환자를 관찰한다.

기관절개루에 연결된 기관절개관 및 의료장비, 기관절개공 피부상태 및 드레싱 상태를 확인한다. 기관절개공 주변의 발적, 화농성 배액과 같은 감염과 염증반응과 압박의 징후 및 비정상적인 출혈의 유무를 사정하여 매 근무조마다 기록한다. 이때 흡인 시 발생하는 분비물의 양, 색, 농도 및 냄새 등의 속성도 함께 기록한다. 병원 지침에 맞추어 환자의 통증여부도 사정하고 필요한 중재와 기록을 한다.

청진기로 호흡 소리를 청진하며, 호흡음의 이상 유무를 확인한다. 기관절개관의 적절한 위치를 확인하기 위해 폐음을 청진하여, 기관절개관이 바른 위치에 있는지 확인한다. 호흡상태, 호흡수, 리듬과 산소포화도와 맥박수를 사정한다. 환자에게 X선과 같은 영상검사가 시행된 경우 폐사진의 변화유무를 파악할 수 있어야 한다. 인공호흡기나 산소주입 등 호흡보조의 치료를 받으며 시행되는 ABGA검사결과의 변화유무도 확인한다. 근무를 시작하기 전에 기관절개관 환자의 간호에 필요한 기구 및 물품이 갖추어져 있는지 확인해야 한다.

환자에게 기관절개술이 시행된 이유, 시기, 삽입된 기관절개관의 유형 및 크기, 기낭의 공기주입량과 압력에 대한 정보를 확인하고 있어야 한다.

일반적인 기관절개술 간호

장비 및 모니터링

기관절개술 환자를 위한 모든 의료장비와 물품은 침상 옆에 갖추어 접근이 용이해야 한다. 흡인장비는 올바른 압력으로 설정되어 있어야 하며, 산소가 이용 가능해야 한다.

응급상황에 사용할 소생백과 여분의 기관절개관을 준비해 두며, 필요시 기관절개술키트도 준비한다. 환자의 침상이나 바로 확인이 가능한 장소에 환자의 기관절개술 크기와 종류를 메모해 두는 것도 응급대처 시 도움이 된다. 환자에게 적용중인 호흡보조장비의 세팅값과 산소량등을 확인하여 기록하고, 환자에게 적용중인 장비의 알람은 환자 상태에 맞추어 설정되어 있는지 확인한다.

모니터링에는 심박수와 심전도, 호흡수, 맥박산소측정(SpO_2), 체온, 혈압과 함께 필요하면 추가적으로 $ETCO_2$를 모니터한다. 환자를 모티터링 할 때 환자의 임상적 상태와 연령에 맞춘 알람이 잘 설정되어 있는지 확인한다. 환자의 의식상태변화도 함께 모니터한다.

기관절개관 관리

기관절개관의 다양한 종류와 기능에 대해서는 앞선 장에서 확인한다.

기낭 압력(cuff pressure) 관리

기낭은 기관절개관의 끝부분에 위치하여 절개관 주변을 둘러싸고 있는 팽창이 가능한 풍선이다. 기낭을 팽창시키면 기낭이 기관벽에 밀착되면서 폐로부터 공기 누출과 압력 손실을 막는다. 따라서 기낭이 있는 기관절개관은 인공 호흡기 치료를 통한 양압환기를 하거나 흡인의 우려가 환자에게 사용한다. 기낭은 구강 분비물과 위 분비물의 흡인을 예방하거나 제한한다. 반면에 기낭이 없는 기관절개관은 일반적으로 소아나 후두절제를 받은 성인환자와 기관절개관 제거(decannulization)기간에 사용된다.

기낭은 공기가 채워져 있고 압력이 낮고 부드러워 기관에 대한 외상을 방지한다. 그러나 과도한 공기주입과 기낭으로 인한 지속적이 압력은 모세혈관 관류를 억제할 수 있어 합병증을 유발할 수 있다. 기낭의 가장 바람직한 상태는 기관벽에 압력을 최소한으로 가하면서 기도 밀폐는 최대한으로 유지하는 것이다. 이러한 상태를 유지하기 위해 간호사는 매 근무조마다 기낭의 압력을 압력계로 측정하며 모니터한다(Freeman, 2011). 기낭 압력은 20 mmHg에서 25 mmHg 범위로 유지한다.

기낭 압력값을 기록하고 기관절개관 기낭을 팽창시키는 데 부피가 증가하는 것을 발견하면 의사에게 보고하여 필요한 조치를 취해주어야 한다. 기낭을 팽창시키기 위해 부피를 증가시켜야 하는 것은 판막에 결함이 있거나 기관 변화가 발생했을 수 있음을 나타낼 수 있다.

기낭의 공기를 빼고 팽창시키는 방법은 다음과 같다.

① 필요한 물품(10 mL의 주사기, extension line이 달린 압력계, 청진기, 필요시 흡인에 필요한 물품)을 준비한다.
② 절차
　가. 환자를 사정(양쪽 폐음의 존재유무, 환자의 음성이 들리는지 여부, 인공호흡기 적용 시 tidal volume 등)하며, 이전 기낭의 압력값을 확인한다.

　　나. 손위생을 실시한다.

　　다. 기낭의 압력을 측정/필요시 수축과 팽창을 한다.

④ 기낭의 수축

　　가. 기낭 수축 시 폐내로 흡인 될 수 있는 기낭 위에 모인 분비물과 구강 비인두의 분비물을 제거한다. 구강을 흡인한 카테터가 기관에 삽입되어서는 안 된다. 기관 내를 흡인한 후 구강과 비인두를 흡인한다.

　　나. 주사기를 이용하여 기낭을 수축키면서 환자가 기침을 하게 하거나 소생백으로 폐를 팽창시켜서 기낭 위의 분비물이 배출되도록 한다. 기관절개관 흡인을 시행한다.

　　다. 기낭이 수축된 동안 절적한 환기를 제공하며 필요한 모니터를 시행한다.

⑤ 기낭의 팽창

　　가. 공기로 채운 10 mL 주사기를 팽창밸브에 꽂는다.

　　나. 새는 소리가 들리기 시작하면 공기가 빠지지 않을 때까지 기낭에 천천히 공기를 주입한다.

　　다. 새는 소리가 들리지 않게 되면 후두위 청진을 하면서 소량씩 공기를 빼면서 약간의 새는 소리가 들리면 멈춘다. 공기의 움직임이 청진되는 것은 후두로 공기가 새는 것을 의미한다.

　　라. 팽창밸브에서 주사기를 분리하며, 주입된 공기량을 확인한다.

　　마. 산소나 가습튜브, 필요시 인공호흡기와 같은 호흡보조장치를 연결하고 고정한다.

⑥ 기낭 압력 측정

　　가. 압력계를 팽창밸브와 연결한다.

　　나. 압력계와 기낭에 연결통로가 생성되면 기낭 압력이 측정된다.

　　다. 측정과정에서 공기가 누출되거나, 측정된 값이 기준에 부족하면 압력계의 공기주입기 혹은 주사기를 통해 압력계 바늘이 20-25 mmHg가 될 때까지 공기를 넣는다.

　　라. 팽창 밸브로부터 압력계의 연결관을 제거하여 기낭의 공기를 유지한다.

기관절개관 고정(목끈변경) 및 소독

① 기관절개관 고정(목끈변경)

기관절개관은 여러 가지 방법으로 제자리에 고정할 수 있다. 초기 삽입 시 기관절개관은 봉합으로 제자리에 고정되며 추가적으로 칼라나 능직물 타이를 사용할 수도 있다. 봉합사를

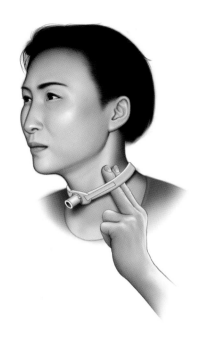

그림 21-1. **기관절개관 목끈:** 기관절개관 목끈은 손가락이 1-2개 들어갈 정도로 고정한다.

제거한 후에는 벨크로 칼라나 능직물 타이로 기관절개술을 제자리에 고정해야 한다.

고정 장치는 근무를 교대 시 한 번 확인해야 하며 혼란스러운 환자와 같이 칼라/타이를 잡아당길 위험이 있는 경우 더 자주 확인해야 한다. 너무 조이거나 느슨하지 않은지 확인한다. 적절한 고정의 정도는 두 손가락이 칼라/능직 넥타이의 한 쪽에 들어갈 수 있는 정도이다(그림 21-1).

기관절개관을 제자리에 고정시키는 칼라/능직물 타이가 너무 팽팽하거나 플랜지가 쇄골에 위치하는 경우 기관절개 플랜지의 가장자리로 인해 욕창과 같이 피부손상이 생길 수 있다. 고정장치로 인해 목 뒤와 옆에 붉어지거나 욕창이 생기지 않는지 자주 확인하는 것이 중요하다. 조절 가능한 탭이 있는 부드러운 벨크로 고리는 이러한 위험을 줄이는 데 도움이 될 수 있다. 다만 벨크로를 뜯을 위험이 있는 환자와 같이 보다 단단히 고정해야 하는 환자에게는 면직물 넥타이를 사용한다.

② 소독 : 기관절개공(stoma) 관리

기관절개술을 받은 환자는 호흡기 및 기관절개공 감염에 주의해야 한다. 기관절개공 상처는 항상 깨끗하고 건조하게 유지되어야 한다. 기관절개공 부위 주변의 기도 분비물이 누출되면 박테리아가 서식하는 습한 환경이 유발되고 해당 부위에 세균 집락이 형성된다.

기관절개공 부위는 하루에 한 번 이상, 필요한 경우 더 자주 확인한다, 보통의 경우 멸균수나 생리식염수로 소독하나 소독액은 환자의 임상적 상태와 기관절개공의 염증유무에 따라 달라질 수 있다.

가. 소독(Cleaning of wound)

㉠ 경피적 확장 기관절개술과 외과적 기관절개술의 수술방법을 고려하여 소독방법을 적용한다. 경피적 확장 기관절개술을 시행한 환자의 경우 창상이 열려있는 상태로 povidone iodine, hydrogen peroxide과 같은 소독액 이용하여 무균술을 적용하는 것이 필요하다. 수술적 기관절개술에서 개창술 주변부로 피부와 봉합 되어있고 감염위험이 높지 않다면 생리식염수를 사용한다(정우진, 차원재, 허진 외, 2021).

㉡ 감염위험에 대한 평가를 한다. 환자의 전신상태와 임상적 증상. 검사결과, 수술종류 등을 토대로 감염위험을 평가하며 감염 소견이 있는 경우 povidone iodine, hydrogen peroxide을 이용하여 소독한다. 불쾌한 냄새가 나는 삼출물, 발적, 통증 및 부종과 같은 감염 징후가 있는지 모니터링해야 한다.

㉢ Chlorhexidine을 사용하거나 Povidone iodine 소독 후 Normal saline으로 닦아내는 방법은 가급적 지양한다(정우진, 차원재, 허진 외, 2021).

나. 드레싱 방법(Dressing of the wound)

㉠ 플랜지 아래와 기관절개공에 위치하는 드레싱은 분비물을 흡수하고 궤양을 방지하기 위해 플랜지 가장자리에 완충역할을 한다. 그러나 부피가 큰 폼 드레싱은 튜브 이탈의 위험을 증가시키므로 피해하는 것이 좋다.

㉡ 일반적으로 gauze dressing, foam dressing/moist dressing 모두 허용되나 분비물 양에 따라 분비물이 많으면 거즈 드레싱을 하며 자주 교체해 주고, 분비물이 적어 마른 상태가 유지되면 foam dressing이 유리하다.

㉢ 욕창의 위험이 있는 경우, 특히 중환자실에 재원중인 환자에게는 foam/moist dressing을 권장한다(정우진, 차원재, 허진 외, 2021).

③ 기관절개관 교체

기관절개관은 1-4주마다 교체한다.

환자가 기관절개술을 가지고 장시간을 보냈고, 기관절개루가 잘 형성되어 있으면 집에서도 클린 테크닉으로 매월 안전하게 기관절개관 교체가 가능하다. 그러나 병원에서는 감염관리와 환자의 안전을 위해 새 절개관을 삽입할 때 멸균 기술을 사용해야 하며, 두 명의 의료인이 시행한다. 초기 기관절개관 교체는 일반적으로 의사가 수행한다.

흡인을 예방하기 위해 기관절개관 교체는 식전 혹은 식후 최소 1시간이 경과하여 시행한다. 내관이 포함되어 있는 기관절개관을 삽입 시 항상 기관절개관 전색자(obturator)를 사용한다.

가. 준비물품 : 기관절개 키트, 흡입 장치 및 적절한 크기의 흡입 카테터, 수건이나 작은 베개(목을 펴기 위해 환자의 어깨 아래에 두기 위해) 적절한 조명/조도절차

나. 준비사항

㉠ 깨끗한 표면에 필요한 물품과 장비를 준비한다.

㉡ 새 기관절개관을 포장/용기에서 제거하여 준비하고 만료 날짜를 확인하고 기관절개관에 손상이 있는지 검사(기낭이 있는 경우 기낭의 이상유무를 확인)한 다음 목끈을 플랜지와 타이에 끼워둔다.

㉢ 환자와 보호자에게 절차를 미리 설명한다.

㉣ 기관절개관 교체를 위한 적절한 자세를 취한다.

다. 절차

㉠ 보조자(사람1)는 기존 절개관을 손으로 잡고 제자리에 고정한다. 교체하는 사람(사람2)은 고정된 목끈을 제거하거나 밸크로를 풀고 제거한다.

㉡ 새 기관절개관을 들고 있는 사람2가 사람1에게 기존 기관절개관을 제거하도록 요청한다.

㉢ 기관절개관이 제거되면 사람2는 즉시 새 기관절개관을 기관절개공에 삽입하고 유도관을 제거한다(해당 되는 경우).

㉣ 사람2가 기관절개관을 제자리에 단단히 고정하는 동안 사람 1은 목끈을 묶고 고정한다.

㉤ 사람1은 피부와 목끈 사이에 손가락이 들어가도록 목끈의 장력을 확인하고 필요한 경우 조정한다. 면 타이를 사용할 경우 이중(리프)매듭으로 마무리한다.

㉥ 기관절개관을 교체한 직후 환자에게 호흡 곤란의 징후 없이 정상적으로 호흡하고 있는지, 공기가 튜브 안팎으로 움직이는지 확인한다.

㉦ 교체한 기관절개관을 포함한 사용한 물품을 폐기한다. 달리 지시하지 않는 한, 모든 기관절개관은 일회용품이다. 일회용 기관절개관은 한 번만 사용하고 절개관을 교체할 때마다 폐기한다. 일회용 기관절개관을 소독하여 재사용하지 않는다. 다만 재사용 가능한 기관절개관은 세척하고 제조업체와 감염지침의 권장 사항에 따라 재사용 가능한 절개관을 세척 및 건조한다.

◎ 폐기물을 처리하고 장갑을 벗고 손 위생을 수행한다.

④ 기관절개관 간호 절차

　가. 준비물 : 개인보호장비, 소독액(멸균 생리식염수나 증류수), 고정용 목끈 혹은 장치
　　　(넥칼라), 멸균면봉, 멸균용기, 멸균거즈, 기관절개관 규격에 맞게 자른 멸균드레싱,
　　　가위, 흡인기, 소생백, 멸균장갑

　나. 절차
　㉠ 손위생을 시행하며, 보호장비를 착용한다. 필요한 물품을 모두 준비한다.
　㉡ 필요시 흡인을 시행한다.
　㉢ 오염된 드레싱을 제거한다.
　㉣ 멸균증류수나 생리식염수로 멸균면봉 혹은 코튼볼을 적셔서 기관절개공 부위, 기관
　　절개관 테두리 표면을 닦는다. 염증증상을 포함한 기관절개공 피부상태와 욕창유무
　　를 확인한다.
　㉤ 기관절개공 주변 피부를 건조시킨다. 피부주변을 건조시키는 것은 미생물의 증식과
　　피부손상을 줄인다.
　㉥ 현재 기관절개관을 고정하고 있는 장치나 목끈을 잘라 제거한다. 기관절개관 관리
　　를 안전하게 하기 위해 보조할 사람과 함께 수행하는 것이 바람직하다.
　㉦ 새로운 고정장치나 목끈을 부착한다.
　㉧ 기관절개관 테두리 아래에 미리 준비한 기관절개관용 드레싱을 끼워 넣는다.
　㉨ 사용한 물품을 정리하고 손위생을 수행한다.

흡인

① 흡인을 시행해야 하는 경우

간호사는 기관절개관의 개방성(patency)을 유지 하고 감염 위험을 최소화하기 흡인을 시
행한다. 흡인은 정규적으로 고정된 스케줄에 시행하는 것이 아니라 임상적으로 필요할 때
시행한다.

흡인의 적응증은 다음과 같다.
　가. 기관절개관 내부에 분비물이 있을 때
　나. 환자에게 비정상적 폐음, 호흡음이 들리는 경우
　다. 경관영양이나 식사 시, 위액이나 상기도 분비물의 흡인(aspiration)이 의심될 때
　라. 인공호흡기 적용환자의 최고기도압(peak airway pressure)이 증가할 때

마. 환자의 호흡수가 증가하거나 지속적인 기침을 할 때

바. 산소포화도가 갑자기, 혹은 점차 감소할 때

사. 기관절개관이 막힌 것이 의심되는 호흡곤란 증상이 있을 때

아. 환자의 요청이 있을 때

② 흡인 시 주의사항

가. 흡입 단위는 성인의 경우 20 kpa/120 mmHg 이하로 설정해야 한다(NTSP, 2013). 높은 산소 요구량을 가진 환자의 경우 흡인 전 급성 저산소증의 위험을 최소화하기 위해 산소 공급을 충분히 해주어야 한다(Dougherty and Lister, 2015).

나. 저산소증, 심장 부정맥 및 기관지 경련/수축의 위험을 줄이기 위해 10초 이상 흡입하지 않아야 한다.

다. 점막 자극 및 손상의 위험을 줄이기 위해 흡인카테터를 기관절개관 안으로 주입시에는 압력을 걸지 않으며 카테터를 빼면서 적용한다(McGrath et al, 2012). 흡인카테터는 멸균되고 침습적인 기구이므로 1회 사용 후에는 폐기해야 한다.

라. 점막 손상과 염증의 위험을 줄이기 위해 너무 깊게 넣지 않도록 한다. 미리 측정된 기관절개관 길이와 저항 지점까지만 카테터를 삽입한다. 개방형 시스템의 경우 튜브의 말단부를 지나 0.5-1 cm, 폐쇄형 시스템의 경우 말단부를 1-2 cm 지나는 지점까지 넣도록 한다.

마. 필요한 흡인카테터의 크기는 기관절개관의 1/2이상을 넘지 않도록 한다.

바. 흡인은 저산소증, 심장 부정맥, 폐 무기폐, 기관지 수축/경련, 두개내압 상승, 고혈압/저혈압, 심장 또는 호흡 정지의 가능성을 줄이기 위해 연속 3회 이하로 제공한다(Higgins, 2009; ICS, 2014).

사. 흡인 시 카테터를 잡은 손은 무균적 기법을 이용하여 감염관리를 시행하며, 기관절개관 흡인 후 비강과 구강 흡인을 한다.

아. 흡인은 필요시 하며, 환자가 기침을 할 수 있는 경우 스스로 뱉어낼 수 있도록 한다.

③ 준비물품 : 환자에 맞는 크기의 흡인카테터, 멸균생리식염수, 멸균장갑, 마스크, 흡인장치와 연결관, 소생백

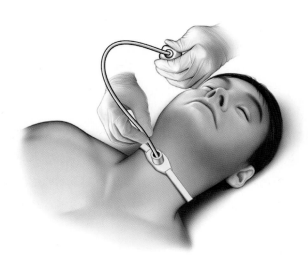

그림 21-2. **기관절개관 흡인:** 기관절개관 환자에게 흡인(suction)을 시행하는 모습

④ 절차

가. 손을 씻고 보호장비를 착용한다.

나. 흡인 장치를 준비한다. 흡인기를 켜고 조절기를 100–120 mmHg로 맞춘다. 흡인기에 연결된 연결관의 끝을 흡인하기 좋은 위치에 둔다.

다. 멸균생리식염수와 멸균흡인카테더를 준비한다.

라. 멸균장갑을 착용한다.

마. 멸균되지 않은 부위를 만지지 않도록 주의하며 흡인카테터를 잡는다. 잘 사용하지 않는 손(비멸균장균을 낀 손)으로 연결관과 흡인카테터를 연결한다.

바. 멸균생리식염수를 흡인해보고 카테터의 개방성과 장비의 기능을 확인한다. 생리식염수는 기관절개관을 통과할 때 윤활제 역할을 하기도 한다.

사. 환자의 상태에 맞추어 흡인 전 산소를 충분히 공급한다.

아. 흡인 압력을 걸지 않은 상태로 부드럽고 재빠르게 기관절개관으로 저항이 느껴질 때까지 흡인 카테터를 삽입 후 1 cm정도 뒤로 잡아 당긴다.

자. 자주 사용하지 않는 손을 이용하여 흡인 조절판을 막아 압력을 걸면서 흡인한다. 흡인 시 10초 이하로 시행한다(그림 21-2).

차. 흡인을 재차 시행하기 전 환자에게 충분한 산소를 공급한다.

카. 흡인카테터에 멸균 생리 식염수를 통과시켜 객담의 양상을 확인한다. 카테터와 연결관이 깨끗해질 때까지 생리삭염수로 세척한다.

인공호흡기를 가지고 있는 환자의 경우 폐쇄형 흡인 시스템(Closed Tracheal suction System)을 이용하기도 한다. 이는 비닐커버를 씌운 카테터를 인공호흡기 서킷에 직접 연결하는 것으로 흡인 중 산소화와 호기말양압호흡을 유지할 수 있어 저산소증 예방과 환자의 분비물로부터 의료진을 보호할 수 있다는 장점이 있으나 객담제거가 효율적으로 이루어지지 않고 서킷의 무게가 발생하여 의도치 않은 발관, 자기오염 등의 단점이 있다.

타. 기관절개관을 통한 하부 기도의의 객담이 충분히 제거되면 비강이나 구인두 부위의 흡인을 실시한다.

파. 상기도 흡인을 마치고 멸균 장잡을 꼈던 손으로 카테터를 둘러 싼 뒤 장갑을 벗는다. 흡인 장치를 끄고, 물품을 정리한다. 환자의 자세를 갖추어 주고 손위생을 실시한다.

하. 환자 상태를 관찰하며 흡인 효과를 사정한다. 환자의 객담양상을 포함한 흡인과 관련된 기록을 한다.

구강위생

구강위생

기관절개술을 받은 대부분의 환자는 구강으로 치료를 받지 않을 것이며 구강 궤양 및 구강 아구창과 같은 문제를 예방하기 위해서는 정기적인 구강 관리가 필수적이다. 열악한 구강 위생도 인공호흡기관련폐렴과 관련이 있으며 0.12% 클로르헥시딘 글루코네이트 구강 세척제 또는 젤을 매일 사용하는 것이 좋다(Conley et al, 2013). 구강위생을 시행하면서 흡인 (aspiration)이 되지 않도록 주의하며, 구강위생 후 필요하면 흡인(suction)을 시행한다

기관절개관을 통한 호흡보조요법

가습

기관절개관은 상기도를 우회하므로 상기도를 통한 흡입된 공기의 정상적인 가습 및 여과를 하지 못한다(Freeman, 2011). 기관절개관을 통해 흡입된 공기가 가습되지 않으면 기관과 기관지의 상피가 건조되어 기관절개관이 막힐 가능성이 있으므로 인공가습이 중요하다. 환자에게 가습을 할 수 있는 방법에는 가열 가습(열 및 수증기 흡입 증가), 주변 또는 냉수 가습, 열수분교환기, 기관절개공 보호기가 있다(Freeman, 2011). 가습기 및 분무기(Nebulizer)는 따로도 적용 가능하며, 인공호흡기에 적용할 수 있다.

① **가열 가습** : 흡기된 가스가 완전히 포화된 상태로 심부 체온으로 전달되도록 한다. 분비물이 강하고 건조할 때 가장 효과적인 시스템이다.

② **찬 가습** : 흡기 가스에 약 50%의 습도만 전달하므로 가열 시스템보다 덜 효과적이나, 가열 시스템보다 비용이 적게 든다.

　가. 염화나트륨 0.9% 분무기 : 분무기는 염화나트륨 0.9%를 액체 방울의 과포화 에어로졸로 바꾼다. 이 비말은 폐를 관통하여 기도를 촉촉하게 한다.

　나. 열수분교환기 : 기관절개관에 직접 부착한다. 흡기된 가스는 장치를 통과하고 여과, 가습 및 가열된다. 흡기 시 교환기를 통과하면서 가스는 가열되고 습화된다. 분비물의 축적을 방지하기 위해 최소한 24시간마다 또는 필요에 따라 교체해준다.

산소

기관절개관을 통해 산소를 공급할 때는 일반적으로 고습도 장치를 통해 가습을 한 산소가 투여되어야 한다. 환자에게 산소를 투여하는 방법에는 분당 10리터(LPM) 미만으로 전달되는 저유량과 10 LPM 이상으로 전달되는 고유량을 포함하는 두 가지 주요 방법을 모두 적용할 수 있다. 어떠한 방법으로 산소를 공급하던 환자가 호기할 수 있는 누출구가 막히지 않도록 해야 한다.

인공호흡기

여기서는 중환자실에서 적용되는 인공호흡기(conventional ventilator)에 관해 다루기로 한다.

① 적응증

　　가. 신경근 쇠약이나 심폐기능부전과 같이 무호흡 증상이 있을 때

　　나. 급성환기부전이 보일 때 : ABGA 상 pH가 7.25이하, PaO_2가 50 mmHg 이상인 경우

　　다. 동맥혈 가스 수치들의 감소, 호흡을 어려워 하는 심각한 환기부전

　　라. 심한 저산소증인 경우

　　마. 호흡근의 피로

② 인공호흡기 모드

인공호흡기들은 양압과 음압환지법으로 분류되나 임상에게 대개의 경우 양압환기를 이용하고 있다. 크게는 용적모드와 압력모드로 구분할 수 있다.

　　가. 조절강제환기(Controlled Mandatory Ventilation, CMV) : 이 모드에서 인공호흡기는 환자에게 모든 분당 환기를 제공한다. 환자의 호흡 패턴과 상관없이 기 설정된 용적(VT)과 속도를 전달한다. 일회 환기량은 안정적이지만 기도 압력은 다양하다. 대개 진정제와 신경근 차단 약물이 필요하다.

　　나. 압력조절환기(Pressure Controlled Ventilation, PCV) : 임상의가 원하는 압력수준을 선택하면 선택된 압력수준, 저항, 그리고 탄성에 의해 일회 환기량이 결정된다. 급성 호흡곤란 증후군 환자나 높은 수준의 PEEP(호기말양압)과 FiO2 제공에도 불구하고 지속적으로 산소화의 문제가 있는 환자에게 흡기 말 상기도 압력(plateau pressure)을 조절한다.

　　다. 동시성 간헐적 강제 환기(Synchronized Intermittent Mandatory Ventilation, SIMV): 기도양압 혹은 용적의 수준을 미리 설정하고 필수 환기 호흡을 제공한다. 음압 호흡 노력을 관찰하고 환자의 지속적인 1회 환기량과 호흡노력을 늘린다. 환자는 강제 호흡들 사이에서 자발적으로 호흡할 수 있다. 환자의 호흡패턴과 맞추어 동시에 진행된다. 자주 압력보조환기(PSV)와 함께 사용된다.

　　라. 보조 조절(Assist Control, AC) : 환자가 호흡 비율을 조절한다. 일반적으로 보조 모드로 생각된다. 환자가 자발호흡일 있을 때 완전한 용적 호흡이 제공되도록 인공호흡기 민감도를 설정해 준단

　　마. 압력 보조 환기(Pressure Support Ventilation, PSV) : 자발적으로 호흡하는 환자에

게 증폭된 흡기를 제공한다. 환자가 호흡을 시작할 때 세팅된 압력으로 높은 가스의 흐름이 환자에게 제공되고, 압력은 흡기 내내 지속된다. 호흡노력을 줄이고 인공호흡기 이탈과정(weaning)을 돕는다.

바. 호기말 양압(Positive End-Expiratory Pressure, PEEP) : 호기의 끝에서 양압을 제공하여 기능적 잔기용량(FRC)을 늘려 산소화를 증가시킨다. 호기 후 폐포꽈리를 팽창시킨 채 유지한다. PEEP을 이용하면 O_2 중독의 위험성을 감소시키는 낮은 산소 농도를 유지할 수 있다. 5-10 cnH_2O로 처방된다.

사. 압력 규제 조절(Pressure-Regulated Volume Control, PRVC) : 호흡수, FiO_2, 압력 허용치를 미리 설정한다. 환자-인공호흡기 간 동시성을 증진시키고 기압성 외상(barotrauma)응 감소시킨다. 진정제가 필요할 수 있다.

아. 용적 보장 압력 모드(Volume-Assured Pressure Support, VAPS) : 용적을 보장하면서 압력을 제공받는다.

자. 반비례 환기(Inverse Ratio Ventilation, IRV) : 이 모드는 흡기 대 호기가 반비례인 상태와 압력-제한 환지를 결합한다. 모든 호흡은 시간 주기적이며 압력이 제한된다. 흡기 시간은 대개 호기 시간보다 짧게 설정된다. 흡기와 호기의 비율은 대개 1:1.3-1:1.5이다

차. 지속적 기도 양압(Continuous Positive Airway Pressure, CPAP) : 자발적 호흡하는 환자의 호흡주기동안 양압을 유지한다. 비침습적 기계 환기법으로도 적용되면 기관절개관을 통해서도 적용할 수 있다.

카. 이단 기도 양압(BiPAP) : CPAP과 같지만 흡기와 호기 두 가지 모두 적용하여 설정할 수 있다.

③ 인공호흡기를 가진 환자 간호

가. 기계 환기 관련 합병증의 발생을 모니터링하기 위해 일반적인 신체사정을 한다. 기계환기관련 합병증은 다음과 같다

ㄱ. 기흉, 종적동 기종, 피하 기종과 같은 기압성 외상 혹은 용적 손상

ㄴ. 과도한 기낭 압력으로 인한 기관 손상

ㄷ. 흡인

ㄹ. 인공호흡기관련폐렴, 호흡기계 감염

ㅁ. 스트레스성 궤양과 위장출혈, 위장 팽만, 마비성 장폐색

ㅂ. 의사소통의 어려움, 두려움, 상실감, 통증, 불안

나. 근무조가 바뀔 때마다 인공호흡기 세팅을 확인한다. 특히 속도, 1회 환기량, FiO_2,

PEEP 수준, 압력 기준에 대해 설정이 정확한지 확인한다.

다. 인공호흡기 설정이 변경된 후에는 반드시 ABGA를 모니터링한다.

라. 산소독성에 대해 사정한다. 만약 환자가 24시간 이상 50% FiO_2가 제공되거나 12시간 이상 100%가 제공되었으면 산소 독성으로 진행될 가능성이 있다. 산소독성을 예방하기 위해 가능한 낮은 농도로 산소를 유지하고, 산소화를 돕기 위해 PEEP을 고려한다. 환자에게 빈혈이 있다면 RBC를 수혈한다.

마. 진통제, 진정 약물, 신경근 차단 약물 처방이 필요할 수 있다.

바. 환자를 위한 대화 방법을 제공하고 심리적 안정을 돕는다.

사. 인공호흡기와 관련된 폐렴 예방활동을 한다.

④ 인공호흡기 알람

인공호흡기의 알람은 절대로 무시되거나 확인 없이 꺼져서는 안 된다. 다만 문제가 해결될 때 까지 일시적으로 소리를 제거할 수 있다.

알람의 원인이 즉시 찾아지지 않거나 쉽게 해결되지 않는 경우 환자에게서 인공호흡기를 분리하고 소생백을 이용하여 수동으로 환기를 시행한다.

가. 환자와 관련된 경우 : 흡인(suction)이 필요할 때, 기침, 환자호흡이 인공호흡기와 일치하지 않을 때, 환자가 말을 시도할 때, 20초 이상 무호흡이 있을 때, 흉강내압 증가로 기흉이 심화될 때

나. 기계적 원인 : 인공호흡기 관이 꼬였을 때, 기관절개관 기낭의 공기가 빠졌거나 공기가 부족할 때, 인공호흡기 서킷에 물이 과다하게 고였을 때, 시스템상 분리되거나 새는 곳이 있을 때, 전원상실

다. 병리적 원인 : ARDS와 같은 기능부전 증가, 기관지 경련 같은 기도 저항 증가, 폐부종, 기흉 혹은 혈흉

라. 간호대처

ㄱ. 인공호흡기 분리 여부와 서킷 상태 확인

ㄴ. 호흡음을 사정(흡인이 필요한지 확인)

ㄷ. 호흡기 서킷 속 과도한 물 제거

ㄹ. 기관절개관 기낭 압력 측정

■ 참 고 문 헌

1. 병원중환자간호사회, 중환자간호매뉴얼 6판, 엘스비어코리아, 2014, 113-122.

2. 서승화, 이정민, 중환자 간호, 1판, 포널스출판사, 2020, 19-26.

3. 정우진, 차원재, 허진, Tracheostomy site dressing에 대한 문헌고찰 및 병원 지침에 대한 제언, 분당서울대학교병원, 2021.

4. Conley P et al, Does an oral care protocol reduce VAP in patients with a tracheostomy? Nursing; 2013, 43: 7, 18-23.

5. Dougherty L, Lister S, The Royal Marsden Manual of Clinical Nursing Procedures, Ninth Edition. Oxford: Blackwell, Chapter 9.11.

6. Evertt E, Tracheostomy 1:caring for patients with a tracheostomy, Nursing Times, 2016, 112:19, 16-20.

7. Freeman, S., Care of adult patients with a temporary tracheostomy, Nursing Standard, 2011, 26 (2), p. 49-56.

8. Higgins D. Tracheostomy care 1: using suction to remove respiratory secretions via a tracheostomy tube. Nursing Times, 2009, 105: 4, 16-17.

9. McGrath BA et al, Multidisciplinary guidelines for the management of tracheostomy and laryngectomy airway emergencies. Anaesthesia, 2012, 67: 9, 1025-41.

10. Medline Plus. (2003). Medical Encyclopedia: Tracheostomy. Available at: http://www.nlm.nih.gov/medlineplus/ency/article/002955.htm, 6. October, 2021

11. Robinson, E. Critical pointers: Tracheostomies. Available at: http://tracheostomy.com Accessed 6. October. 2021

12. Update on Tracheostomy Care, Available at: https://lms.rn.com/getpdf.php. Accessed 6. October. 2021

서울대학교 의과대학 소아청소년과/ 공공진료센터 **김민선**

기관절개술은 후두 아래 절개를 통하여 기도에 일시적 또는 영구적인 튜브를 삽입함으로써 코와 입을 통하지 않고 숨을 쉴 수 있도록 하는 수술로, 이때 절개한 부위에 인공적으로 관을 삽입하여 숨을 쉴 수 있도록 만들어 놓은 통로를 기관절개관이라고 한다. 기관절개관을 가지고 있는 환자는 여러 합병증을 피하기 위해 적절한 관리를 받아야 하는데 이 관리에는 기관절개관 고정, 교체, 삽입 부위 위생 관리, 흡인 수행, 기낭(cuff) 처리 뿐 아니라 응급시 대처가 포함된다. 기관절개술 관리와 관련한 지식과 장비 등이 잘 준비되지 않을 경우 환자에게 심각한 해가 있을 수 있으며 심각하게는 사망에 이르는 치명적인 사건도 발생할 수 있다. 따라서 기관절개술을 받고 퇴원하는 환자와 가족, 간병인은 전문팀으로부터 이와 관련한 교육 및 훈련을 받아야 하며 퇴원 후 가정 관리에도 도움을 받는 것이 필요하다. 이 장에서는 기관절개술과 관련한 합병증을 피하기 위해 의료진과 환자 및 가족이 알아 두어야 할 내용을 정리하고자 한다.

기관절개관 위생 관리

목끈 교환

기관절개관을 고정하는 목끈은 매일 교환하는 것이 권장되며 그 외에도 목끈이 젖거나 더러워진 경우에는 교환해야 한다. 기관절개관 목끈을 교환할 때 예기치 않게 기관절개관이 빠질 위험이 있으므로 익숙하지 않은 경우나 소아 환자에서는 두 사람이 함께 시행하는 것이 안전하다. 목끈을 교체할 때 끈 아래의 피부에 발적이 있거나 상처가 있는지 확인해야 한다.

목끈 교환 준비 물품
① 기관절개관 목끈(면 또는 벨크로)
② 둥글게 말아 놓은 수건이나 베개(목 받침용)
③ 가위
④ 기관절개관 흡인 물품
⑤ 여분의 기관절개관(평소 사용하는 크기의 기관절개관과 한 사이즈 작은 기관절개관)

목끈 교환 방법
※ 목끈 교환이 익숙하지 않거나 소아 환자의 경우에는 목끈 교환을 두 명이 시행하는 것이 좋다. 한 명은 기관절개관이 제 위치에서 벗어나지 않도록 고정하는 역할을 하고, 다른 한 명은 기존 끈을 제거하고 새로운 목끈을 고정하는 역할을 한다.

① 손을 씻는다.
② 환자의 목을 감싸기에 적절한 사이즈의 새로운 목끈을 준비한다(벨크로 끈의 경우 접착력이 양호한 상태인지 확인한다).
③ 환자가 편안한 자세를 취하도록 한다. 목이 짧은 환자나 소아의 경우 어깨 밑에 베개 혹은 동그랗게 말아 놓은 수건을 받쳐 기관절개 부위가 잘 보이도록 한다.
④ 사용하고 있는 기관절개관 목끈의 한 쪽만 구멍에서 빼낸다.
⑤ 새로운 목끈을 기존 끈을 제거한 쪽의 구멍에 먼저 끼운 후 목 뒤로 통해 반대쪽으로 끈을 돌려 나머지 한쪽 구멍에서 기존 끈을 제거한 후 새로운 끈을 끼운다.
   – 새로운 끈이 안전하게 끼워질 때까지 기존의 끈은 반드시 남겨두어야 한다. 또한 두 명 중 한명은 새로운 끈으로 안전하게 고정될 때까지 기관절개관이 빠지지 않도록 잡아 주어야 한다.

⑥ 끈을 고정한 후 끈의 팽팽함 정도를 확인해야 하는데, 환자의 피부와 끈 사이에 손가락 하나가 들어갈 정도로 고정하면 적절하다.

    – 너무 느슨한 경우 기관절개관이 빠질 수 있고, 너무 꽉 조이는 경우 피부와 기관지에 자극을 줄 수 있다.

⑦ 목끈 교환 후 필요시 흡인을 시행할 수 있다.

⑧ 손을 씻는다.

기관절개 부위 소독

기관절개 부위는 하루에 한 번 소독하나 발적 등 감염의 징후가 있는 경우 더 자주 소독할 수 있다. 상처가 아물기 전까지는 포비돈 또는 베타딘, 클로로헥시딘으로 소독하고 이후에는 멸균생리식염수 또는 멸균증류수로 소독한다. 단 아래와 같이 기관절개 부위의 문제가 있는 경우 처방에 따라 연고 또는 다른 드레싱 재료가 필요할 수 있다.

- 기관절개 부위에 분비물이 있는 경우
- 통증이 있는 경우
- 기관절개 부위에서 냄새가 나는 경우
- 주변에 부기나 발적이 있는 경우
- 육아, 과립화 등이 보이는 경우
- 출혈이 있는 경우

소독 준비 물품

① 일회용 멸균 장갑

② 멸균생리식염수 또는 멸균증류수

    – 상처가 아물기 전이나 기관절개 부위 문제가 있는 경우 베타딘/클로로헥시딘 면봉

③ 멸균 면봉

④ 멸균 Y 거즈(또는 튜브가드), 거즈

    – 실타래가 나오는 경우 흡인 가능성이 있으므로 실타래 마감 처리가 되어 있는 Y 거즈를 사용하는 것을 권장

⑤ 고정용 끈

⑥ 가위

소독 방법

① 손을 씻는다.

② 환자가 편안한 자세를 취하도록 한다. 목이 짧은 환자나 소아의 경우 어깨 밑에 베개 혹은 동그랗게 말아 놓은 수건을 받쳐 기관절개 부위가 잘 보이도록 한다.

③ 일회용 장갑을 끼고 한번 흡인을 한 후 기존의 거즈 또는 튜브가드를 제거한다.

④ 생리식염수를 묻힌 거즈 또는 면봉으로 기관절개관 아래의 피부를 부드럽게 닦는다. 닦아낼 때는 안쪽에서 바깥쪽으로 닦고 한 번 사용한 면봉 또는 거즈는 다시 사용하지 않는다.

⑤ 건조될 때까지 약 20초 간 기다린다.

⑥ Y 거즈 또는 튜브가드를 기관절개관과 피부 사이에 삽입한다.

⑦ 기관절개관 목끈을 확인하고 잘 고정한다.

⑧ 손을 씻는다.

기관절개관 가습

일반적인 호흡을 할 때는 코와 입을 통해서 들이마신 공기가 따뜻해지고 촉촉해지는 가습의 과정을 거친 후 기도로 들어가게 된다. 그러나 기관절개관으로 호흡하는 경우 코와 입을 통한 자연적인 가습이 발생하지 않기 때문에 이와 유사한 역할을 수행하는 장비가 필요하다. 가습을 위한 장비는 기도가 건조해지는 것을 막음으로써 호흡을 편안하게 만들고 기관절개관 내의 가래가 마르는 것을 방지하며 이물질과 먼지를 걸러준다.

그림 22-1. **가습필터 예시**

인공호흡기를 사용하는 환자의 경우 인공호흡기 장비에 부착된 가습기가 적용되므로 별도의 장비를 사용할 필요가 없으나 기관절개관만 유지하는 경우 가습 필터를 사용하는 것이 도움이 될 수 있다. 또한 구강 또는 비위관/위루관 등을 통해 충분한 물을 공급해 주는 것이 기도가 건조해지는 것을 막는 데 도움이 된다. 성인의 경우 하루 2 L 정도의 물을 섭취하는 것이 권장된다.

가습을 위해 사용할 수 있는 열수분교환기(heat moisture exchanger)는 그림 22-1과 같다. 열수분교환기는 끝에 특수 필터가 있는 플라스틱 원통형 용기로 하루 1회 교체하는 것이 필요하며 분비물로 막히거나 더러워진 경우에는 그보다 자주 교체해야 한다.

기관절개관을 통한 흡인(suction)

분비물 또는 이물질이 기관절개관을 막게 되면 산소 공급 및 이산화탄소 배출이 어려워져 심각한 합병증을 일으킬 수 있다. 기관절개관 흡인 시 적절한 흡인 압력은 영아는 60–80 mmHg, 소아는 80–100 mmHg, 성인은 100–120 mmHg로 되어 있으나 가정에서 사용하는 휴대용 흡인기의 경우 실제 표시되는 압력보다 흡인 압력이 낮은 경우가 있어서 흡인되는 정도를 확인하며 압력을 조절하기도 한다. 기관절개관 흡인이 필요할 상황은 아래와 같다.

- 기도에서 분비물 소리가 많이 들릴 때
- 기관절개관에서 기도 분비물이 보일 때
- 환자의 호흡이 곤란할 때
- 기관절개관이 부분적 혹은 전체적으로 막힌 것이 의심될 때
- 기침으로 기도 분비물을 뱉어내지 못할 때
- 환자가 구토할 때
- (인공호흡기를 가지고 있는 경우) 압력이 높다는 알람이 울릴 때
- 환자가 흡인을 요구할 때
- 식사 전 필요시

기관절개관 흡인 준비 물품
① 흡인기(suction machine)
② 멸균 카테터
③ 멸균생리식염수
④ 일회용 멸균장갑
⑤ 필요시 산소발생기 및 물품, 백 마스크

(2) 기관절개관 흡인 방법

① 흡인 전 환자에게 흉부물리요법 또는 분무요법(nebulizer) 등을 시행한다.

② 손을 씻고 흡인 물품을 준비한다.

③ 환자의 상체를 30-40도 정도 올려 심호흡과 기침을 시킨다. 의식이 없는 환자는 흡인하는 사람과 마주보도록 옆으로 눕히는 것이 좋다.

④ 흡인기가 작동하도록 전원을 켜고 적절한 흡인 압력으로 조절한다.

⑤ 흡인기에 연결되는 부위만 살짝 꺼내어 흡인기 연결관에 끼운다.

⑥ 흡인을 시행할 손(오른손잡이의 경우 오른손)에 멸균장갑을 착용한다.

⑦ 카테터로 멸균생리식염수를 소량 흡인하여 개방성 여부 및 흡인 기능을 확인한다.

⑧ 필요한 경우 흡인 전 환자에게 일시적으로 산소를 공급하고 1-2분 후 흡인을 시행한다.

⑨ 흡인 조절구멍을 막지 않고 흡인카테터를 부드럽게 삽입한다. 삽입 도중 저항감이 느껴지는 경우 1-2 cm 정도 뒤로 뺀다.

   – 성인의 경우 흡인카테터 삽입 길이는 기관절개관의 길이 또는 이보다 0.5 cm 정도 더 깊이 하는 것이 좋다. 소아의 경우에는 카테터의 팁이 기관절개관보다 더 들어가지 않도록 해야 한다(기도점막 손상의 우려).

⑩ 기도 흡인은 카테터를 삽입할 때는 하지 않아야 하며 꺼내면서 흡인을 시작해야 한다. 한 번 흡인을 하는 시간은 소아의 경우 10초, 성인의 경우 15초 이내로 하며 다시 흡인하는 경우 그 사이에 20초 이상 간격을 둔다.

⑪ 환자의 호흡 상태와 청색증 여부, 산소포화도 모니터를 관찰하고 필요한 경우 흡인 후 산소를 공급하거나 백마스크로 환기를 한다.

⑫ 흡인이 완전히 끝나면 흡인기 연결관에 생리식염수를 통과시켜 카테터의 분비물이 흡인병으로 씻겨 들어가도록 하고 흡인기를 끈다.

⑬ 환자가 편안한 자세를 취하도록 한다.

⑭ 손을 씻는다.

기관절개관 교환

기관절개관의 교환은 식사 전 또는 적어도 식사 1-2시간 후에 시행하여 환자가 구토하지 않도록 한다. 기관절개관은 일회용이므로 반드시 1회 사용 후 폐기하도록 한다(내관과 외관으로 이루어진 기관절개관의 경우는 예외).

기관절개관 교환 준비 물품

① 기관절개관(평소 사용하는 크기의 기관절개관과 한 사이즈 작은 기관절개관)
② 윤활제
③ 멸균생리식염수 또는 멸균증류수
④ Y 거즈 또는 튜브가드, 거즈
⑤ 드레싱 세트
⑥ 일회용 멸균장갑, 멸균 비닐장갑
⑦ 목끈(면 또는 벨크로)
⑧ 주사기(기낭이 있는 기관절개관의 경우)
⑨ 멸균 면봉(기관절개관 부위 문제가 있을 경우 베타딘/클로로헥시딘 면봉)

기관절개관 교환 방법

① 손을 씻는다.
② 드레싱 세트에 멸균생리식염수와 면봉, 거즈, Y 거즈(또는 튜브가드), 새 기관절개관, 윤활제, 고정끈, 주사기를 준비한다. 윤활제는 처음 나오는 것을 다른 곳에 짜버리고 두 번째 것으로 준비한다.
③ 환자가 편안한 자세를 취하도록 한다. 목이 짧은 환자나 소아의 경우 어깨 밑에 베개 혹은 동그랗게 말아 놓은 수건을 받쳐 기관절개 부위가 잘 보이도록 한다.
④ 소아 환자의 경우 보조자가 머리 쪽에서 환자가 움직이지 않도록 잡아 준다. 기낭이 있는 기관절개관의 경우 기존 기관절개관 기낭의 공기를 주사기로 제거한다.
⑤ 멸균 비닐장갑을 착용하고 가래를 흡인한다.
⑥ 일회용 멸균장갑을 착용한다.
⑦ 새 기관절개관의 한쪽 끝에 목끈을 끼워 세트에 준비하고 기관절개관 끝부분에 윤활제를 바른다.
　– 보조자는 기존 기관절개관의 목끈을 풀고 절개관이 빠지지 않도록 고정한다.
　– 기낭이 있는 기관절개관의 경우 새 기관절개관의 기낭이 부풀어오르는지 확인한다.
⑧ 삽입되어 있던 기존 기관절개관을 제거하고 새 기관절개관을 기관 속으로 삽입한다.
　– 기낭이 있는 기관절개관의 경우 새 기관절개관에 주사기로 공기를 넣어 고정한다.
⑨ 멸균생리식염수 또는 증류수를 묻힌 면봉으로 환자의 피부와 기관절개관의 접촉 부위를 2-3번 정도 닦아 낸다.
⑩ 거즈를 이용하여 절개관 주변을 가볍게 닦고 새 Y 거즈 또는 튜브가드를 끼운다.
⑪ 목끈은 손가락 하나가 들어갈 수 있을 정도의 팽팽함으로 한다.

기관절개관이 있는 환자에서의 응급 상황

호흡곤란

기관절개관이 있는 환자에서 매우 갑작스러운 호흡곤란 및 산소포화도 저하가 있는 경우에는 먼저 앰부백 환기를 통해 기관절개관의 상태를 확인해야 한다. 앰부백 환기 시에 상당한 저항감이 느껴지는 경우 기관절개관 폐쇄 여부를 확인해야 하며 그렇지 않은 경우에는 기관절개관이 빠진 경우나 다른 원인을 검토해야 한다. 또한 만약 환자가 발견 시 심박수가 60회 미만이거나 맥박이 없는 경우에는 바로 심폐소생술을 시행하면서 119에 연락하도록 가족 및 간병인에게 교육하는 것이 필요하다.

기관절개관이 빠진 경우

예상치 못한 상황에서 갑자기 기관절개관이 빠지는 상황이 있을 수 있다는 것을 가족과 간병인이 인지하고 있는 것이 매우 중요하며 이에 대응하기 위해 기관절개관 삽입에 대한 교육을 받는 것이 필요하다. 기관절개관이 빠진 경우에는 기도를 유지하는 것이 가장 중요하므로 바로 다시 삽입하고 산소를 연결한 앰부백으로 충분히 호흡을 시켜줘야 한다. 만약 기관절개관이 쉽게 삽입되지 않는다면 평소 사용하는 기관절개관보다 한 치수 작은 기관절개관을 삽입해야 하기 때문에 평소에 여분의 기관절개관을 환자 근처에 확보해 두는 것이 매우 중요하다. 환자가 안정되면 새로운 기관절개관으로 교체해야 하는데 제대로 교육을 받지 않은 경우라면 의료인이 시행하도록 한다.

기관절개관이 막혔다고 생각되는 경우

기관절개관이 막히면 인공호흡기가 제공하는 호흡이 잘 전달되지 않으며 카테터를 통한 흡인 시 막힌 부분을 카테터가 잘 통과하지 못하여 가래를 흡인해내기가 어려워진다. 가래의 양이 많고 점도가 진하거나 기관 내 출혈로 인해 혈전이 생기는 경우 기관절개관이 막힐 수 있다. 이 경우에는 새로운 기관절개관으로 즉시 교환하는 것이 필요하다.

기관절개관이 있는 환자에서 호흡곤란이 발생하는 다른 원인으로는 기관절개관과 인공호흡기 또는 산소발생기 간의 연결이 제대로 되지 않은 경우가 있다. 연결이 분리되어 있었다면 앰부백을 이용한 호흡을 시행하여 산소포화도가 상승하는 것을 확인한 후 산소 또는 인공호흡기와 연결해야 한다.

출혈이 있는 경우

기관절개관에서 평소의 분비물 색깔과 다른 선홍색이나 핏빛의 분비물이 확인되는 경우 흡인을 중지하고 병원으로 연락하거나 방문하는 것이 필요하다.

기관절개관으로 음식이 나오는 경우

기관절개관에서 음식이 나오는 경우 만약 유동식을 주입 중이라면 즉시 식이를 중단한 후 기관 내 흡인을 시행하고 산소를 연결한 앰부백으로 충분히 호흡을 시켜줘야 한다. 호흡 곤란 및 청색증이 동반되어 있는 상태에서 앰부백 호흡 후에도 호전되지 않는 경우 119에 연락해야 한다.

■ 참 고 문 헌

1. 재택의료 돌봄제공자 교육매뉴얼. 서울대학교병원. 2021.
2. 중증소아 재택의료 돌봄제공자 교육매뉴얼. 보건복지부. 2019.
3. Sterni et al. Caring for the ventilator dependent child: a critical guide. 2016.
4. Tracheostomy - a surgical guide. Terence Pires de Farias. Springer. 2018.

동아대학교 의과대학 재활의학교실 **강민구**
국립교통재활병원, 서울대학교 의과대학 재활의학교실 **오현미**
국립교통재활병원, 서울대학교 의과대학 재활의학교실 **오병모**

CHAPTER 23

기관절개술 환자의 연하 및 언어 관리

Phonation and Swallowing with Tracheostomy

기관절개술을 시행하게 되는 의학적 상황은 다양하지만, 크게 나누면 상기도 폐쇄(obstruction)에 대한 조치로서 시행하거나, 환기(ventilation) 부전을 보조하기 위해서, 또는 분비물과 음식의 흡인으로부터 기도를 보호(protection)하기 위한 목적으로 나눌 수 있다. 기관절개술을 요하게 된 의학적 문제를 단기간에 쉽게 해결할 수 없는 경우에는 기관절개관을 유지한 채로 살아가야 한다. 기관절개술은 공기의 흐름에 변화를 초래하기 때문에 발성(phonation)에 어려움이 생기며, 후두의 움직임을 저해하고 탈감작(desensitization)을 유발함으로써 연하 기능에도 악영향을 미친다(Seo et al, 2017). 또한, 성문하 양압을 만들기 어렵기 때문에 배변(defecation)도 원활하지 못하다. 환자의 삶의 질을 중요시하는 현대의학의 흐름을 고려할 때, 기관절개술을 받은 환자들의 의사소통 능력과 삼킴(또는 연하)의 문제를 적절히 관리하는 것은 점점 더 중요해지고 있다.

기관절개술 환자의 연하

기관절개술이 연하에 미치는 영향

연하는 구강을 통해 음식물을 섭취하여, 인두와 식도를 거쳐 위로 전달되는 전 과정을 말한다. 이러한 과정은 영양분과 수분을 안전하고 충분하게 섭취하기 위해 매우 중요하며 생명 유지에 필수적이다. 연하장애란 이 과정 중 문제가 발생하는 것을 의미하며 이로 인해 흡인성 폐렴이나 영양실조 및 탈수, 그리고 심할 경우에는 사망에 이를 수도 있다. 보고에 따라 발생률은 다르지만 기관 삽관 환자의 상당수에서 연하장애가 발생하는 것으로 보고되고 있으며(Barker et al, 2009), 이 중에서 기관절개관을 발관한 후까지 연하장애가 지속되는 경우가 40% 에 이른다(Groher and Crary, 2015). 또한 기관절개술을 받은 환자에서도 다양한 연하장애 증상을 호소할 수 있고, 외상성뇌손상, 뇌졸중, 급성 신경병변, 신경근육질환 등의 질환이 동반되는 경우 더욱 심한 장애를 보인다(Shama et al, 2008).

기관절개술 후 연하장애가 발생하는 원인으로는 먼저 기관절개관이 후두 거상에 영향을 미친다는 점을 생각할 수 있다. 기관절개관 기낭(cuff)에 공기를 주입하면 목의 근육과 피부에 기관이 밀착되고 이로 인해 후두의 거상이 어렵게 되고 성문하압 증가에 따른 성문하 압력수용체가 자극되어 연하반사에 변화를 초래할 수 있다(Gross et al, 2003; Leder et al, 2005; Sasaki et al, 1977). 또한 기관절개관 기낭이 식도 벽을 눌러 식도를 압박할 수 있다. 상기도의 기류가 없어지므로 성대내전근의 근력이 저하되어 성대를 닫아주는 반사기능에도 영향을 미치게 되고 성대외전근의 활동도 감소된다(Nash, 1988; Sasaki et al, 1977). 기관절개관이 있을 때 기류의 방향이 바뀌기 때문에 후두의 감각도 저하된다. 또한 장기간 공기의 흐름이 우회되면 인후두 반사도 저하된다(Sasaki et al, 1977). 더불어 상기도로부터 분비물을 제거하기 위한 기침의 효과도 감소하게 된다(Groher and Crary, 2015).

기관절개술 시행 후 여러가지 후유증이 발생할 수 있는데 이로 인해 연하장애가 악화될 수 있다. 기관절개술로 인하여 공기의 흐름이 코와 입을 통해서 전달되지 못하여 후각과 미각이 저하될 수 있으며 기관절개관으로 인한 자극 때문에 타액의 분비가 증가할 수도 있다. 또한 기관절개 부분의 염증이 발생할 수 있고 기관연화증, 기관 협착, 기관식도누공, 또는 후인두벽 조직의 손상이 발생할 수 있다(Groher and Crary, 2015).

기관절개술이 기도흡인의 위험을 증가시키는지에 대해서는 여전히 논쟁의 여지가 있다(Leder et al, 1998). 기관절개술 후 단기간 동안에는 기낭에 공기를 주입함으로써 물리적으로 흡인을 예방할 수 있겠지만(Bone et al, 1974), 장기적으로는 오히려 기도 흡인을 증가시키고(Sharma et al, 2007) 정상적인 후두반사의 손상도 유발될 수 있다고 알려져 있다(Sasaki et al, 1977).

따라서 기관절개술을 유지하는 동안은 물론 발관 후에도 흡인 여부를 주기적으로 검사하는 것이 필요하다. 만약 기도 흡인이나 연하장애가 의심된다면 비위관 또는 위조루술(gastrostomy)을 통하여 영양을 충분히 공급하는 것이 중요하다. 기저질환과 악화된 건강상태로 인해 기관절개술을 시행받고, 다시 기관절개관으로 인해 연하 기능이 악화되어 흡인성 폐렴으로 이어져 전신상태가 다시 악화되는 악순환을 예방해야 하기 때문이다.

연하 안전성 평가: 선별검사 및 정밀검사

연하기능에 대한 평가는 선별검사와 정밀검사로 분류할 수 있다(표 23-1). 고위험 환자를 선별하기 위한 목적으로 다양한 선별검사가 개발되었으며, 널리 사용되는 선별검사로는 수정 물마시기 검사(modified water swallow test)가 있다. 사용하는 물의 양은 3 mL, 30 mL, 90 mL로 모두 다양하다. 기관절개술 환자를 위해 개발된 선별검사 중에는 착색검사(blue dye test)가 있다(Linhares Filho et al, 2019). 정밀검사로는 비디오투시연하검사와 연하내시경 검사가 있으며, 두 검사 모두 비슷한 정도의 민감도와 특이도를 가지는 것으로 보고되고 있다.

표 23-1. 연하장애에 대한 선별검사 및 정밀검사

종류	방법	시행방법	의의
선별 검사	반복 침 삼키기 검사	구강 안을 적신 뒤에 30초 동안 최대한 많은 회수를 삼키도록 한다. 30초 동안 2회 이하는 비정상	수의적인 연하를 반복할 수 있는 능력을 평가한다. 흡인의 위험과 상관관계가 있다.
선별 검사	수정 물마시기 검사	3 mL 의 물을 한 번에 삼킨다. 사례 들지 않고 삼킬 수 있으며, 젖고 쉰 목 소리나 호흡의 변화가 없으면 정상이며, 그 밖에는 연하장애가 의심되거나 비정상으로 판단한다.	90 mL 정도를 사용하는 원래의 검사법에 비해 안전하다.
선별 검사	연하유발검사	비강에서 좁은(8 Fr 이하) 튜브로 중인두에 물을 소량(0.4 mL) 주입하여, 연하반사가 일어나기 까지의 시간을 측정한다. 3초 이상은 지연된 것으로 판정한다.	심한 구강통과시간 지연 등과 같은 구강기의 장애를 배제하고, 인두기의 연하기능만 평가할 수 있다.
선별 검사	착색검사 (blue dye test)	구강에 메틸렌블루 또는 트리판 블루 등의 색소를 넣어 절개술을 받은 부위로 새는지를 관찰한다. 2-3분 이내에 절개술 받은 부위(tracheostoma)에서 색소가 나오면 비정상으로 판단한다.	기관절개술을 받은 환자에서 흡인여부를 간편하게 판단할 수 있다.

종류	방법	시행방법	의의
정밀 검사	비디오투시연하검사	밥, 죽, 음료 등 다양한 실제 음식에 바륨을 혼입하여 먹도록 하고, 방사선투 시장비를 사용하여 구강과 인두 및 식도를 관찰한다.	삼킴장애를 평가하는 표준검사로 받아들여지고 있다.
정밀 검사	연하내시경검사	밥, 죽, 음료 등 다양한 실제 음식에 바륨을 혼입하여 먹도록 하고, 비강을 통해 삽입한 내시경을 통해 연하 전후에 인후두를 관찰한다.	비디오투시연하검사와 유사한 민감도와 특이도를 보이는 것으로 알려져 있다.

기관절개술 환자에서 발생한 연하장애의 치료

연하장애의 치료 목표는 환자의 기도를 안전하게 확보하고 영양과 수분을 충분히 공급하는데 있다. 또한 먹는 즐거움을 다시 찾을 수 있게 하는 것도 삶의 질을 위해 매우 중요한 치료 목표 중 하나이다. 기관절개술은 단일질환군이 아닌 다양한 질환군에서 시행하기 때문에 연하장애의 증상이 다양하며, 동반된 질환에 따라 연하장애의 중증도가 달라진다. 기관절개술 환자에서의 연하장애의 재활 치료는 장애에 대한 정확한 평가에 기반하여 개인맞춤형으로 이루어진다. 연하장애 재활치료는 신체 기능 회복을 위한 촉진 및 운동기법 등의 회복적 접근(restorative approach)과 남아있는 장애에 대한 보상기법을 교육하는 보상적 접근(compensatory approach)도 포함한다. 또한 궁극적으로 환자의 심리적, 사회적 접근이 필요하다. 먹지 못하는 상황이 왔을 때 환자는 우울감과 좌절감을 느낄 수 있으며 삶의 질도 떨어지기 때문이다. 임상 현장에서는 이와 같은 다양한 접근법들을 조합하여 환자에게 가장 적절한 치료를 제공하기 위해 노력하고 있다.

— 회복적 접근

감각 자극

기관절개술을 가진 환자들에서 미각과 후각이 저하되어 있는 경우가 많기 때문에, 한랭 자극을 비롯한 온도 자극과 다양한 미각 및 후각 자극 등의 감각 자극이 도움될 수 있다. 한랭 자극은 가장 대중적으로 적용 가능하며 이는 구강 및 인두기 움직임의 속도를 향상시키고 지연된 인두 연하 반응을 촉진시킬 수 있다. 온도촉각자극법은 후두경이나 금속 설압자를 얼음물에 10초간 담근 후 양측 구협궁을 수직 방향으로 문지른 후 삼킴을 시도하는 방법이다(de Lama Lazzara et al, 1986). 그 밖에도 신맛, 매운맛 등의 음식은 혀와 연구개의 압력을 증가시켜 인두 삼킴 반사를 촉진하고 연하 속도를 빠르게 하는 효과가 있다(Krival and Bates, 2012).

운동요법

연하장애 환자에서 다양한 연하 운동이 도움이 된다. 구순, 혀, 턱의 운동 기능뿐만 아니라 연하 시 후두 거상이나 상부식도괄약근의 개대(opening)도 근력강화운동을 통해 호전시킬 수 있다.

① 혀운동

혀의 운동법은 크게 혀의 운동범위를 넓혀주는 운동, 저작과 운동 조절 능력을 향상시키는 운동, 근육 강화 운동 및 설근부 후퇴 운동(tongue base retraction exercise) 등이 있다.

운동성 강화를 위하여 최대한 힘을 주어 전방, 측방 및 상방으로 혀를 전위시킨다. 저작과 운동 조절 능력을 증대시키기 위해서 작은 막대기를 혀 위에 올려놓고 혀를 이용하여 이를 경구개 하면에 밀착시키는 운동, 좌우로 움직이는 연습과 상후방으로 밀어 넣는 운동을 반복한다. 혀근육을 강화하는 운동은 아래 입술을 설첨을 사용하여 강하게 미는 운동, 혀로 협부를 밀면서 손가락을 협부 외측에서 압박하는 운동과 설압자로 혀를 위에서 아래 방향으로 누르면서 혀에 힘을 주어 상방으로 밀어내는 운동을 실시한다. 설근부의 운동성이 떨어진 경우 노력 연하(effortful swallow), 혀를 치아 사이에 가볍게 문 상태로 침을 삼키는 운동(Masako maneuver)과 하품을 하듯이 혀를 최대한 후방으로 당기는 운동을 시행한다.

② 후두 거상

후두 거상 기능을 향상시키기 위해서 멘델슨법(Mendelsohn maneuver)과 가성발성법(falsetto voice)을 사용할 수 있다(아래 보상적 접근법 중 '수기' 부분 참조).

③ 기도보호운동

보상적 방법으로 사용되는 성문상연하와 최대성문상 연하법도 운동치료의 일환으로 사용할 수 있다(아래 보상적 접근법 중 '수기' 부분 참조).

④ 두부거상운동(head elevation exercise, Shaker exercise) (그림 23-1)

두부거상운동은 설골 상부의 피대근(strap muscles)을 강화시켜 후두의 거상 및 전방 전위를 극대화시킴으로써 윤상인두괄약근의 개방을 유도하고 하인두 내의 식괴 내압을 감소시키는 운동으로, 상부식도괄약근의 이상으로 인한 흡인과 이상와의 잔류물이 있는 환자에서 연하기능을 향상시킬 수 있다. 방법은 앙와위에서 어깨를 침대에 댄 상태로 고개만 들어 환자에게 자신의 발가락을 쳐다보도록 지시한다. 고개를 든 상태를 1분간 유지하는 등척성 운동(isometric exercise)와 짧은 시간 내에 들었다 놓는 운동을 반복하는 등장성 운동

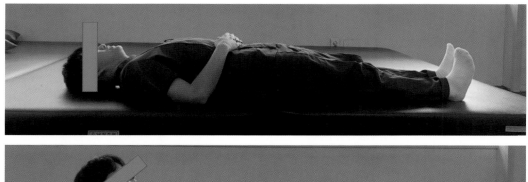

그림 23-1. 두부거상운동(Shaker Exercise)

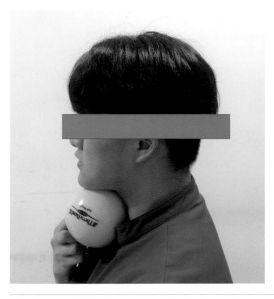
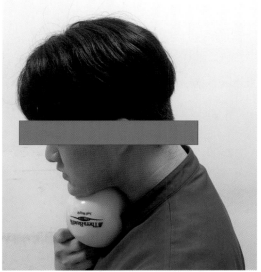

그림 23-2. 두부거상운동의 대체 방법인 저항성 턱당기기 운동

(isotonic exercise)으로 구성된다. 그러나, 전경부 근력이 매우 약하여 원래의 방법대로 훈련을 하기 어려운 경우가 많기 때문에, 이러한 제한점을 보완하기 위해 저항성 턱당기기 운동(chin tuck against resistance) 프로토콜이 소개되었다(그림 23-2).

전기자극

전기자극 치료 중 가장 널리 사용되고 있는 경피적 전기자극 치료기기인 바이탈스팀(VitalStim®)은 1997년에 처음 소개되었으며 2001년에 연하장애 환자들을 대상으로 한 치료기기로 FDA 승인을 받은 바 있다(그림 23-3). 피부에 전극패치를 부착하여 경부근육, 특히 피대근을 자극함으로써 후두를 거상시키는 근육들을 강화시키고 근위축을 예방하는 효과를 가져온다. 기존의 운동법만을 시행하는 것과 비교할 때 효능이 뛰어나다는 보고도 있으나 아직은 효과에 대한 논란의 여지가 있다. 뇌졸중, 신경퇴행성 질환, 근위축질환 등으로 발생한 연하장애에서 후두 거상근 기능을 호전시킨다. 인두전기자극(pharyngeal electrical stimulation, PES)은 비위관 외면에 설치된 전극을 통해 윤상인두근 높이의 점막에 전기 자극을 주는 방법이다(Restivo and Hamdy, 2018). 인두전기자극이 기관절개 환자에서 발관하는데까지의 기간을 단축하는 데에 도움이 된다고 알려져 있으며, 또한 뇌졸중 등 신경 질환으로 인한 연하장애에서 도움될 것으로 기대하여 활발한 연구가 이루어지고 있다.

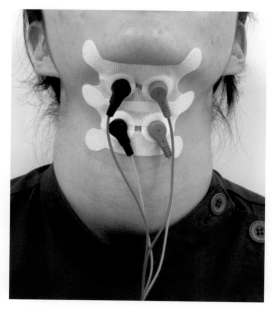

그림 23-3. 경부전기자극치료(VitalStim®)시 전극 부착 위치

신경조절술(neuromodulation)

비침습적 뇌 자극(non-invasive brain stimulation)에는 반복적 경두개 자기자극(repetitive transcranial magnetic stimulation, rTMS), 경두개직류자극술(transcranial direct current stimulation, tDCS), 짝지은 연관자극(paired associative stimulation, PAS) 등이 있다. 뇌졸중 후 발생한 연하장애 환자에서 고빈도 rTMS를 건측 대뇌 부위에 적용하여 연하기능을 향상시킬 수 있다고 알려져 있고 치료 직후 기능향상이 보였으며 이 효과는 2개월까지 지속되었다. PAS의 경우 rTMS 또는 tDCS 등의 뇌 자극과 함께 말초 근육에 전기 자극을 시행하는 것이다.

– 보상적 접근

자세 변화

적절한 기본 자세는 근육의 긴장도를 정상화시키고 얼굴 근육의 기능을 강화시키며 올바른 턱과 혀의 움직임을 이끌어낼 수 있다. 먼저 골반과 무릎을 90도로 유지하고 발목은 배측으로 굴곡시킨다. 가장 손쉽게 시도될 수 있는 치료법인 자세 변화를 통해 생리학적 또는 구조적 원인에 의한 연하장애에서 기능을 호전시킬 수 있다. 이를 위해서는 사전에 비디오투시연하검사 등을 통해 연하 장애의 병태생리를 파악하고 흡인의 정확한 원인을 파악해야 한다.

① 턱 당기기(chin tuck)

인두반사가 지연된 경우에 턱을 아래쪽으로 당기면 후두개곡 공간은 확장되고 기도 입구는 좁아지기 때문에, 기도를 보호하고 흡인을 방지할 수 있다. 또한 턱 당기기를 통해 설 기저부를 인두벽쪽으로 밀어주기 때문에 연하의 효율이 향상될 수 있다.

② 고개 돌리기(head rotation)

윤상인두근 이완부전이 동반된 편측 인두 위약이 있을 때, 수축력이 약한 쪽으로 고개를 돌려 약한 쪽의 삼킴 통로를 좁히고 지지해 줌으로써, 연하 시 인두내압을 증가시키고 윤상인두근의 이완을 호전시킬 수 있다.

③ 고개 기울이기(head tilting)

건측으로 머리를 기울여 편측 인두 또는 혀의 위약이 있을 경우 음식물이 건측 인두벽을 따라 내려가도록 유도할 수 있다.

연하 수기

연하기능을 호전시키는 수기(maneuver)에는 설근부 또는 인두벽의 움직임이 감소되었을 때 활용할 수 있는 노력연하법(effortful swallow), 성문폐쇄 감소 또는 지연, 혹은 인두 연하반사의 지연이 있을 때 도움되는 성문상 연하법(supraglottic swallow), 후두상승 저하 시 상승을 촉진시키는 멘델슨법(Mendelsohn maneuver), 기도 입구 폐쇄 저하일 시 적용 가능한 최대성문상 연하법(super-supraglottic swallow) 등이 있다.

노력연하법은 설근부의 수축력이 감소되었을 때 혀와 인두 근육에 힘을 주어 삼킴으로써 설근부의 근육 수축을 증가시킨다. 성문상 연하법은 성문폐쇄가 감소 또는 지연되었거나 인두 연하반사의 지연이 관찰되는 경우, 호흡을 참은 상태로 식괴를 삼킨 직후에 일부러 가볍게 기침을 하여 흡인을 방지하는 방법이다. 멘델슨법은 연하과정에서 후두의 운동성이 저하되어 있거나 윤상인두괄약근의 개방이 저하된 경우 후두 상승의 정도와 시간(duration)을 증가시키는 방법이다. 연하과정 중 후두의 상승이 일어날 때 쥐어 짜는 느낌을 유지하여 후두의 상승을 수 초간 유지시켜준다. 최대성문상 연하법은 기도입구 폐쇄가 저하되어 있을 때 사용할 수 있는 보상법이며, 호흡을 멈추고 유지하면서 발살바 수기를 사용하여 힘을 더 줘서 후두 입구부를 완전히 폐쇄한 이후에 연하를 개시하는 방법이다.

표 23-2. **연하 수기**

연하 수기 Swallowing Maneuver	연하장애 원인
노력연하법 Effortful swallow	설기저부의 인두벽 쪽 움직임 감소
멘델슨법 Mendelsohn maneuver	후두상승 저하, 연하과정의 부조화
성문상 연하법 Supraglottic swallow	성문폐쇄 감소 혹은 지연, 인두 연하반사의 지연
최대성문상 연하법 Super-supraglottic swallow	기도입구 폐쇄 저하

식사 조정

연하장애의 원인을 파악하여 식사의 성상을 변화시킴으로써 구강, 인두 및 후두의 조절을 돕는다. 혀의 움직임이 저하되어 있는 경우, 인두로 음식물이 이동하기 어렵기 때문에 비교적 점도가 낮은 액상식으로 조절한다. 후두 폐쇄가 적절하지 않거나 인두 연하반사가 지연된 환자에서는 식이의 점도를 높여 연하 전 흡인(pre-swallow aspiration)을 줄일 수 있다. 설근부와 인두 벽의 수축력이 감소된 경우나 후두 거상과 윤상인두괄약근의 개대가 부적절한 경우에는 후두개곡과 이상와에 음식 잔류물이 남는 경향이 있기 때문에, 잔류가 적은 액상식이 도움이 될 수 있다.

연하기능 호전을 위한 재활훈련은 실제 음식을 삼키며 훈련하는 직접훈련과 음식을 사용하지 않는 간접 훈련으로 나눌 수 있다. 진득한 식괴나 껌 등을 이용하여 혀의 움직임을 유도할 수 있는데 구강의 조절이 어려워 본인도 모르게 식괴가 인두로 들어갈 위험이 있는 환자의 경우에는 간접 훈련을 시행하게 된다. 기관절개술을 시행한 환자에서 식사를 시작할 때, 일반적으로 점도가 증가할수록 기도 흡인의 위험이 감소하므로 점도증진제를 섞어 점도를 증가시킨 유동식으로 식이를 시작하고, 잔여물의 양을 확인하면서 점도를 조절할 수 있다. 하지만 점도가 지나치게 높을 경우에는 인두의 잔류물이 오히려 증가될 수도 있으므로 비디오투시연하검사 등 검사를 통해 식이 단계를 결정하는 개별적인 접근이 필요하다.

기관절개술 후 발성 밸브(speaking valve)를 사용하거나 기관절개술 앞의 구멍을 막는 효과에 대해서는 아직 의견이 분분하다. 그러나 두경부암 수술 후 기관절개관을 막지 않은 경우에 기도 흡인이 증가하기 때문에, 손가락 등을 이용하여 폐쇄하거나 발성 밸브를 사용하는 것이 삶의 질을 높여줄 뿐만 아니라 연하에 도움이 된다는 연구도 있다(Gross et al, 2003; O' Connor et al, 2019; Sharma et al, 2007).

기관절개술 환자의 발성

발성 가능성 및 안전성에 대한 평가

발성을 위해서는 성문을 통과하는 공기의 흐름이 필요 조건이기 때문에 기낭의 탈기(de-ballooning)가 가능한지를 면밀하게 검토해야 한다. 기낭은 양압 환기를 유지하고 분비물 또는 음식의 흡인을 막는 두 가지 기능을 하고 있다. 따라서 발성을 시도하기 위해 기낭에서 바람을 제거하기 전에, 해당 환자에게 양압환기가 반드시 필요한지, 필요하다면 지속적으로 사용해야 하는지 간헐적으로 필요한지, 그리고 기도분비물이나 음식물의 흡인에 대해서 안전한지 여부를 확인해야 한다.

발성 회복을 위한 접근

발성은 성대의 진동에 의해서 만들어지는데 성대를 진동시키기 위해서는 성문하 압력(subglottic pressure)이 필요하다. 성대가 닫혀 있는 동안 호흡근에 의하여 성문하 압력이 만들어지고, 점차 상승하는 성문하 압력이 성대 사이의 근탄성 장력(myoelastic tension)을 초과하면 닫혀있던 성대를 열고 후두를 향하는 기류를 만들어낸다(Jiang, 2008). 성대 사이의 좁은 틈을 통과하는 빠른 기류는 베르누이 효과(Bernoulli effect)에 의해 성대 사이의 압력을 저하시키고 다시 성대를 닫히게 한다. 성대의 열림과 닫힘의 반복에 의해 발생하는 성대의 진동이 목소리를 만들어 내고 의사소통을 가능하게 한다. 따라서 성문하 압력의 회복이 발성의 회복을 위해 필요하다. 기관절개술을 받은 환자들은 기관절개관을 통해 기류가 빠져나가기 때문에 성문하 압력이 대기압과 비슷하게 유지되고 성문하 압력을 양압으로 만들어 내기가 어려우며 발성이 되지 않는다. 아래에서 살펴볼 방법들은 기관절개관의 입구를 통해 호기가 빠져나가는 것을 막아 성문하 압력을 회복시키고 성대와 후두를 향하는 기류를 만들어 발성을 가능하게 한다는 공통점이 있다.

인공호흡장치를 사용하지 않는 환자에서 발성

손가락으로 막기(Digital occlusion)

기낭이 없는 기관절개관을 사용중이거나, 기관절개관 기낭의 공기를 완전히 제거한 상태의 환자에게 시행할 수 있는 방법이다. 멸균 장갑을 착용한 손가락으로 기관절개관의 입구를 가볍게 막아서 공기가 기관절개관을 통해 빠져나가는 것을 막아준다. 그러면 공기는 기관절개관의 주위를 따라서만 위아래로 이동하게 된다. 이에 따라 일시적으로 성문하 압력이 회복되고 기류가 성대를 지나게 되면서 발성이 가능해진다.

기낭이 팽창되어 있는 상태에서는 기관절개관의 주위를 따라 공기가 이동할 수 없으므로 이때에는 손가락으로 막기를 시도해서는 안 된다(그림 23-4). 기낭이 팽창

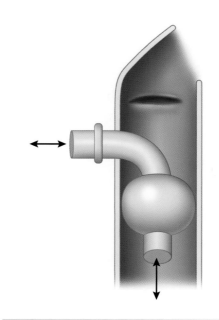

그림 23-4. 기낭을 팽창시킨 기관절개관에서 흡기와 호기 시 기류

되어 있는 환자에게 손가락으로 막기를 시도하기 위해 기낭의 공기를 제거하려고 한다면 우선 기낭 상방과 상부 기도에 고여있는 객담을 제거한 후에 기낭을 수축시키는 것이 안전하다. 따라서 흡인 포트(별도의 포트가 있는 기관절개관일 경우)나 흡인카테터를 이용하여 객담과 분비물을 먼저 제거해준다. 이때, 기낭의 공기를 완전히 제거했다고 하더라도 수축된 기낭 자체의 부피가 기관절개관 주위를 통한 공기의 흐름을 방해할 수 있다는 사실에 주의해야 한다. 또한, 기관절개관 내경이 너무 크다면 기관절개관 주위의 공간이 충분하지 않아 공기의 흐름이 원활하지 않고 이로 인해 호흡이나 발성에 어려움이 있을 수 있다. 이러한 경우에는 내경이 좀 더 작은 기관절개관으로 교체하면 도움이 될 수 있다.

마개로 막기(Capping)

마개를 사용하여 기관절개관의 입구를 막는 방법이다. 손가락으로 막기는 발성 시에만 일시적으로 기관절개관의 입구를 막아 잠시 발성을 가능하게 하는 방법이지만 마개로 막는 것은 지속적으로 기관절개관을 통한 공기의 흐름을 차단한다는 차이점이 있다. 따라서 마개로 막는 방법은 기낭이 없는 기관절개관을 사용중인 환자에게만 시도해야 한다. 기낭이 있는 기관절개관의 경우 기낭에서 공기를 모두 제거한 상태라고 하더라도 수축된 기낭 자체의 부피가 공기의 흐름을 방해하여 호흡이 원활하지 않고 객담을 제대로 배출하지 못할 수 있기 때문이다. 이러한 이유로 흡인의 위험이 높아 기낭이 있는 기관절개관을 사용해야 하는 환자에서는 마개로 막기를 시도하지 않는다.

일반적으로 손가락으로 막기를 먼저 시도해 보고 호흡과 발성이 원활하다면, 그 다음 단계로 마개로 막기를 시도하게 된다. 이때 호흡이 불편해진다면 기관절개관 주위의 공간이 충분하지 않거나 기관에 협착이 있을 수 있다는 사실을 기억해야 한다. 이러한 경우에는 우선 기관의 협착이나 육아조직(granulation tissue) 형성 여부 등을 확인할 필요가 있고, 병변이 없다면 기관절개관을 작은 사이즈로 바꿔 기관절개관 주위 공간을 확보해 보는 것이 도움이 될 수 있다.

개창이 있는 기관절개관(Fenestrated tracheostomy tube)

개창(또는 측공)이 있는 기관절개관이란 기관절개관의 굴곡 부위의 상방에 구멍이 뚫린 형태의 기관절개관을 의미한다. 이러한 기관절개관을 사용하면 기관절개관 주위를 통한 공기의 흐름 외에 기관절개관에 뚫려 있는 창을 통한 공기의 흐름이 추가적으로 발생하기 때문에 성대를 통과하는 기류가 더욱 증가하여 기침과 발성이 용이해진다(그림 23-5).

개창이 있는 기관절개관에는 단관 형태와 이중관 형태가 있는데 이중관의 경우 외관에는 창이 있는 형태를 사용하고 내관의 경우 창이 있는 내관과 창이 없는 내관을 선택 적으로 사용할 수 있다. 객담이 많아 흡인 을 자주 시행하는 환자에게는 창이 없는 내관을 사용하는데, 창이 있는 내관을 사 용하면 흡인 카테터가 창에 걸릴 수 있기 때문이다. 이중관을 사용하는 환자에게서 흡인의 위험이 줄어들었다면 발성을 원활 하게 하기 위해서 창이 있는 내관을 사용 하거나, 내관을 제거하고 창이 있는 외관 만 사용해 볼 수 있다.

개창이 있는 기관절개관을 사용할 때는 관을 기도의 중앙에 정확하게 위치시키는 것이 매우 중요하다. 중앙에 위치시키지 못할 경우 창이 기관의 전벽이나 후벽과 접촉하여 창 내부로 육아조직(granulation tissue)이 형성될 수 있어 주의가 필요하다.

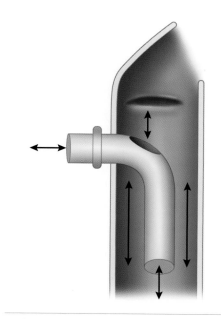

그림 23-5. **개창이 있는 기관절개관에서 흡기와 호기 시 기류**

발성 밸브(Speaking valve)

발성 밸브는 단방향 밸브의 형태로 공 기의 흐름을 한 방향으로만 허용하는 기 능을 갖는다. 즉, 기관절개관 외부의 공기 가 발성 밸브를 통과하여 기관절개관 안 으로 들어가는 것은 가능하나 공기가 발 성 밸브를 통과하여 기관절개관 외부로 나가는 것은 막아준다(그림 23-6). 따라서 흡기 시에는 공기가 외부에서 기관절개관 을 통해 기관으로 들어가는 것과, 코와 입 을 통해 성대를 지나 기관으로 들어가는 것이 모두 가능하나, 호기 시에는 공기가 기관절개관을 통해 나가지는 못하고 성대 와 상부 기도를 통해서만 나가게 되므로

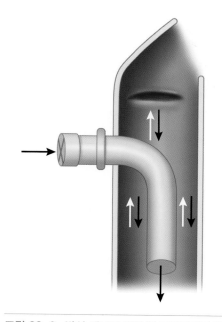

그림 23-6. **발성 밸브를 적용한 기관절개관에서 흡기 와 호기 시 기류**

성문하 양압이 만들어지고 기침과 발성이 용이해진다. 발성 밸브를 사용하고 있는 중에 호흡 곤란이 발생하면 환자나 보호자가 발성 밸브를 즉시 제거할 수 있도록 제거하는 방법을 미리 교육해야한다.

발성 밸브를 적용하기 전에 발성 밸브의 사용이 안전할지 그리고 발성이 나아질지 미리 확인해 볼 수 있는 방법이 있다. 손가락으로 막기를 호기에만 시행해 보는 것이다. 흡기 시에는 기관절개관 입구를 막지 않고 공기를 들이마시고 호기 시에만 멸균 장갑을 착용한 손가락으로 기관절개관 입구를 막으면 발성 밸브와 유사한 메커니즘으로 호흡과 발성을 시도해 볼 수 있다. 이러한 방법에서 호흡이 불편해진다면 기관절개관의 크기를 작은 것으로 교체하거나 기낭이 없는 기관절개관으로 변경해 볼 수 있다. 동시에 육아조직의 형성이나 기관협착 등의 합병증이 발생하지는 않았는지 평가를 고려한다.

발성 밸브는 발성을 가능하게 할 뿐만 아니라 객담을 감소시키고, 기침 능력을 개선시키며, 후각을 호전시킨다(Manzano et al, 1993). 또한 의사소통이 가능해지므로 불안감이 감소되는 등 심리적인 이점도 가져올 수 있다.

인공호흡장치를 사용중인 환자에서 발성

누출 발성(Leak speech)

인공호흡기를 통해 기관절개관으로 들어오는 공기의 일부를 의도적으로 기낭 상방으로 누출시켜 성대를 통과하게 하여 발성을 가능하게 하는 방법이다. 인공호흡기를 통해 양압 환기를 시행할 때 기관절개관의 기낭에서 바람을 빼면 기관절개관을 통해 주입되는 공기의 일부는 기관을 통해 폐로 들어가지만 일부는 기낭 상방으로 빠져나가 성대를 향하게 된다. 이렇게 상부 기도로 누출되는 공기를 이용하여 발성이 가능해진다.

발성 시 성대를 향하는 공기의 흐름은 인공호흡기가 만들어 주는데 이는 호흡의 주기로 봤을 때 인공호흡기로부터 기관절개관으로 공기가 들어오는 흡기에 해당하는 시기이다. 따라서 정상적인 발성이 일반적으로 호기에 일어나는 것과는 정반대이기 때문에 흡기에 발성을 하는 누출 발성을 위해서는 훈련이 필요하다. 또한 전체 호흡 주기 중 흡기 시기에만 발성이 가능하므로 짧은 발성과 긴 침묵이 반복되는 특징을 가진다.

정상 발성의 경우 폐에서 이미 가스 교환에 사용된 공기를 발성에 사용하는 반면, 누출 발성 시에는 인공호흡기를 통해 주입된 공기를 폐포 환기와 발성에 경쟁적으로 사용하게 된다. 따라서 누출 발성은 상대적인 저환기(hypoventilation)를 유발할 수 있다. 이때 환자는 의식적으로 성문의 저항을 조절함으로써 폐포 환기와 발성 사이의 경쟁을 조절할 수 있다. 성문을 좁히면 누출이 줄어들어 보다 많은 공기가 폐포 환기에 사용되고, 성문을 넓히면 성대를 통해 누출되는 공기의 양이 늘어난다.

개창이 있는 기관절개관(Fenestrated tracheostomy tube)

양압 환기를 효과적으로 유지하기 위해서는 기관절개관의 기낭을 팽창시킬 필요가 있다. 이는 인공호흡기를 통해 주입되는 공기가 기낭 상방으로 빠져나가지 않도록 하기 위함이다. 기낭이 팽창된 상태에서는 기관절개관 주위를 통해 공기가 기낭 상방으로 빠져나가지 못하고 기관절개관 내부를 통해서 공기가 이동한다. 이때 개창이 있는 기관절개관을 사용하면 호기 시에 기관절개관 창을 통해 성대를 향하는 기류가 만들어져서 발성이 가능해진다.

개창이 있는 기관절개관을 사용할 때는 기관절개관을 기도의 중앙에 위치시켜 육아조직 형성을 예방해야 한다. 또한 기관절개술 시행 후 초기에 기관루가 아직 성숙하기 전에 개창이 있는 기관절개관을 사용하면 피하기종이 발생할 수 있으므로 시술 후 초기에는 개창이 있는 기관절개관을 사용하지 않도록 한다.

발성 기관절개관(Speaking tracheostomy tube)

발성 기관절개관은 기낭의 상방에 공기 공급 관이 연결되어 있는 기관절개관으로, 외부에서 공기 공급 관을 통해 공기를 주입하면 기낭의 상방에서 성대를 향하는 기류가 발생하여 발성이 가능해진다(Tippett and Siebens, 1995). 객담이 많고 흡인의 위험이 높은 환자들의 경우 기낭을 수축시키거나 개창이 있는 기관절개관을 사용하는 방법은 시도하기 어려운데 이러한 환자들을 위해 고안된 방법이다. 호흡 주기 중 언제라도 환자가 발성을 원할 때 외부의 압축 공기 공급원으로부터 공기 공급 관을 통해 공기를 보내면 성대를 향한 기류가 발생하여 발성이 가능해진다. 공기 공급 관을 통해 공급되는 공기는 인공호흡기와 독립적인 압축 공기 공급원으로부터 지속적으로 제공될 수 있어 이론적으로는 전체 호흡 주기에 걸쳐 발성을 할 수 있다.

발성 기관절개관을 이용한 발성 시에는 외부에서 공급되는 기류로 인한 자극으로 불편감이 유발될 수 있고 기관이나 후두가 건조해질 수 있다. 따라서 공급되는 기류의 유속을 높이기가 어렵고 이로 인해 속삭이는 소리 이상의 음성을 만들어내기가 어려운 단점이 있다. 또한 객담으로 공기 공급 라인이 종종 막히는 단점도 있다.

기관절개술 환자의 발성 회복을 위한 접근

기관절개술 환자에서 발성의 회복은 성문하 압력을 회복시키고 성대를 향하는 공기 흐름을 개선시키는 것에서 시작한다. 인공호흡기를 더 이상 사용하지 않으면서 흡인의 위험이 낮은 환자에서는 우선 기낭을 수축시킨 상태를 유지할 수 있는지 확인하고 가능하다면 기낭이 없는 기관절개관으로 변경하거나 기관절개관의 크기를 점차 작은 것으로 교체해 나간다. 손가락으로 막기를 시도하여 호흡과 발성이 원활하다면 마개로 막기를 시도한다. 만약 손가락으로 막기에서 호흡이 불편해진다면 흡기 시에는 손가락을 떼서 기관절개관을 통한 흡기를 허용하고 호기 시에만 손가락으로 막아서 발성을 시도해본다. 이것이 가능하다면 발성 밸브를 사용해 볼 수 있다. 궁극적으로는 마개로 막기에서 호흡과 발성에 불편함이 없다면 최대 기침 유속 검사와 후두 내시경 검사 등을 시행하고 기관절개관 제거를 고려한다.

기관절개관을 제거할 수 없는 상태의 환자에서는 기침과 발성을 회복시키는 훈련을 시행해 볼 수 있다. 보바스 개념을 기반으로 개발된 Facial-Oral Tract Therapy (F.O.T.T.)는 삼킴, 호흡 및 발성을 치료하는 방법으로 사용되어 왔다. F.O.T.T.에는 기관절개술 환자를 위한 치료 전략이 포함되어 있어 이를 응용하여 발성 회복을 위한 접근 방법으로 적용해 볼 수 있겠다(Nusser-Müller-Busch and Gampp Lehmann, 2021). 다음은 발성을 회복시키기 위한 준비 단계로서 F.O.T.T.를 이용하는 치료의 예시로, 대상 환자는 인공호흡기는 더 이상 사용하지 않으나 여전히 흡인의 위험이 있어 기낭이 팽창된 기관절개관을 가진 환자이다.

치료는 적절한 자세를 취하는 것으로 시작된다. 환자로 하여금 앉은 자세에서 상체를 앞으로 약간 기울이고 목을 약간 굴곡시켜 턱이 가슴을 향하게 한다. 이러한 자세는 분비물이나 침이 입 밖으로 흘러나오게 하여 치료 중 흡인의 위험을 줄여준다. 적절한 자세를 취했다면 칫솔과 젖은 거즈 등을 이용하여 구강과 비강의 분비물을 제거하는 등 위생관리를 시행한 후에 흡인 포트나 흡인카테터를 이용하여 기낭 상방의 분비물을 제거해준다. 이후에는 치료사가 양손을 이용하여 흉곽의 외측에 압력을 주면서 호기를 보조하여 분비물을 끌어올리고 다른 간호 인력이 흡인카테터를 이용하여 기관절개관 내에서 흡인을 시행한다. 이때 흡인은 환자의 호흡 주기 중 호기에 시행하고, 카테터는 기관절개관 내부나 바로 아래 정도까지만 삽입하여 과도한 자극을 피하도록 한다. 흡인 후에는 기낭의 공기를 제거하여 성대와 상부 기도를 통하는 호기 기류를 만들어낸다. 이후 치료사가 흉곽 외측에 압력을 주면서 환자의 호흡을 보조하는 동안 다른 간호 인력은 환자의 호기에 맞추어 손가락으로 기관절개관의 입구를 막아 상부 기도를 통한 호기 기류를 증가시킨다. 기관절개관의 입구를 막을 때 압력을 줘서 관 자체를 누르게 되면 불필요한 자극을 유발할 수 있으므로, 입구만 부드럽게 막도록 한다. 이렇게 환자가 보조 호기를 하는 동안 손가락으로 막기를 시행하면서 환자에게 기

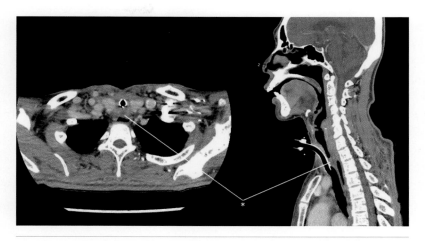

그림 23-7. 기관절개관 말단부 높이의 기관후벽에 육아조직 형성(*)**이 관찰되는 기관절개술 환자의 경부 전산화단층촬영(CT) 소견.** 이러한 환자에서는 손가락이나 발성 밸브 또는 마개를 사용하여 발성을 연습하기 어렵다.

침을 하거나 발성을 하도록 지시하면서 분비물을 제거하고 발성을 시도하는 훈련을 반복한다.

　기관절개술 환자를 관리하는 동안 호흡과 발성의 회복을 저해할 수 있는 육아조직의 형성과 기관 협착의 발생에 주의해야 한다. 개창이 있는 기관절개관이 기도의 중앙에 위치하지 않고 창이 기관의 벽에 접촉한 경우나 기관절개관의 말단부가 기관 벽에 접촉한 경우 육아조직의 형성 위험을 높일 수 있다(그림 23-7). 또한 기낭의 압력이 과도할 경우 기관 점막의 허혈을 발생시키고 점막 부종과 궤양을 일으킬 수 있다. 궤양이 악화되면서 이차적으로 감염이 발생하고 이후 회복되는 과정 중에 육아조직이 형성될 수 있다. 따라서 기관절개술 환자를 관리할 때 기관절개관 기낭의 압력을 과도하게 높이지 않도록 주의해야 한다. 또한 기관절개관을 기도의 중앙에 적절하게 위치시켜서 기관절개관의 말단부가 기관 벽에 접촉하지 않고, 개창이 있는 기관절개관의 경우 창이 기관 벽에 접촉하지 않게 해야 한다.

■ 참고문헌 ■

1. Barker, J., Martino, R., Reichardt, B., Hickey, E. J., & Ralph-Edwards, A. Incidence and impact of dysphagia in patients receiving prolonged endotracheal intubation after cardiac surgery. Canadian Journal of Surgery 2009;52(2): 119.
2. Bone, D. K., Davis, J. L., Zuidema, G. D., & Cameron, J. L. Aspiration pneumonia: prevention of aspiration in patients with tracheostomies. The Annals of thoracic surgery1974;18(1):30-7.

3. de Lama Lazzara, G., Lazarus, C., & Logemann, J. A. Impact of thermal stimulation on the triggering of the swallowing reflex. Dysphagia 1986;1(2):73-7.

4. Groher, M., & Crary, M. Dysphagia: Clinical Management in Adults and Children. Mosby. 2015.

5. Gross, R. D., Mahlmann, J., & Grayhack, J. P. Physiologic effects of open and closed tracheostomy tubes on the pharyngeal swallow. Annals of Otology, Rhinology & Laryngology 2003;112(2):143-52.

6. Jiang, J. Physiology of voice production: how does the voice work? In The Singer's Voice (pp. 22-23). Plural Publishing, San Diego. 2008.

7. Krival, K., & Bates, C. Effects of club soda and ginger brew on linguapalatal pressures in healthy swallowing. Dysphagia 2012;27(2):228-39.

8. Leder, S. B., Joe, J. K., Ross, D. A., Coelho, D. H., & Mendes, J. Presence of a tracheotomy tube and aspiration status in early, postsurgical head and neck cancer patients. Head & Neck: Journal for the Sciences and Specialties of the Head and Neck 2005;27(9):757-61.

9. Leder, S. B., Ross, D. A., Burrell, M. I., & Sasaki, C. T. Tracheotomy tube occlusion status and aspiration in early postsurgical head and neck cancer patients. Dysphagia 1998; 13(3):167-71.

10. Linhares Filho, T. A., Arcanjo, F. P. N., Zanin, L. H., Portela, H. A., Braga, J. M., & da Luz Pereira, V. The accuracy of the modified Evan's blue dye test in detecting aspiration in tracheostomised patients. J Laryngol Otol 2019;133(4):329-32. https://doi.org/10.1017/S0022215119000471

11. Manzano, J. L., Lubillo, S., Henríquez, D., Martín, J. C., Pérez, M. C., & Wilson, D. J. Verbal communication of ventilator-dependent patients. Critical care medicine 1993;21(4): 512-17.

12. Nash, M. (1988). Swallowing problems in the tracheotomized patient. Otolaryngologic Clinics of North America 1988;21(4):701-9.

13. Nusser-Müller-Busch, R., & Gampp Lehmann, K. Facial-oral tract therapy (FOTT). Springer. 2021.

14. O'Connor, L. R., Morris, N. R., & Paratz, J. Physiological and clinical outcomes associated with use of one-way speaking valves on tracheostomised patients: A systematic review. Heart Lung 2019;48(4):356-64. https://doi.org/10.1016/j.hrtlng.2018.11.006

15. Restivo, D. A., & Hamdy, S. Pharyngeal electrical stimulation device for the treatment of neurogenic dysphagia: technology update. Medical Devices (Auckland, NZ) 2018;11:21-6.

16. Sasaki, C. T., Suzuki, M., Horiuchi, M., & Kirchner, J. A. The effect of tracheostomy on the laryngeal closure reflex. The Laryngoscope 1977;87(9):1428-33.

17. Seo, H. G., Kim, J. G., Nam, H. S., Lee, W. H., Han, T. R., & Oh, B. M. Swallowing Function and Kinematics in Stroke Patients with Tracheostomies. Dysphagia 2017;32(3):393-400. https://doi.org/10.1007/s00455-016-9767-x

18. Shama, L., Connor, N. P., Ciucci, M. R., & McCulloch, T. M. Surgical treatment of dysphagia. Physical medicine and rehabilitation clinics of North America 2008;19(4):817-35.

19. Sharma, O. P., Oswanski, M. F., Singer, D., Buckley, B., Courtright, B., Raj, S. S., Waite, P. J., Tatchell, T., & Gandaio, A. Swallowing disorders in trauma patients: impact of tracheostomy. The American Surgeon 2007;73(11):1117-21.

20. Skoretz, S. A., Flowers, H. L., & Martino, R. The incidence of dysphagia following endotracheal intubation: a systematic review. Chest 2010;137(3):665-73.

21. Tippett, D. C., & Siebens, A. A. Preserving oral communication in individuals with tracheostomy and ventilator dependency. American Journal of Speech-Language Pathology 1995; 4(2): 55-61.

발관 및 기관공 폐쇄술
Decannulation and
Tracheostoma Closure

울산대학교 의과대학 이비인후과학교실 **정영호**

기관절개술은 구강기관삽관과 비교해서 몇 가지 장점이 있다. 기계환기를 중단하려고 할 때 시간이 적게 걸리는 점, 기류에 걸리는 저항이 적은 점, 기관 내에서 움직임이 적다는 점, 환자가 편하게 느끼고 연하가 수월하다는 점 등이다(Martinez et al, 2009). 그러나 기관절개술을 오랫동안 하고 있으면 여러 가지 합병증(기관이나 후두협착, 출혈, 누공, 감염, 출혈, 흡인 등)을 일으킬 수 있다(Stelfox et al, 2008). 중환자실에서 병동으로 전동 시 기관절개된 상태일 경우 사망률이 더 높다는 보고도 있다. 따라서 적절한 시기에 기관절개관을 제거하는 것이 중환자 재활에 있어서 중요한 단계가 된다. 기관절개관을 오래가지고 있어서 생기는 부작용이나 합병증 때문만이 아니라, 기관절개관을 가지고 생활하는 것은 환자 본인에게는 크나큰 불편함이고 보호자에게는 큰 부담이기 때문에 불필요하게 기관절개 상태나 기관절개관 삽관 상태를 유지하게 해서는 안 된다. 이 장에서는 기관절개술 이후에 기관절개관을 제거할 수 있는 시기, 조건, 방법에 대해서 서술하고, 기관절개공이 막히지 않을 경우에 대처하는 법과 기관공 폐쇄술에 대해서 설명하고자 한다.

발관(Decannulation)

발관은 기관절개관을 제거하여서 정상적이고 생리적인 호흡의 흐름으로 복원시키는 과정이다. 이러한 발관 후에 다시 재삽관 하여야 하는 상황을 맞지 않기 위해서, 즉 성공적인 발관을 위해서는 몇 가지 체크하여야 할 점이 있다. ❶ 진정이나 기계환기가 필요한 상황, ❷ 급·만성 호흡부전, ❸ 기도 폐쇄(부종, 종양, 기타 등등), ❹ 두경부 수술 부위와의 관계, ❺ 양측 성대마비, ❻ 성대나 성문하 협착증 등의 유무를 확인하여서 상기도에 영향을 줄 수 있는 요인에 대해서 사전 평가하여야 한다.

성공적인 발관의 예측인자로는 ❶ 환자의 안정성, ❷ 과도한 분비물이 없을 것, ❸ 기계환기 불필요, ❹ 기관절개관의 기낭(cuff)이 없이도 침이나 분비물을 조절 가능, ❺ 흡인(aspiration)이 없을 것 등이 있다(Pannunzio et al, 1996). 환자는 기낭 압력을 제거하고 기관절개공을 막았을 때, 기도폐쇄나, 기도저항, 호흡곤란 등의 증세가 없이 상기도 호흡이 가능하여야 한다. 또한 호기량은 기침하고 발성하기 충분할 정도의 압력을 만들 수 있어야 한다. 이러한 조건이 갖춰진다면 발관 작업을 시작해 볼 수 있다.

기관절개술의 적응증은 비교적 잘 정립되어 있는 반면에 기관절개관 발관의 원칙이나 기준은 명확하지 않다. 이는 임상적 상황이나 전체 치료 과정이 개개인에 따라 매우 다르기 때문이다. 그래서 발관에 대한 근거자료나 프로토콜 같은 것을 찾기는 어렵다. 그리고, 환자가 처음에 기관절개술을 받게 된 적응증 또한 명확히 알아야 한다. 현재 시점에서 원인이 해결되었는지 확인하는 것이 발관의 시작점이기도 하다(Hernández et al, 2012).

발관에 있어서 가장 기본적인 기준은 24시간 동안 ❶ 기낭 공기를 빼고 견딜 수 있어야 하고, ❷ 폐나 기도의 분비물을 기침을 통해서 입으로 빼낼 수 있어야 하며, ❸ 상기도가 막히지 않아야 하고, ❹ 삼키는 데 문제가 없어야 하고, ❺ 발성 밸브(speech valve) 사용이나 기관절개공을 막아서 말이 가능하여야 하며, ❻ 산소 공급이 필요 없어야 한다(Tobin et al, 2008).

발관 후에 호흡곤란이 생긴다면 막히지 않은 기관절개공으로 다시 기관절개관을 넣거나 기관절개술을 시행하면 되지만, 환자나 의사가 알아채지 못할 정도의 미세한 흡인의 반복에 의해서 흡인성 폐렴이나 호흡부전에 빠질 수 있다. 이를 예방하기 위해서 연하검사를 해 볼 것을 권하는데, Modified Barium Swallow Studies를 시행하거나, 식도촬영을 시행하는 것이 도움이 될 수 있으며, 간단하게는 Blue dye test를 해보는 것을 권한다. Blue dye를 침이나 음식에 섞어서 얼마간의 시간이 지난 후에 blue dye를 기관절개공을 통해서 확인해 봄으로 흡인의 여부를 확인할 수 있다(Santana et al, 2014).

오랜 기간 동안 기계환기를 해오면서 호흡 관련한 근육을 사용하지 않아 발생하는 호흡

근손실도 고려해야 한다. 기관절개술 이전에 비해서 현격히 줄어든 호흡, 연하, 발성 관련 근육량으로 인하여 발성 밸브 사용, 기침을 통해서 분비물을 입으로 배출, 효과적인 삼킴 운동 등이 제한될 수 있다(Mendes et al, 2008). 이러한 근손실로 인한 부적응을 해결하기 위한 제안된 운동방법이 있는데, 기낭 공기를 빼고 잘 지낼 수 있게 되면, 기관절개공을 손으로 막거나 발성 밸브를 장착하고서 하루에 적어도 20분 이상을 연하, 발성, 기침 등을 하면서 잘 견뎌내도록 한다(Frank, 2007). 이런 훈련을 잘 못 견딜 경우는 한, 두 사이즈 작은 튜브를 사용하여서 연습하면 호기 시 저항을 줄여주면서 용이하게 훈련할 수 있다(Fernández-Carmona et al, 2012).

충분한 개별화된 사전 평가 후에 발관을 하였다고 하더라고 예상치 못한 문제가 발생할 수 있으므로 발관 후에 합병증을 예고하는 이상징후가 없는 지 잘 살펴야 한다. 기관 안에 침이나 음식물이 저류, 분비물의 색깔이나 성상의 변화, 발열, 산소포화도 감소, 의식수준 저하, 영상소견의 변화 등을 살피면서 기도의 폐쇄나 흡인으로 인한 폐렴 등의 발생을 예견하여야 한다(Garrubba et al, 2009). 다른 이환된 문제가 없을 경우 기관절개공이 막히고 나서 5-7일이 경과하면 이전의 발성으로 돌아간다.

소아의 발관

소아의 발관 과정은 성인과는 다른데, 기관마다 다양한 프로토콜이 있다(Gray et al, 1998). 3세 이상의 소아는 성인과 비슷한 과정으로 발관을 시행할 수 있다. 성인보다는 기관의 육아종, 기관절개공 주변 육아종, 기관이나 후두 협착 등이 흔하므로 후두 및 기관지 내시경을 통하여 상하기도의 협착부위가 없는지 확인하는 것이 좋다. 기관절개관의 내경을 단계적으로 줄여가면서, 2-3사이즈 정도 줄인 상태에서 기관절개관 구멍을 막고 24시간 정도 잘 지낸다면 발관을 고려할 수 있다.

3세 이하의 소아와 영아는 정상 기도 내경이 좁아서 경미한 협착에 의해서도 기도 폐쇄를 초래하게 되므로 기관절개관의 내경을 줄이고 절개관을 막는 테스트가 불가하다. 따라서 일반적으로 전신마취하에서 현미경과 기관내시경을 이용해서 구강, 인두, 후두, 성문하, 기관절개공, 기관에 협착부위가 없는지 확인되면 바로 발관을 하고 기관절개부위를 밀봉 드레싱 해서 48시간 정도 산소포화도를 측정하면서 환자의 상태를 주의 깊게 관찰한다.

소아에서는 내시경검사를 통해서 충분한 기도가 확인되고 다른 호흡기, 신경계 질환이 없어도 환아가 발관 후에 매우 힘들어 하는 경우가 있다. 이를 삽관 제거 공황(decannulation panic)이라고 한다(Black et al, 1984). 이는 기관절개 상태가 오래 유지되면서 심리적으로 기관절개관에 대한 의존 상태가 되어서 일 수도 있고, 발관 후에 정상 기도에서 사강(dead space)이 증가하여 호흡 부하가 커져서 생기는 것일 수도 있다(Tunkel et al, 1996).

기관절개공 주변 육아조직(Peristomal granulation tissue)

기관절개관을 유지하는 과정에서도 기관절개공 주변의 육아조직이 튜브 교환을 어렵게 하거나 기관절개관 사용이나 교환 시에 출혈, 기도 폐쇄 등을 일으켜서 문제를 일으키는 경우가 많지만, 표준적인 발관 평가 과정을 거쳐서 발관하여도 기관절개공 주변의 육아조직이 문제를 일으킬 수 있어서 이에 대한 적절한 조치가 필요하다. 육아조직은 기관절개공 직상방 기관 전벽에 대부분 발생하여 기관절개관과 기관의 마찰로 발생해서 만성염증, 연골염, 세균감염, 등의 소견을 나타낸다(Gupta et al, 2004).

대부분의 육아조직은 크기가 작아서 발관에 문제가 되지 않지만, 크기가 큰 경우 흡기 시 기도를 막기도 하기 때문에 제거가 필요할 수 있다. 이러한 육아조직을 제거하는 방법으로 수술도구, CO_2 나 ND:YAG 레이저, microdebrider 등을 사용하는 것이 보고된바 있으나, 저자 등이 Coblator를 이용한 제거 방법이 낮은 온도에서 시술이 이루어져 환자 고통이 적고, 육아조직 재형성이 덜 되는 장점이 있음을 보고한바 있다(Lee et al, 2014)(그림 24-1).

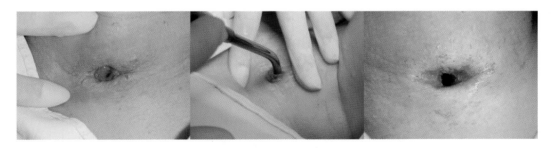

그림 24-1. **기관절개공 육아조직 제거술.** 국소마취하에 Coblator를 이용하여 기관공 성형술을 시행함. 수술 시간은 10분 정도이며 합병증은 없었음.

발관후 기관절개공 관리

기관절개관을 기관절개술 1–2주 이내 너무 일찍 제거하게 되면 기관절개 피부와 기관 연골 절개공 사이의 연부조직으로 호기가 들어가서 피하기종이 발생한다. 이를 예방하기 위해서는 기관절개술을 시행할 때 기관절개공 주변을 봉합하여 주는 기관개창술(tracheal fenestration)로 시행하는 것이 좋다. 기관개창술로 하였는데도 발생하였다면, 봉합부위를 다시 열어주는 것이 들어간 공기가 빠져 나오는 데 도움이 된다. 발관을 유지할 수 있다면 상관 없으나 다시 기관절개관을 넣어야 한다면 기낭이 있는 기관절개관을 사용하도록 한다.

기관절개관을 제거한 후에 기관절개공이 막히기 까지는 매우 다양한 기간이 걸리는데 짧게는 1개월 이내로 막히지만 영구적으로 막히지 않아서 수술적으로 막아야 할 경우도 있다. 일반적으로 기관절개관 제거 후에는 기관절개공에 대해서 밀봉드레싱을 시행한다. 밀봉하지 않고 그대로 놔두는 경우도 있지만 분비물로 인해서 불편하고 조속한 폐쇄를 위해서는 밀봉드레싱을 하는 것이 좋다. 막히기 까지는 한 달 혹은 더 이상의 기간이 필요하므로 환자나 보호자가 집에서 시행할 수 있도록 교육을 하여야 한다. 몽고메리 스트랩(Montgomery straps)을 사용하지는 않지만 몽고메리 드레싱으로 불리는 밀봉드레싱 방법에 대한 서울아산병원 환자 교육용 자료를 그림 24-2에 참고 자료로 실었다.

지속성 기관피부루 및 기관공 폐쇄술
(Persistent tracheocutaneous fistula & stoma closure)

기관절개관을 제거한 후에 기관절개공이 3개월이 지나도 막히지 않는다면 이에 대한 적절한 치료가 필요하다. 남아있는 절개공의 크기가 5 mm 미만이라면 TCA (Trichloroacetic Acid), 질산은(Silver Nitrate, AgNO3) 등을 이용해서 피부의 유착을 유도하는 방법을 사용할 수 있다. 하지만 기관절개공이 막힌 자리는 섬유성 반흔으로 인하여 보기에도 흉하지만, 피부와 기관 사이가 붙어버려서 정상적인 후두거상이 제한되면 연하에 어려움을 겪을 수도 있다. 이럴 경우 수술적인 교정이 필요하다.

기관절개공의 미용상의 문제나, 지속성 기관피부루가 있을 경우는 기관공 폐쇄술을 고려하게 된다. 수술은 주로 부분마취로 하게 되며, 전신마취로도 가능하다. 기관지공의 크기가 크지 않을 경우 그림 24-3과 같이 기관을 일차 봉합하고, 공기가 새는지 식염수를 뿌리고 기침을 시켜서 확인한다. 기관 위에 주변근육을 가운데서 봉합하여 기관봉합부위를 보강하기

기관절개관 제거 후 관리

목적

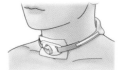

- '기관절개구'는 기관절개관이 삽입됐던 구멍을 말하며, 기관절개관을 제거한 후 일정 기간이 지나면 막히게 됩니다.
- 기관절개구 드레싱은 구멍이 막히는 것을 도와주고, 공기가 새지 않도록 해주며, 기관절개구 부위에 염증이 생기는 것을 예방해 줍니다.

드레싱 방법

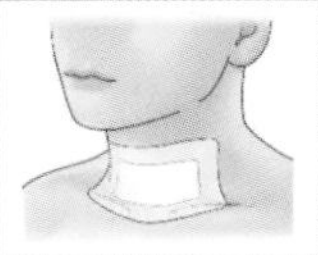

- 생리식염수, 솜, 스테리스트립 테이프, 2X2인치 거즈, 반창고 등을 준비합니다.
- 먼저 손을 깨끗이 씻고 기존 드레싱을 제거합니다.

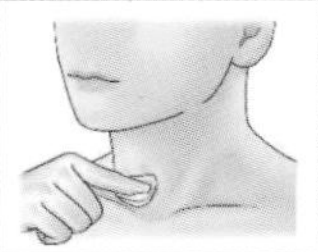

기관절개관 제거 부위에 있는 분비물을 생리식염수를 적신 솜으로 깨끗하게 닦고 건조시킵니다.

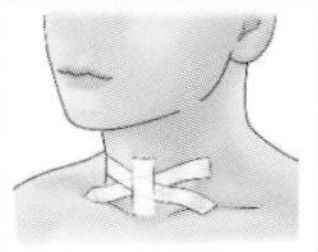

스테리스트립 테이프로 기관절개관 제거 부위의 피부를 잡아당겨 구멍이 보이지 않게 별(✱) 모양으로 붙입니다.

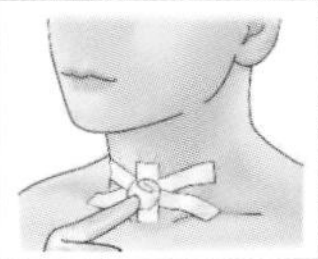

2X2인치 거즈를 1/4로 접어 기관절개관 제거 부위에 올리고 부직포 반창고를 그 위에 붙입니다.

드레싱 교환 주기

- **2일에 한 번씩** 드레싱을 합니다.
- 분비물로 인해 거즈가 젖었을 때는 즉시 드레싱을 교환합니다.

기관절개관 제거 후 주의사항

- 말을 하거나 기침, 재채기 등을 할 때는 드레싱 부위를 손으로 살짝 눌러 줍니다.
- 기관절개관 제거 부위가 아물지 않고, 발진, 열감 등 염증 소견이 있을 때는 진료를 보시기 바랍니다.
- 일정 기간이 지난 후에도 구멍이 막히지 않으면 부분 마취 후 기관절개구를 닫는 수술이 필요할 수 있습니다.

ENT_0012_H1_202007

 서울아산병원 이비인후과

그림 24-2. **몽고메리 드레싱 방법**

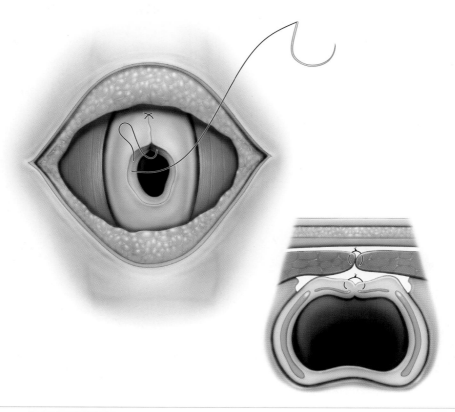

그림 24-3. 기관공 폐쇄술(기관 봉합)

도 하고 피부와 기관 사이를 분리시키는 역할을 시키기도 한다(그림 24-3)(Lawson, 1970).

하지만 기관지공의 크기가 클 경우 기관 내경이 좁아지는 것을 최소화 하기 위해서는 기관지절개공 주변의 피부를 힌지 플랩(hinge flap)으로 돌려서 기관지의 내측벽의 일부가 되도록 수술한다(그림 24-4)(Watanabe et al, 2015). 이를 위해서 처음 피부 도안 시에 기관절개공 주변 피부가 남도록 해서 절개공 주변 피부를 잘라내어야 한다. 피부 봉합은 타원형(elliptical)으로 남아 있는 피부를 봉합하는 것도 좋고, 기관절개공 주변의 피부가 반흔이나 변색이 많아서 그림 24-4와 같이 회전 피판(rotation flap)을 이용해서 막아주는 것도 좋은 결과를 기대할 수 있다.

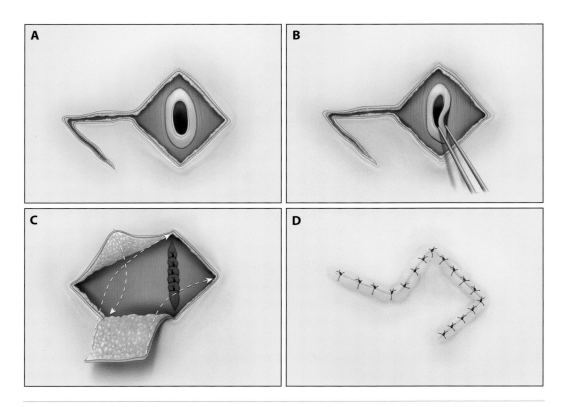

그림 24-4. 기관공 폐쇄술(hinge flap & rotation flap closure).

■ 참고문헌

1. Black RJ, Baldwin DL, Johns AN. Tracheostomy 'decannulation panic' in children: fact or fiction? J Laryngol Otol. 1984 Mar;98(3):297-304.

2. Fernández-Carmona A, Penas-Maldonado L, Yuste-Osorio E, Díaz-Redondo A. Exploración y abordaje de disfagia secundaria a vía aérea artificial. Med Intensiva. 2012;36(6):423-33.

3. Frank U, Mäder M, Sticher H. Dysphagic patients with tracheotomies: a multidisciplinary approach to treatment and decannulation management. Dysphagia. 2007;22:20-9.

4. Garrubba M, Turner T, Grieveson C. Multidisciplinary care for tracheostomy patients: a systematic review. Crit Care. 2009;13:R177.

5. Gupta A, Cotton RT, Rutter MJ. Pediatric suprastomal granuloma: management and treatment. Otolaryngol Head Neck Surg. 2004 Jul;131(1):21-5.

6. Hernández G, Ortiz R, Pedrosa A, Cuena R, Vaquero Collado C, González Arenas P, García Plaza S, Canabal Berlanga A, Fernández R. La indicación de la traqueotomía condiciona las variables predictoras del tiempo hasta la decanulación en pacientes críticos. Med Intensiva. 2012;36(8):531-9.

7. Lawson DW, Grillo HC. Closure of a persistent tracheal stoma. Surg Gynecol Obstet 1970;130:995-6.

8. Lee DY, Jin YJ, Choi HG, Kim H, Kim KH, Jung YH. Application of Coblation Resection in Various Benign Laryngotracheal Diseases. J Korean Soc Laryngol Phoniatrics Logopedics. 2014;25(1):31-5.

9. Martinez GH, Fernandez R, Casado MS, Cuena R, Lopez-Reina P, Zamora S, Luzon E. Tracheostomy tube in place at intensive care unit discharge is associated with increased ward mortality. Respir Care. 2009;54(12):1644-52.

10. Mendes TAB, Cavalheiro LV, Arevalo RT, Sonegth R. Estudo preliminar sobre a proposta de um fluxograma de decanulação em traqueostomia com atuação interdisciplinar. Einstein. 2008;6:1-6.

11. Pannunzio TG. Aspiration of oral feedings in patients with tracheostomies. AACN Clin Issues. 1996;7(4):560-9.

12. Santana L, Fernandes A, Brasileiro AG, Abreu AC. Critérios para avaliação clínica fonoaudiológica do paciente traqueostomizado no leito hospitalar e internamento domiciliar. Rev CEFAC. 2014;16(2):524-36.

13. Stelfox HT, Crimi C, Berra L, Noto A, Schmidt U, Bigatello LM, Hess D. Determinants of tracheostomy decannulation: an international survey. Crit Care. 2008;12:R26.

14. Tobin AE, Santamaria JD. An intensivist-led tracheostomy review team is associated with shorter decannulation time and length of stay: a prospective cohort study. Crit Care. 2008;12(2):R48.

15. Tunkel DE, McColley SA, Baroody FM, Marcus CL, Carroll JL, Loughlin GM. Polysomnography in the evaluation of readiness for decannulation in children. Arch Otolaryngol Head Neck Surg. 1996 Jul;122(7):721-4.

16. Watanabe, Y., Umehara, T., Harada, A. et al. Successful closure of a tracheocutaneous fistula after tracheostomy using two skin flaps: a case report. surg case rep 2015;1(1):43.

INDEX